조선 음식 레시피 여행

시의전서 是議全書

시의전서(是議全書) : 조선 음식 레시피 여행

발 행 | 2024년 07월 25일
저 자 | 오종필
펴낸이 | 한건희
펴낸곳 | 주식회사 부크크
출판사등록 | 2014.07.15.(제2014-16호)
주 소 | 서울특별시 금천구 가산디지털1로 119 SK트윈타워 A동 305호
전 화 | 1670-8316
이메일 | info@bookk.co.kr

ISBN | 979-11-410-9729-5

是議全書 시의전서

오종필 옮김

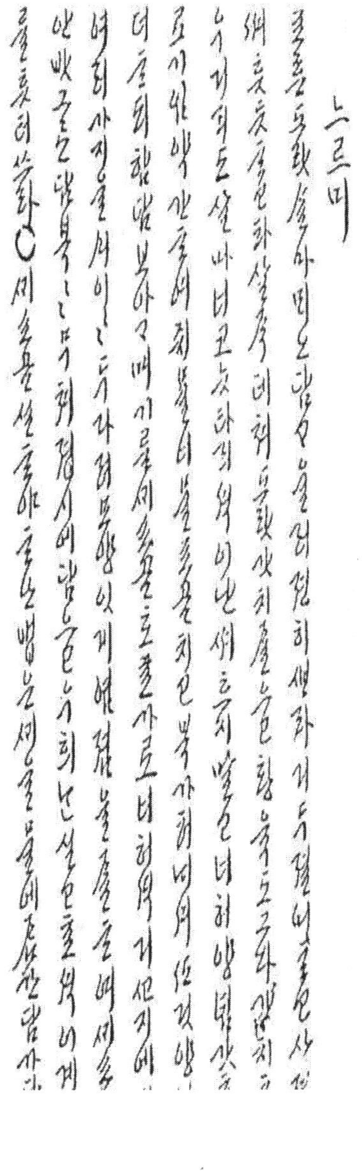
노르미

머리말

이 책은 '조선 음식 조리법'을 한 권으로 엮은 한글 책입니다.

제목부터 익숙하지 않은 시의전서(是議全書)는 그 '당시 다양한 음식의 조리 방법을 하나로 엮은 조리법'이다. 이론이 아니라, 당장이라도 음식을 만들어볼 수 있는 실용서이고, 그 당시 식생활과 입맛을 들여다볼 수 있습니다.

더 전거(典據)를 살펴보면,

1) 시의전서 (是議全書) : 저자 미상, 1800년대 말 출간.

"1800년대 말 저자 미상의 조리서로 상·하 2편 1책으로 구성되어 있고, 항목은 한자와 한글을 혼용하여 작성되어 있다. 양반 가정(班家)의 음식을 정리한 전문 조리서로 조리법이 잘 정리되어 있어, 조선 후기의 전통 한국 음식을 한눈에 볼 수 있다.

음식은 장국밥·비빔밥 등의 주식류, 토란국·잡탕 등의 부식류, 꿀·겨자 등의 양념류, 녹두떡 등의 떡류, 유자정과·감자정과 등의 정과류, 수정과·배숙 등의 음청류 등 총 422가지 음식이 게재되어 있다."

– 영인본 : 《시의전서, 신광출판사, 2004》

2) 시의전서(상하편) 是議全書(上下篇):

상·하 2편 1책. 필사본. 1911년에 설립된 대구인쇄합자회사(大邱印刷合資會社)에서 인쇄한 상주군청의 편면괘지(片面罫紙)에 모필로 적어놓았다.

이 책은 1919년에 심환진(沈晥鎭)이 상주군수로 부임하여 그곳의 반가에 소장되어 있던 조리책 하나를 빌려서 괘지에 필사해 둔 것이 그의 며느리 홍정(洪貞)에게 전해진 것이다. 심환진의 필사연대는 1919년경이지만 원본은 1800년대 말엽의 것으로 추정된다.

내용은 광범위한 조리법을 비교적 잘 분류, 정리하여 조선 말기의 식품을 한눈에 볼 수 있다. 그러나 군데군데 삽입되어 있는 조리법이 분류상 제자리에 있지 못하여 약간씩 혼란을 주고, 경상도 사투리가 현저하게 눈에 띄며 표기의 통일성도 없다. 그리고 혼돈되기 쉬운 감미음료인 식혜와 감주 사이의 관계가 밝혀져 있으나 생선 식혜에 관한 것은 나오지 않는다.

상편에는 장·김치·밥·미음·원미·죽·응이·찜·선·탕·신선로·회·면·만두·전골·전·구이·포·장육·자반·나물·조치·화채·약식 등이 수록되어 있고, 하편에는 전과·편·조과·생실과·약주·제물·회·채소목록·각색 염색·서답법·반상도식까지 수록되어 있다. 특히, 반상도식은 매우 귀한 것으로 구첩반상·칠첩반상·오첩반상·곁상·술상·신선로상·입맷상 등의 원형을 찾을 수 있는 좋은 자료이다. 술의 종류, 식품의 종류, 건어물의 종류, 채소의 종류가 매우 많이 수록되어 있어서 식품연구의 귀중한 자료가 된다.
– 《한국민족문화대백과사전》에서 인용.

3) 원문출전: (davincimap.co.kr) –원문/전문 보기
  – 시의전서 (**是議全書**) (上篇) (下篇)

위와 같이 '출전 원문'이 있어서 천만다행으로 현대말로 옮기는 작업으로 쉽게 접근할 수 있었다. 100여 년이 지난 시점인데도 수월하게 옮길 수 있었다. 몇몇 한자어나 요즘 쓰이지 않는 글귀들을 제외하면, 현대 입말에 거의 가까운 느낌을 받았다. 그리고 우리 음식에 관한 낱말 시간여행을 한 것처럼 반갑게 다가왔다. 내용에 조리 순서가 접사 -찧고, 빻고, 짜고, 빨고, 채 쳐, 무쳐, 담고, 담아, 쓰 - 등이 계속 나온다. 약 150년 전 음식 솜씨 좋은 경상도 종가집 마님의 말귀를 받아 적어놓은 듯하다. 마치 종가집 레시피를 들으면서 현대말로 옮긴다고 생각하면서 조금씩 옮겼다. 출전 원문과 현대말 풀이를 좌우로 나란히 배열하였다. 비교하면서 살펴보아도 좋을 것 같다.

다만, 아쉬운 점은 도식을 추가하면 음식 만드는 과정을 훨씬 이해하기 수월할 텐데…., 실제로 음식을 만들어 사진을 찍어 싣기도 쉽지 않고, 글로만 접근하려니

어려움도 있었다. 결국 그림을 넣지 못해 안타깝다. 그리고 '출전 원문'에 글만 있는 관계로 '반상도식'을 옮길 수 없었다.

여기에 실린 음식 모두가 조선시대에 만들어진 것은 아닐 것이다. 하루 이틀에 만들어진 것이 아니라, 대대로 이 땅에서 쉽게 구할 수 있는 재료를 가지고 음식을 마련했을 것이다. 하지만 1970년대만 해도 대도시를 제외하면 부엌에 큰 무쇠솥, 중간 밥솥, 작은 국솥 3개 달린 부뚜막이 있었고, 거기에 나무를 땔감으로 불을 때서 주부들이 일일이 음식을 마련하였다. 그래서 여간 부지런하지 않으면 안 되었다. 그 음식 솜씨는 친정엄마나 시어머니의 가르침으로 길러졌음을 생각한다면 그 손길이 얼마나 분주하였을까? 살림이 넉넉지도 않은데 어떻게 끼니마다 반과 찬을 마련하여 식구들을 길러냈을까?

바란다면, 아하~! '옛날에도 이런 음식과 조리법이 있었구나!' 할 수 있다면 얼마나 좋을까 싶다. 그리고 이 책에 담을 수 있도록 음식을 실제로 만들어 본 옛사람과 한글로 옮겨 놓은 이름 모를 필사가, 원문을 옮기고 쉼표 없이 세로로 손으로 쓴 글에다 단락을 나누고 원문을 전자 글로 변환시켜 놓으신 분들에게 감사를 전하고 싶다.

그리고, 이렇게 음식을 만들어 가족을 기르신 어머니들에게 바칩니다.

2024년 장마철에 보문산 시루봉 아래 큰집 서재에서

CONTENT

▶ 상권

1	간장 [장류]	12	31	갈분응이		29
2	진장법		32	송이찜 [찜류]		
3	약고추장	13	33	죽순찜		30
4	즙장법		34	붕어찜		
5	담북장	15	35	게찜		31
6	청국장		36	돼지 새끼집 찜		
7	어육김치	16	37	아저찜		32
8	동치미	17	38	메추라기찜		33
9	석박지	18	39	봉통찜		
10	동아석박지	19	40	갈비찜		34
11	향갓김치		41	연계찜		
12	배추통김치	20	42	속대찜		35
13	장김치법	21	43	고사리찜		
14	오이김치		44	떡볶이		
15	박김치	22	45	숭어찜		36
16	얼젓국지		46	배추선		
17	젓무	23	47	동아선		
18	속대장아찌		48	호박선		37
19	오이장아찌	24	49	고추선		
20	무우숙장아찌		50	연포국 [국,탕]		38
21	장짠지	25	51	일과		39
22	장국밥		52	소꼬리국		
23	비빔밥	26	53	열구자탕		40
24	삼합미음		54	완자탕		41
25	장국원미	27	55	게탕		
26	소주원미		56	애탕		
27	잣죽 [죽]	28	57	잡탕		42
28	흑임자죽		58	고음국		
29	진자죽		59	육개장		43
30	장국죽	29	60	생선국		

CONTENT

▶ **상권**

61 생치국 [국류]	44	
62 송이국		
63 알국		
64 토란국		
65 떡국	45	
66 육회		
67 어회	46	
68 미나리강회	47	
69 온면 [면류]		
70 냉면	48	
71 비빔국수		
72 장국냉면		
73 밀국수	49	
74 시면	50	
75 창면		
76 만두	51	
77 어만두		
78 밀만두	52	
79 수교의		
80 전골법	53	
81 어채	54	
82 전복숙	55	
83 족편		
84 홍합초	56	
85 게간랍		
86 참새전유어		
87 누르미	57	
88 어육 각색 간랍	58	
89 해삼		
90 수란	59	

91 건수란	59	
92 어교순대	60	
93 도야지 순대		
94 수육		
95 게구이법[구이]	61	
96 붕어구이	62	
97 생선구이		
98 꿩고기구이	63	
99 닭구이		
100 갈비구이		
101 염통구이	64	
102 족구이		
103 더덕구이		
104 파산적 [산적]	65	
105 송이산적		
106 승금초산적		
107 염통산적		
108 육산적		
109 떡산적	66	
110 너비아니		
111 약산적		
112 뭉치구이		
113 편포 (포)	67	
114 약포		
115 산포법		
116 창포법	68	
117 어포법		
118 장조림법[조림]		
119 약산적조림	69	
120 각색 장조림		

CONTENT

▶ 상권

121	생치 장조림	69
122	장볶이 [찬]	70
123	콩자반	
124	김자반	
125	천리찬	71
126	만나지법	
127	탕평채	
128	파나물 [나물]	72
129	죽순나물	
130	도라지나물	
131	고비나물,고사리나물	
132	오이나물	73
133	호박나물	
134	호박문주법	
135	곰취쌈	74
136	깻잎쌈 법	
137	도라지생채 (생채)	
138	오이생채	75
139	무생채	
140	갓채(동개채)	
141	묵볶이	76
142	천엽조치 (조치)	
143	공조치	
144	생선조치	77
145	양즙내는 법	
146	오이지 담는법	78
147	꿀 만드는 법	
148	초 안치는 법	79
149	겨자 만드는 법	
150	고추장 윤즙법	80
151	청어젓 담는 법	81
152	약식법	82
153	전약법	83
154	수정과	
155	배숙	
156	장미화채 (화채)	
157	두견화채	84
158	순채로 화채 담는 법	
159	배화채	
160	앵두화채	
161	복분자화채	
162	복숭아화채	85
163	밀수 타는 법	
164	생감침 담그는 법	
165	고추장에 장아찌 박는 물종	86
166	마늘장아찌법 [상편]	87

CONTENT

▶ 하권

1	산사편 [정과류]	91
2	모과거른 정과	92
3	앵두편	
4	살구편	93
5	녹말편	
6	생강정과	94
7	유자정과	
8	연근정과	95
9	도라지정과	
10	인삼정과	
11	행인정과	
12	청매정과	
13	시루편 안치는 법	96
14	갖은 웃기 주악	99
15	석이단자	101
16	승검초단자	
17	잡과편	102
18	계강과	
19	두텁떡	
20	화전	103
21	생산승	104
22	생강편	
23	무떡	105
24	송편	
25	어름소편	106
26	증편	107
27	대추인절미	108
28	쑥절편	
29	송기절편	109
30	감자병	

31	적복령편	
32	상실편	110
33	계피떡	
34	마구설기	111
35	수단	112
36	보리수단	
37	식혜	
38	강정방문	113
39	메밀산자	115
40	연사	
41	약과하는 법	118
42	중계	119
43	매작과	
44	빈사과	120
45	다식	
46	생실과	121
47	소국주별방	122
48	과하주별방	
49	방문주별방	123
50	벽향주	
51	녹파주	124
52	성탄향	
53	황감주	125
54	신상주	
55	두견주	126
56	송순주	127
57	두강주	128
58	삼일주	
59	삼해주	129
60	회산춘	130

CONTENT

▶ 하권

61	일년주	
62	과하주	131
63	청감주	132
64	전복쌈 [마른안주]	133
65	문어오림	
66	두부전골	
67	O편 담는법	135
68	젓갈 담는법	139
69	간랍	
70	제사김치	140
71	자반 담는법	
72	두부법	141
73	제물 묵법	142
74	엿기름 기르는 법	143
75	메밀 묵법	
76	녹말수비법	144
77	미나리 장아찌	146
78	속대 짠지	

79	고춧잎장아찌	146
80	가지짠지	147
81	풋고추조림	
82	북어무침	148
83	두릅장아찌	
84	상추쌈	
85	낭화	149
86	엿 고는 법	
87	감주하는 법	151
88	찬합 넣는 법	152
89	[각색 젓갈]	153
90	[각색 자반과 건어류]	154
91	[각색 생선]	155
92	술안주	159
93	[각색 해체류]	161
94	[천어 잔생선 조리법]	163
95	굴김치법	
96	[각종 채소]	164

<일러두기>

참고자료 · 원문출전: (davincimap.co.kr)-시의전서(是議全書) 상.하편
　　　　　· 한국전통지식포탈: (koreantk.com)
　　　　　· 우리말샘(korean.go.kr)

부호 쓰임 : [-] : 원문에 쉼표가 없어 '출전원문' 대로 옮김
　　　　　　[~,] : 조리가 다음 단계로 이어진다는 표식

원문 배치 : 왼쪽에 원문을 / 오른쪽에 현대어 풀이.

현대어 풀이 : 원문에 기재된 순서대로 음식 번호를 추가.

조쥬 합중 길일
-병인 정묘 무ㅈ 병신 을미 병오
-병일

슈흔일
-디월은 초일일 초칠일 십일일 십칠일 이십슴일 소월은 초슴일 초칠일 십이일 이십육일
-ㅆ 신일을 긔ᄒ나니라

艮醬 간장
-며조 한 말에 물 ᄒ 동의 소곰 일곱 되식 담으되 늣게 담으면 소곰을 좀 더ᄒ라

眞醬 진ᄌ법
-구월에 며조 쑤되 거문콩 ᄒ 말 쓔어 고초ᄌ 며조갓치 뭉쳐 잘 씌워
-물 ᄒ 동의에 소곰 네닷 되 너허 헛간에 두되 치반으로 덥허 두어다가
-빅 일 만에 중을 써셔 씌일 제 거문콩 한 되 디초 ᄒ 되 춥살 다섯 홉을 너허
-다 디린 후 항에 너허 항ᄉ 음쳐에 두고 혹 볏도 쏘이면 조ᄒ니라

조주 (造酒 : 술 빚기)

합장 (合醬 : 묵은장에 메주를 넣고 담기)

O 길일(吉日:좋은 날) :

병인(丙寅)일, 정묘(丁卯), 무자(戊子), 병신(丙申), 을미(乙未), 병오(丙午), 병*(丙*)일

O 수흔일(水痕日: 궂은날) : 꺼리는 날

- 큰달(음력): 1일, 7일, 11일, 17일, 23일

- 작은 달 : 3일, 7일, 12일, 26일

- 또, 설날(신일(愼日))에는 꺼린다.

1) 간장 [艮醬]

- 메주 1말(18~20l)에 물 1동이, 소금 7되씩 담되, 늦게 담으면 소금을 조금 더 추가한다.

2) 진장법 [眞醬]

- (음력) 9월에 메주를 쑤되, 검은콩 1말(18~20l)을 쑤고 고추장 메주처럼 뭉쳐 잘 띄워~,

- 물 1동이에 소금 4~5되를 넣어 헛간에 두되 채반으로 덮어두었다가~,

- 100일 만에 장을 뜨고, 띄울 때 검은콩 1되, 대추 1되, 찹쌀 5홉을 합쳐 넣고~,

- 모두 달인 다음, 항아리에 넣고 항상 음지에 두는데, 가끔 볕을 쏘여도 좋다.

약고초중

-흔 말 며조 ᄡᅳ라면 빅미 두
되 가로 밀들아 흰무리 슬문 콩
ᄶᅵᆯ 적 흔ᄃᆡ 너허 곱기 ᄶᅵ여
-며쥬을 쥼 여 송엽에 ᄶᅴ우되
일 칠에 흔 번식 손을 뒤여 셰
말ᄒᆞ여
-며조가로 한 말에 소곰 너 되
조흔 물 타 버되 즐고 되기는
묽은 의이만치 ᄒᆞ고
-고초가로난 닷 홉이홉 이나 식
셩ᄃᆡ로 셕고
-찰슬 두 되 질기 밥 지여 흔ᄃᆡ
고로고로 버므리고
-혹 ᄃᆡ초 두다린 것과 포육가로
와 화흡ᄒᆞ고
-꿀 보아만 쳐 ᄒᆞ나니라

汁醬 집중법

-칠월에 며조 ᄡᅮ되 콩 한 말에
밀기울 닷 되 너코 콩 다엿 되
ᄡᅳ라면 기울 셔너 되 너허
-며조 물른 후 물 ᄶᅵ지 말고 그
며조 물 잇난 ᄃᆡ 기울을 훌훌
셕거 덥고

3) 약고추장

- 1 말, 메주를 ᄡᅮ려면 백미 2되를 가루로 만들어~, 흰무리(멥쌀가루를 켜가 없게 안쳐서 찐 시루떡)는 삶은 콩을 찔 때 한데 넣고 곱게 찌어~,
- 메주를 1줌 남짓 솔잎에 띄우고~, 7일에 한 번씩 메주를 손으로 뒤적여 주면서 곱게 가루 내어~,
- 메줏가루 1말에 소금 4되를 좋은 물을 타서 붓되, 질고 되기(점도)는 묽은 응이(죽) 정도로 하고~,
- 고춧가루는 2홉~5홉이나 식성대로 맞게 섞고~,
- 찹쌀로 2되 질게 밥을 지어 함께 골고루 버무리고,
- 혹은 대추 두드린 것과 육포 가루를 잘 섞거나,
- 꿀 1보시기를 쳐서 만든다.

4) 즙장법

- (음력) 7월에 메주를 ᄡᅮ되, 콩 1 말에, 밀기울(밀을 빻아 체로 쳐서 남은 찌끼) 5되 넣고,
 콩 5~6되를 ᄡᅮ려면 밀기울 3~4되를 넣어~,
- 메주가 물러진 후 물로 찌지 말고, 그 메주 물 있는 데다 밀기울을 훌훌 섞어 덮는다.

-쏘 불을 찌여 찌키 조케 익은 후 씨여 솔닙에 지여 둔 후 말여 가로 민다라

-찰밥지여 간중에 담되 간중만 ㅎ면 무미ㅎ니 소곰 너허 맛보와 ㅎ고

-쓰도 맛 읍고 너모 싱거워도 두고 먹기 변미ㅎ기 쉬운니라

-간을 알맛초와 ㅎ고

-어린 고초을 기름에 둘너 숨 죽을 만치 복가 너코 외와 가지도 져려다가 쓴물 울어 보즛에 쏘 눌너 케케 너코 담면 조코

-날물 말고 푸두엄에 무더다가 두엄이 믹우 더우면 육칠일이나 덥지 안니ㅎ면 팔구일 건 십 일 되여도 조코

-그거션 보와 가며 ㅎ고

-밥은 며조가로 한 말이면 찰술 닷 되 ㅎ고

-두엄이 더워야 조흐니 담으기난 팔월에 담고 되게 버무러도 익으면 물거지고 불근 고초가로 조곰 너흐면 죠흔니라

-달은 며조물보다 더 너 부어 기울 너으라

- 또 불을 때서 찧기 좋게 익은 후, 찧어 솔잎에 재워 둔 다음, 말려 가루로 만들어~,

- 찰밥을 지어 간장에 담되, 간장으로만 하면 맛이 없으니, 소금을 넣고 맛을 봐서 하고,

- 너무 짜도 맛없고, 너무 싱거우면 두고 먹기에 맛이 변하기 쉽다.

- 그러므로 간을 알맞게 하고,

- 어린 고추에 기름을 둘러 숨이 죽을 만큼 볶아 넣고, 오이와 가지도 절였다가, 짠물 우려 보자기에 싸 눌러 켜켜이 넣고 담으면 좋고,

- (항아리에) 날(맹)물에 말고, 푸두엄(벼 껍질 등을 모아둔 곳)에 묻어두는데, 두엄이 매우 더우면 6~7일, 덥지 않으면 8~10일 되어도 좋다.

- 그것은 (기온을) 지켜보아 가면서 한다.

- 밥은 메줏가루 1 말이면 찹쌀 5되로 섞는데~,

- 두엄이 더워야 좋으니, 담는 것은 8월에 담는데, 되게 버무려도 익으면 묽어지는데, 붉은 고춧가루를 조금 넣으면 좋다.

- 다른 메주보다 물을 더 부어 넣고 기울(가루를 치고 남은 속껍질)을 넣는다.

淡北醬 담북쟝

-구월 며조 쑤되 고초쟝 며조쳐
로 쥐여 흔 이칠일 씌운 후 고
말여 죽말ᄒᆞ여

-어럼이로 쳐셔 다셔흔 물에 고
초가로 훌훌 버무려 항에 너허
방안에 두다가 잇틀 후 셕거
간 마초와

-익거던 움파 버셧 ᄭᅩ미 도로목
ᄇᆡ차 졍이 쌧라 쎠흘고 쟝에 합
ᄒᆞ여

-기럼 만히 치고 지지며 조흐니
라

清湯醬 청국쟝

-콩 복가 타셔 ᄭᅡ불너 겁질 바
리고 물 만히 붓고 살마

-건덕이 ᄹᅡ로 건져 항에 담아
씌우고 물은 ᄹᅩ로 펴 두엇다가
ᅀᅳᆷ 일 만에 콩건지와 ᄒᆡᅀᅮᆷ 전복
건디구 북어 흘쩍이 다시마 통
무우 너 폭 쎠리여

-펴셔 ᄎᆞᆫ 듸 두고 먹을 제 간쟝
타고 고초가로 너허 먹으라

5) 담북장

- 9월에 메주를 쑤되, 고추장 메주처럼 빚고~,
빚은 메주는 14일을 띄운 다음, 말려 가루로 만
들어.

- (메줏가루)를 어레미(눈금 굵은 체)로 쳐 거른
뒤~, 따듯한 물에 고춧가루 훌훌 버무려 항아리
에 넣고 방안에 두었다가~, 2일 후 메줏가루와
섞고 간을 맞추고,

- (장이) 익으면 움파, 버섯, 고기, 도루묵, 배춧
잎을 깨끗이 씻어 썰고 장에 합친 다음~,

- 기름 많이 치고 지져 먹으면 좋다.

6) 청국장

- 콩을 볶아 태워~, (키에) 까불러 껍질을 버리
고, 물을 많이 붓고 삶는다.

- (삶은 콩) 건더기는 따로 건져 항아리에 담아
띄우고, 삶은 물을 따로 퍼 놓는다.

- 3일 후 콩 건더기와 해삼, 전복, 건대구, 북어,
흘떼기, 다시마, 통무를 넣고 푹 달여~,

- (청국장을) 찬 곳에 퍼서 두고, 먹을 때 간장을
타고 고춧가루를 넣어 먹는다.

魚肉沈菜 어육침치

-딕구 북어 민어뉴를 쓸 즉마다
두골과 겁질을 만히 모와다가
셔리 쳐음으로 나리고 날이 ㅊ
거던 김중할 썩 조흔 나복과 연
한 빅ㅊ와 굴은 갓 졍히 씨셔
함담 맛초와 져리고

-외와 가지 법딕로 졀린 거과
호박 아히 쥬먹만 것 져린 것과
고초난 어린 것 닙히 달닌 ㅊ
ㄴ 거슬 셔리 나리기 젼에 미리
가리여 소곰에 졀이면 질기고
마시 ㅅ오나오니 항에 너코 돌
노 단단이 눌고 닝슈을 부어
다가 쓸 딕 닉여 여러 번 졍히
씨셔면 연ㅎ고 조흔니라

-짐치 담기 젼 기일 일ㅎ여 고
기 쌀문 물에 닝슈 안니 탄 거
슬 두어 동의 사다가 그 젼 모
와 둔 거어를 만히 너코 황육
쏘 너허 진히 쩌리여 치오고

-독을 무든 후 청각 마날 파 싱
강 고초 등속을 케케 너코

-마날은 가라 붓고 마나리 졍히
씨셔 사이사이 너코 우흘 둡겁
기 덥고

-어육 짜린 물을 맛보와 싱겁거
던 무우 져린 물을 체에 바타
가득이 붓고

-둣겁게 쓰고 우흘 흘거로 덥퍼

7) 어육김치

- 대구, 북어, 민어 등을 쓸 적마다 대가리와 껍
질을 많이 모아 두었다가[*]~, 첫서리 내리고 날씨
가 차지면, 김장할 때 좋은 무와 연한 배추와 굵
은 갓을 깨끗이 씻어 간을 맞춰 절인다.

- 오이와 가지를 절인 것, 애호박 절인 것과 고
추 어린 것= 잎이 달린 채 딴 것을 절이면 질기
고 맛이 사나우므로, 항아리에 넣고 돌로 단단히
누르고 찬물을 부어두었다가, 쓸 때마다 꺼내어
여러 번 깨끗이 씻으면 연하고 좋다.

- 김치 담기 하루 전, 쇠고기 삶은 물에-냉수 아
니 탄 것(어육) 2동이 사다가, 그 전에 모아둔
것(꾸미)[*] 을 많이 넣고 쇠고기 더 넣은 다음 진
하게 달여~, (독에) 채우고~,

- 독을 묻은 후, 청각, 마늘, 파, 생강, 고추 등을
켜켜이 넣고~,

- 마늘을 갈아 붓고 미나리 깨끗이 씻어 사이사
이에 넣고 위를 두껍게 덮은 뒤~,

- 어육 달인 물을 맛보아 싱거우면 무 절인 물을
체에 밭쳐 가득히 붓는다.

다가 세말 츈초에 먹으면 훈감고 절미ᄒ니라
-침치는 무우 ᄇᆡ츠을 쎠흐지 아니ᄒ난니라

冬沈伊 동침이
-잘고 모양 조흔 무우을 졍히 겁질 벗기 마초아 져려
-ᄒ로 지녀거던 졍히 씨셔 독을 뭇고
-어린 외 한ᄃᆡ 져려 너코 ᄇᆡ와 유ᄌ 왼ᄎᆞ 겁질 벗게 쎠허지 말고 총ᄇᆡᆨ ᄒᆞᆫ 치 기릭식 버혀 우ᄒᆞᆯ 네 쪽에 너고
-싱강 얄게 졈인 것과 고초 쎠흔 것 우희 만히 너코 조흔 물에 함담 마초와 가난 체에 바타 가득히 붓고 둣거이 봉ᄒᆞ야
-익은 후 먹으되 ᄇᆡ 유ᄌ는 먹을 쎡 쎠흘고 국의 ᄇᆡᆨ쳥 타 셕뉴 ᄇᆡᆨᄌ 훗터 씨라

- (여러 겹) 두껍게 싸고 위를 흙으로 덮어두었다가 (음력) 12월 말경이나 이른 봄에 먹으면 향과 맛이 좋다.
- 이 김치는 무, 배추를 썰지 않고 담는다.

8) 동치미 [冬沈伊]

- (크기가) 잘고 모양이 좋은 무를 깨끗이 껍질을 벗긴 다음 간을 (알맞게) 맞추어 절인다.
- 하루 지나면 (무를) 깨끗이 씻고 독을 묻고~.
- (묻어 놓은 독에) 무와 어린 오이를 한곳에 절여 넣고~. 배와 유자는 껍질을 벗겨 썰지 않고 통째로 넣고, 파 밑동은 1치 길이씩 잘라 위를 4쪽씩 내고~.
- 생강 얇게 저민 것과 고추 썬 것을 위에 많이 넣고~. 좋은 물에 간을 맞추어 가는 체를 밭쳐 (항아리에) 가득 붓고 뚜껑을 봉한 뒤~.
- 익혀 먹되, (먹을 때) 배와 유자는 썰고 국물에 좋은 꿀을 타고 석류와 잣을 띄워 먹는다.

셧박지

-연ᄒ고 조흔 무우 얌젼히 셔흘고 조흔 빈츠 잘 져려 건어 쥰치 소라 죠긔졋 반당이 물에 담가다가 ᄒ로밤 지와

-무우 동글게 마암ᄃᆡ로 쎠흘고 빈츠 갓슨 젹즁히 쎠흐려 물에 담우고

-외와 가지는 담으는 날 물에 너코 션동아는 과즄만치 버혀 겁질은 벗기지 말고 속은 글거 읍시ᄒ고

-싱복 소라 낙지는 머리에 골만 쎅고 독을 뭇고

-무우 빈츠 몬져 너코 가지와 동아 등물을 너코 졋슬 ᄒ 벌 싼 후 마날 파 고초 등속을 우에 만히 펴고 나무식을 ᄎ례로 썩 안치듯 ᄒ 후 무우 겁질을 독 우흘 만히 푹 덥고

-단단한 나무로 독 속 좌우을 단단니 지르고 눌닌 후 조흔 조긔졋국에 맛난 굴젓국 조곰 셧거 함담 맛초와 가득 부어 익히면 마시 ᄌ별ᄒ되

-날이 더우며 쉬니 쎡을 맛초아 쎡을 일치 말나

-싱복 낙지난 임시ᄒ여 쎠흘고 동아 져린 것 겁질 벗게 너흐면 빗치 옥 갓흐니라

9) 석박지

- 연하고 좋은 무를 얌전히 썰고, 좋은 배추를 잘 절여~, 건어, 준치, 소라, 소개섯, 밴댕이(섯) 물에 담가, 하룻밤 재운다.

- 무는 둥글게 마음대로 썰고, 배추, 갓은 적당한 크기로 썰어 물에 담그고~.

- 오이와 가지는 담는 날 물에 넣고, 동아 꼭지는 과줄(강정, 다식, 약과, 정과 따위)만큼씩 잘라 껍질은 벗기지 말고 속만 긁어 없앤다.

- 생전복, 소라, 낙지는 머리에 골만 빼고, 독을 묻고~.

- 무, 배추 먼저 넣고, 가지와 센 동아 등속을 넣고, 젓갈 1벌을 깔아준 뒤, 마늘, 파, 고추 등속을 위에 많이 켜켜이 펴고~, 나물은 차례차례 떡 안치듯 한 다음, 무 껍질을 독 위에 많이 푹 덮고~.

- 단단한 나뭇가지로 독 속의 좌우를 단단히 가로질러 누른 후, 좋은 조기 젓국에 맛난 굴 젓국을 조금 섞어, 간을 맞추어 가득 부어 익히면 맛이 아주 좋다.

- 날이 더우면 쉽게 쉬므로, 때를 맞추고, 때를 잃지 말라.

- 생전복, 낙지는 임시대로 썰고, 동아 절인 것은 껍질을 얇게 벗겨 넣으면 때깔이 옥 같다.

冬苽沈菜 동아솃박지

-만니 크고 슝치 안니코 서리
마진 분빗 갓탄 동과를 우흘 얏
버히고 속을 죄 글거 닌 후 조
흔 조기 졋국을 가득이 쳥각 싱
강 파 고초을 흔디 셧거 가로
되도록 나른니 찌여 그 속에 녀
코

-동아 버힌 싹지을 덥퍼 맛초고
조희로 틈 읍시 단단히 발나 덥
고

-어지 안닛난 곳디 셰워 두어다
가 겨울에 여러 보면 말국이 괴
여 나니

-졍흔 항에 쏫고 동과를 쎠흐라

-국에 담가 두고 먹으면 졀미흐
니라

香芥沈菜 샹갓침치

-입츈날 무우 가날게 치 쳐 싹
고 무슌 미느리 슛무우음 신검
초 너허 빅비탕을 쓸혀 나박침
치 담흐게 담가 더운 디 두엇다
가

-익을 만흐거든 샹갓 쑤리치 졍
히 갈히여 씨셔 그릇싀 담고

-쓸난 물을 샹갓싀 익지 안일
만치 슘슈 츠을 샹갓슬 두어

10) 동아 석박지

- 큼직하고 싱싱하고, 서리 맞은 분 빛 같은 동
아 꼭지를 얇게 베어내고~, (동아) 속을 죄다 긁
어낸 뒤, 좋은 조기 젓국을 가득 부은 다음 청각,
생강, 파, 고추를 한데 섞어, 가루가 되도록 나른
히 찧어 그(동아) 속에 넣고~.

- 베어낸 동아 꼭지를 덮어 맞추고, 종이로 틈새
없이 단단히 발라 덮고~.

- 먼지 안 나는 곳에 세워 두었다가, 겨울에 열
어 보면 맑은 국물이 괴어 나온다.

- (이 국물을) 깨끗한 항아리에 쏟고 동아를 썰
어~.

- 국물에 담가 두고 먹으면 매우 맛이 좋다.

11) 향갓김치 (산갓김치:상갓김치) : [겨자채]

- 입춘날 무를 가늘게 채 쳐 깎고, 무순, 미나리,
순무 싹, 시금치를 넣고 맹물을 팔팔 끓여 나박
김치를 말갛게 담가 따듯한 곳에 두었다가~.

- (나막김치가) 익을 만하거든 향갓을 뿌리째 깨
끗이 가려 씻어 대그릇에 담고 (물기를 뺀다).

- 끓인 물을 갓이 익지 않을 만큼 3~4차례 갓에

-물과 상갓슬 너코 입으로 불기
를 계주 기둣 이윽이 불어 조희
로 둣거이 여러 별 덥고 소음
옷슬 눌너 김이 조곰도 나지 안
니케 ᄒᆞ야 반시만 ᄒᆞ여 늬여 몬
져 담앗든 침ᄎᆡ에 셧거 거문종
타 먹으되
-김이 나면 쓰고
-상갓시 져가 주라면 즉시 쉬고
마시 조치 못ᄒᆞ니라

부어준다.

- (항아리에) 물과 향갓을 넣고 입김을 겨자 게이
듯 한참 불어주고~, (항아리를) 송이로 누썹게 여
러 벌 덮고, 솜옷으로 눌러 조금도 김이 새지 않
도록 한 다음~, 반 시간 뒤에 꺼내어, 먼저 담았
던 (나막) 김치에 섞어서 졸인 간장에 타 먹는다.
- 김이 새 나가면 맛이 쓰다.
- 향갓이 웃자라면 즉시 쇠고(억세고) 맛이 좋지
못하다.

菘沈菜 비ᄎᆞ통김치

*-북어을 졍히 씨셔 통으로 케케
담아 두어다ᄀ 봄에 먹으면 조
흐니라*
-조흔 통 마초 져려 실고초 총
빅 마날 싱강 싱뉼 빅 다 치
치고
-죠기졋 졈허 너코 쳥각 미나리
와 소라 낙지 속게 셧거 너허
함담 마초와 ᄒᆞ되 -무우와 외지
ᄉᆞ실노 케케 너허다ᄀ 숨 일 만
에 조긔졋국 다려 물에 타셔 국
을 부으면 조흐니라

12) 배추통김치

- 북어를 깨끗이 씻어 통으로 켜켜이 담가 두었
다가 봄에 먹으면 좋다.
- 좋은 통배추 간을 맞춰 절여~, 실고추, 파, 마
늘, 생강, 밤, 배는 모두 채 치고~,
- 조기젓을 저며 넣고, 청각, 미나리, 소라, 낙지
등을 섞어 넣은 다음 간을 맞추되,
- 무와 오이지는 4절로 썰어 켜켜이 넣었다가, 3
일 만에 조개젓국을 달여 물에 타서 국물로 부으
면 좋다.

醬沉菜 장김치법

- 죠흔 빈츠 실아수 흔 치 기릭 식 버히고 무우도 겁질 벗게 반듯반듯 쎠흘고 빙도 무우갓치 쎠려 조흔 진즁에 저리고

- 고초 총빅 마날 싱강 싱뉼 셕 의 표고 다 치 치고 전복 히숨 양지머(리) 츠돌빅이 다 얄게 졈혀 너코 실빅 너코 버무리되

- 저린 지령 싸라 다려셔 물 타 고 함담 맛초와 빅쳥 타셔 국물 부어 익은 후 쓰라

- ᄒ졀에ᄂ 어린 외 즁에 저리 외김치소 너탓ᄒ여 ᄒ난니라

胡苽沉菜 외김치

- 어린 외를 소곰으로 문질너 물 에 졍히 씨셔 쏙지 즈르고 외 가온딕를 열십ᄌ로 버허

- 소곰 쎅려 저리고 총빅 마날 두다려 고초가로 셕거 소 너코

- 궁물 함담 마초아 부어 맛기 ᄒ라

13) 장김치법　醬沉菜(장침채)

- 좋은 배추 씻어 1치 길이씩 베(썰)고, 무도 껍질 벗겨 반듯반듯 썰고, 배도 무처럼(반듯반듯) 썰어 좋은 진간장에 절인다.

- 고추, 파(흰대), 마늘, 생강, 생밤, 석이, 표고, 모두 채 친 다음 전복, 해삼, 양지머리, 차돌박이 모두 얇게 저며 넣고, 잣을 넣고 버무린다.

- 절일 때 넣은 간장을 따라 내어 달인 뒤, 물을 타서 간을 맞추고~, 좋은 꿀을 타서 (장김치소에) 국물을 부어 익은 후에 쓴다.

- 여름에는 어린 오이를 장에 절여 오이김치 소 넣는 것처럼 한다.

14) 오이김치

- 어린 오이를 소금으로 문질러 물에 깨끗이 씻어 꼭지 자르고, 오이 가운데를 열십자(十)로 벤다.

- 소금을 뿌려 절이고 파, 마늘을 두드려 고춧가루 섞어 (김치)소를 넣은 다음 ~,

- 국물 간을 맞추어 부어 맛있게 담는다.

瓟沉菜 박김치

-가지을 거피ᄒ되 쏙지편 붓치
고 가온ᄃ 열십ᄌ 쩌어 외김치
소체로 너코 제 겁질노 어금막
계 동혀서 실고초 파 너허 익키
되 열무 셕그면 조흔니 일홈이
가지김치라

-연ᄒ 박 겁질 벗기고 속 다 닉
여 바리고 네모반듯ᄒ게 도독도
독ᄒ게 버혀 엽흐로 열십ᄌ로
버혀 져린 후 외김치소쳐름 ᄒ
여 너코

-실고초와 파 치 쳐셔 너코 궁
믈 함담 맛초아 부어 익히라

얼젓국지

-조흔 무우 네모반듯ᄒ게 도독
도독ᄒ게 쩌허러 져리고 빅ᄎ
잇거든 셕고

-고초 총빅 마날 싱강 치 치고
마나리ᄂ 갸름ᄒ게 버혀 너코
버무려

-김치국은 조흔 젓국 좀 쳐셔
간 마초아 익히라

15) 박김치　瓟沉菜(포침채)

- 가지 껍질을 벗기되, 꼭지 쪽은 붙인 채 가운
데를 열십자로 째서, 오이김치 소처럼 넣고, 자기
(가지)껍질로 어긋나지 않게 동여매서 실고추, 파
를 넣어 익히는데, 열무를 섞으면 더 좋다. 이름
이 '가지김치'다.

- 연한 박 껍질을 벗기고 속을 다 긁어내어 버리
고~, 박을 네모 반듯이 도독하게 썰어 옆을 열십
자로 베어 절인 다음 ~, (절인 박에) 오이김치
소처럼 넣고~.

- 실고추와 파는 채 쳐서 국물의 간을 맞춰 부어
익힌다.

16) 얼젓국지

- 좋은 무를 네모반듯하게 도독하게 썰어 절이고,
배추가 있으면 섞고~,

- 고추, 파, 마늘, 생강은 채 치고, 미나리는 갸름
하게 베어 넣고 버무린다.

- 김치국은 좋은 젓국을 조금 쳐서 간을 맞추어
익힌다.

젓무

-외젓무난 외김치쳐로 소 너코
식오젓 두다려 고초가로와 파
마날 두다려 합ᄒᆞ여 익히라
-비ᄎᆞ속ᄃᆡ ᄉᆞ실노 쎠흘고 무우
도독도독 네모반듯ᄒᆞ게 쎠흘러
-외지도 너코 식오젓셜 두다리
고 파 마날은 절구에 ᄶᅵ여 고초
가로 셧거 흔ᄃᆡ 버무러 간 마초
아 너코
-우흘 만히 덥허야 잘 익고 마
시 조흔니라

17) 젓무

- 오이젓무는 오이김치처럼 소를 넣고, 새우젓을 다지고 고춧가루, 파, 마늘은 다져서 섞은 후 익힌다.
- 배추속대는 4절로 썰고 무는 오독오독 네모반듯하게 썰어~,
- 오이지도 넣고, 새우젓을 다지고 파, 마늘은 절구에 찧어 고춧가루 섞어 한데 버무려 간 맞추어 넣는다.
- (젓무는) 위를 많이 덮어야 잘 익고 맛이 좋다.

속ᄃᆡ즁앗지

-무우만 쎠흘러 말녀 시들녀 진
즁 부어다가 ᄯᆞ라 ᄃᆞ리기를 슈
습ᄒᆞ여 두면 츈ᄒᆞ에 짠 반ᄎᆞᆫ 고
닙즁아ᄲᅵ 것드리고 ᄢᅢ소곰 고초
가로 섞러
-조흔 비ᄎᆞ속ᄃᆡ ᄯᆞ로 골나 쎠흘
고 무우도 탕무우쳐렴 잘게 쎠
흘러 조흔 진즁에 저리고
-실고초 파 싱강 마날 치 쳐 버
무려 두어다가 지령 ᄶᅡ라 ᄃᆡ려
식혀 부어라

18) 속대장아찌

- 무만 썰어 말려 시들면 진간장 부었다가 따라 내고 3~4회 달여서 두면, 봄여름에 짠 반찬이 된다. 고춧잎장아찌를 곁들여 깨소금, 고춧가루를 뿌려 (먹는다).
- 좋은 배추속대 따로 골라 썰고 무도 탕무처럼 잘게 썰어 좋은 진간장에 절인다.
- 실고추, 파, 생강, 마늘은 채 쳐 버무려 두었다가, 장물을 따라 내 달인 뒤 식혀 붓는다.

외즁앗지

-어린 외 속 닉여 바리고 져까락 웃마되 맛치 쎠흐되 기릐는 닷 분 기릐마치 ㅎ야

-조흔 진중에 살쥭 져리다가 즁을 짜라 두셰 번 다리다ᄀ 황육 가늘게 두다려 좀 넛코 잠간 복가

-표고 셕이 고초 파 마날 치 쳐 너허

-기럼 씨소곰 너허 먹으면 ᄒ절 반찬 진품이라 무우 날장앗지도 이 법과 갓치 ㅎ나니라

무우 슉즁앗지

-탕무우체로 쎠흐러 물에 진중 셧거 삼짜가 파 싱강 마날 다져 너코 황육 가늘게 다져 넛코

-고초가로 호초가로 씨소곰 기름 갓초 셕거 조려셔 푸라

-표고 늣타리 너흐면 조흔니라

19) 오이장아찌

- 어린 오이 속을 빼내 버리고, 젓가락 윗마디만큼 5푼 길이만큼 썬 다음.

- 좋은 진간장에 살짝 절였다가 간장을 따라 내 2~3번 달이다가 쇠고기 가늘게 다져 조금 넣고 잠깐(살짝) 볶아 ~,

- 표고, 석이, 고추, 파, 마늘은 채 쳐서 넣고~,

- 기름, 깨소금을 쳐서 먹으면 여름철 반찬으로 진품이다.

[무 날장아찌]도 이 방법과 똑같이 담는다.

20) 무우 숙장아찌

- '탕무'처럼 썰어 물에 진간장을 섞어 삶다가 ~, 파, 생강, 마늘을 다져 넣고, 쇠고기 가늘게 다져 넣고~.

- 고춧가루, 후춧가루, 깨소금, 기름을 같이 섞어 졸여서 퍼낸다.

- 표고, 느타리버섯을 더 넣으면 더욱 좋다.

중쓴지

-어린 외와 무우 빈츠 줍간 살마 청중에 절이다가 숨 죽거든 파 싱강 송이 기릭로 졈인 것과 싱복이나 젼복이나 넙기 졈이고 마른 쳥각 고초 등속을 켸켸 너코 맛난 중 달혀 닝슈에 함담 마초아 타셔 익히라

-젼복 읍시면 마른 조기혀도 너코 졋 붓치 너흐면 조치 못ㅎ니라

21) 장짠지

– 어린 오이와 무, 배추를 잠깐 삶아서 청장(淸醬: 맑은 간장)에 절이다가 ~, 숨이 죽으면 파, 생강, 송이를 길이대로 저민 것, 생전복이나 전복은 넓게 저민 것, 마른 청각, 고추 등을 켜켜이 넣고 ~, 맛난 장을 달여 찬물에 간을 맞춰 타서 익힌다.

– 전복이 없으면 마른 조개 혀도 넣는데, 젓갈붙이를 넣으면 맛이 좋지 못하다.

湯飯 중국밥

-조흔 빅미 졍히 씨려 밥을 줄 짓고 중국을 무우 너허 잘 쓸혀

-나물을 갓초ㅎ여 국을 말되 밥을 훌훌ㅎ게 말고 나물 갓초 언고 약손적 ㅎ여 우에 언고 호초가로 고초가로 다 쑤라ᄂᆞ니라

22) 장국밥

– 좋은 쌀을 깨끗이 씻어 밥을 잘 짓고, 장국은 무를 넣어 잘 끓여~,

– 나물과 함께 국에 마는데, 밥은 훌렁훌렁 말고서 그 위에 나물을 얹고~, 약산적도 위에 얹고 후춧가루, 고춧가루 모두 뿌려서 낸다.

泪董飯 부뷤밥

-밥을 졍히 짓고 고기 ᄌᆡ여 복
가 너코
-간랍 부쳐 쎠흐러 너며 각식
나무식 복가 너코 조흔 다시마
튀각 튀여 부숴 너코
-고초가로 ᄭᆡ소곰 기럼 만히 너
코 뷔비여 그릇식 담아
-우희난 줍탕거지쳐로 계란 부
쳐 골픽쪽만치 쎠흐러 언고 완
ᄌᆞ난 고기 곱게 다져 줄 ᄌᆡ여
구실만치 부뷔여 밀가로 약간
무쳐 계란 시워 부쳐 언난니라
-부뷤밥ᄉᆞᆼ에 중국을 줍탕국으로
ᄒᆞ여 노난니라

三合未飯 ᄉᆞᆷ합미음

-북도 ᄒᆡᄉᆞᆷ 졍히 씨셔 거뭄빗
읍시 ᄒᆞ고 동ᄒᆡ 홍합 담가다가
털 읍시 ᄒᆞ고 졍히 씨셔 큰 탕
관에 안치고
-황육 기럼기 읍시 큰 등이을
한가지로 너허 물 붓고 숫불에
고아
-다 무르거든 춥쑬 한 되 너허
미음 달여 쳬에 밧쳐
-ᄉᆞᆷ 년 된 중 타 먹으면 노인과
아ᄒᆡ 병든 ᄉᆞ람의게 조흔니라

23) 비빔밥

- 밥을 잘 짓고, 고기는 재워 볶아 넣고~,

- 선을 부쳐 썰어 넣고, 갖가시 나물을 볶아 넣고~, 좋은 다시마로 튀각을 튀겨 부숴 넣고~.

- 고춧가루, 깨소금, 기름을 많이 넣고 비벼 그릇에 담아~,

- 위에는 잡탕 거리처럼 달걀을 부쳐 골패(건빵) 쪽만큼 썰어 위에 얹고~, 완자는 고기를 곱게 다져서 잘 재워 구슬만큼 빚어, (빚어 놓은 다진 고기에) 밀가루를 약간 묻히고 달걀을 입혀 부쳐 얹는다.

- 비빔밥 상에는 장국을 '잡탕국'으로 내놓는다.

24) 삼합미음

- 북쪽 지방에서 나는 해삼을 깨끗이 씻어 검은 빛 없애고, 동해 홍합을 담가 잔털을 없애고 깨끗이 씻어 큰 탕관에 안친다.

- 쇠고기는 기름기 없애고 큰 덩어리 통째로 넣고 물 붓고 숯불에 푹 고아~,

- (고기가) 다 물러지면 찹쌀 1되를 넣고 미음으로 달여 체에 밭쳐~,

- 3년 된 간장을 타서 먹으면 노인과 아이, 병든 사람에게 좋다.

醬湯元味 쟝국원미

-살을 졍히 쓸허 씨셔 물에 담
가다가 불은 후 건져
-무씨 읍시 잠간 말녀 팟 타듯
갈아
-가로난 체로 치고 등어리을 유
지 ᄶᅡᆯ고 ᄆᆡ오 말니여 두고
-쟝국원미 쑬 졔 졍육 두다려
너코 표고 셕이 늣타리 파을 다
치 쳐 고기와 합ᄒᆞ여 가젼 양님
에 쥬물너
-쟝국을 솟구쳐 ᄭᅳᆯ히다가 원미
ᄊᆞᆯ을 너흐되
-물쏘 되기는 맛초아 ᄒᆞ고 그릇
식 담은 후 고초가로 호초가로
우희 ᄲᅮᆯ혀 쓰난니라

25) 장국원미

- 쌀을 깨끗이 찧고 씻어 물에 담갔다가 불은 후 건져~.

- 물기 없이 잠깐 말려 팥 타듯이 갈아 ~.

- 가루는 체에 밭쳐 치고 덩어리는 기름종이를 깔고 바짝 말려두고,

- 장국원미를 쑬 때는 정육을 다져 넣고, 표고, 석이, 느타리, 파를 모두 채 쳐 고기와 합쳐 갖은 양념에 주물러~.

- 장국을 펄펄 솟구치게 끓이다가 원미 쌀을 넣는데,

- 묽고 되기 점도를 맞추어 끓인 다음, 그릇에 담은 후 고춧가루, 후춧가루를 위에 뿌려 쓴다.

26) 소주원미

- 물을 끓이다가 원미 쌀을 넣되, 묽거나 된 정도는 된 죽처럼 쓴다.

- 그릇에 담아 소주와 꿀을 타서 쓰되,

- 소주는 주량대로 다소를 가감한다.

燒酒元味 소듀원미

-빅비탕을 ᄭᅳᆯ히다ᄀᆞ 원미ᄊᆞᆯ을
너흐되 물쏘 되기ᄂᆞᆫ 된 쥭체로
쓰고
-그릇식 담아 소쥬와 빅쳥 타셔
쓰되
-소쥬ᄂᆞᆫ 쥬량ᄃᆡ로 다소을 가감
ᄒᆞ라

27) 잣죽 [*1홉(合):180ml/ 1되(升:10홉)/ 1말(10되)]

栢子粥 잣죽

-찻되 한 되 쑤랴면 빅미 졍히 쓸허 물에 담가 불이고 실빅ᄌ 찻되 칠 홉 쌀에 셧거 갈되

-무한되기 갈아 가는 쳬에 밧쳐 쑤되 풀 쑤듯 ᄌ로 져어야 눗지 안니 ᄒ난니라

-그릇시 담고 빅쳥 죵ᄌ에 노흐 라

黑荏粥 흑임ᄌ죽

잣죽 쑤다시 셰 졍히 일어 쓸과 갓치 담가다ᄀ 가라 쑤난니라

榛子粥 진ᄌ죽

-ᄀ얌 ᄭ 담가다가 겁질 법겨 졍히 가라 슈비ᄒ 무리를 몬져 쑤다가 화합ᄒ야 쑤어 닉면 마 시 졀미ᄒ니라

-호도죽 힝인죽 소ᄌ죽을 다 ᄌᆺ 쑥 쑤는 법으로 ᄒ되 힝인은 다 셔흔 물에 담가 우려야 쓴 마시 읍난니라

- 찻되로 1되*를 쑤려면 멥쌀을 깨끗이 찧어, 물 에 담가 불리고, 잣을 찻되로 7홉을 쌀에 섞어 갈되,

- 매우 곱게 갈아서 고운 체에 밭쳐 (죽을) 쑤되, 풀 쑤듯이 자주 저어야 눋지 않는다.

- 그릇에 담고 꿀은 종지에 담아 놓는다.

28) 흑임자죽

- 잣죽을 쑤듯이 검은깨(흑임자)를 깨끗이 일어 (잡티를 없애고) 쌀처럼 담갔다가 갈아서 쑨다.

29) 진자죽

- 개암을 까서 (물에) 담갔다가 껍질을 벗겨 곱 게 갈고, 물에 넣고 휘저어 이물질을 없앤(水飛) 무리를 먼저 쑤다가, 합쳐 쑤어 내면 맛이 매우 좋다.

- 호도죽, 은행죽, 소자죽은 다 잣죽 쑤는 방법으 로 하되, 은행죽은 따스한 물에 담가 우려야 쓴 맛이 없다.

중국죽

중국죽은 원미와 다 갓타되 왼
쌀 너허 쓔난니라

葛粉薏以 갈분의이

-의이난 풀 쓔듯 ᄒ되 됨 미음
갓치 ᄒ고 율무와 슈슈난 눅은
풀갓치 슈라

-갈분을 물 타 체예 밧쳐

-의이 쑬 제 진ᄒ 강즙 만히 타
셔 훌훌ᄒ기 쓔라

松耳 송이찜

-송이 겁질 벗기고 얄게 쥴기난
도려 벗기고 우히 핀 거슨 넙게
졈혀

-황육과 졔육을 가날게 두다려
두부 셧거 유즁 맛초고 각ᄉᆡᆨ 양
념ᄒ여 되소난 임의로 ᄒ고

-소를 송이 졈인 거살 덥허 진
가로 뇌여 무쳐 계란 씨워 지져

-국을 쑤미 만히 너코 진말 게
란 풀러 끌히다ᄀ 송이 지진 것
너허 다시 끌허

-양ᄉᆡᆨ 게란 각각 부쳐 치 쳐 호
초가로 잣가로와 ᄒ가지로 쎄혀
씨라

---

30) 장국죽

장국죽은 '원미죽' 쑤는 법과 다 같은데, 쌀만 넣
어 쑨다.

31) 갈분응이 = 칡가루죽

- 응이는 풀 쑤듯 하면 되는데, 된 미음같이 쑤
고 율무와 수수는 눅눅한 풀같이 쑨다.

- 칡가루를 물에 타고 체에 받쳐 거른다.

- 이의를 쑬 때는 진한 생강즙을 많이 타서 훌렁
하게(묽게) 쑨다.

32) 송이찜

- 송이 껍질을 벗기고 얇게, 줄기는 도려 벗기고,
위에 핀 것은 넓게 저며 ~,

- 소고기와 제육을 가늘게 다져 두부와 섞고 기
름장을 맞춰 각색 양념을 하되, 대소는 임의대로
한다.

- (이 양념) 소를 송이 저민 것에다 덮고 밀가루
뉘어 묻히고 달걀을 씌워 지져~.

- 국은 (고기) 꾸미 많이 넣고, 밀가루와 달걀을 풀
어 끓이다가~, 송이 지진 것을 넣고 다시 끓인다.

- (달걀) 흰자와 노른자를 각각 부쳐서 채 쳐~,
후춧가루와 잣가루를 함께 뿌려 쓴다.

竹荀 죽순찜

-竹荀 알게 졈혀 쎠흐러 데쳐 담가다ㄱ 황육 싱치 만히 두다러 너코 진말 조곰 너허 복가 씨되

-먼니셔 져려 온 죽순이어든 날포 물 가라 담가다ㄱ 퇴렴ᄒᆞ여 쓰라

鮒魚 붕어찜

-큰 부어 웬니로 비날 거사려 칼노 등말날 쬐여 속 너고 어만두 소쳐로 민다라 빗속에 너코

-조흔 초 두어 슐 붓고 부어 입속에 빅반 조고마흔 조각 너코

-녹말을 싱션 버허 구멍난 ᄃᆡ 무쳐 실노 동혀 노코

-노고에 물을 조고만치 붓고 기름즁에 만화로 쓸혀 ᄂᆡ되 가로와 게란 풀어 쓰라

33) 죽순찜

- 죽순 얇게 저미고 썰어 데쳐 담갔다가, 쇠고기, 꿩고기 많이 다져 넣고, 밀가루 조금 넣고 볶아 쓰되~.

- 멀리서 절여 온 죽순이라면 하루 정도 물을 갈아 담갔다가 우려내고 쓴다.

34) 붕어찜

- 큰 붕어를 통째로 비늘을 벗기고 칼로 등마루를 째어 속을 (들어) 내고, (소는) 어만두 소처럼 만들어 배속에 (채워) 넣는다.

- 좋은 식초 2술(수저)을 붓고, 붕어 입속에 백반(白礬) 조ᄀᆞ만 조각을 넣고~,

- 녹말을 생선 째서 구멍 난 데 묻히고 실로 동여 놓는다.

- 노구솥에 물을 조금 붓고 기름장을 넣고 약불로 뭉긋이 끓여 내되, 밀가루와 달걀을 풀어 쓴다.

蟹 게찜

-게 황장과 거문장을 각각 글거
-게란에 황장을 셕고 유장 마초
와 치고 호초 파 싱강 등속을
너허 굽 읍난 그릇싀 담아 즁탕
하여
-익거든 졈혀 즙국 잘 민다라
우희 언고 -게란 황빅을 각각
부쳐 우에 흣터 쓰라

35) 게찜

- 게의 누런 장과 검은 장을 각각 긁어놓고~,
- 달걀에 누런 장을 섞고 기름장을 맞추어 치고,
후추, 파, 생강 등을 넣어 굽 없는 그릇에 담아
중탕한 다음~,
- 익으면 저며, 즙 국물을 잘 만들어 (게)위에 끼
얹는다.
- 달걀노른자와 흰자를 따로 부쳐서 위에 흩뿌려
쓴다.

猪胞 돗히삿기집찜

-도야지삿기집을 한 마듸식 버
허
-졔육 황육 나른하게 두다려 온
갓 양념하여 모밀가로에 화합하
여
-그 속에 소을 너코 달기나 싱
치나 혼가지로 하되
-전복 히슴 나무싀 등물 쎠허러
너코 씨소금 유장 화합하여 찜
을 삿기집과 하면 조흔니라

36) 돼지 새끼집 찜

- '돼지 새끼집'을 한 마디씩 자른다.
- 제육과 쇠고기를 곱게 다져 갖은양념을 하고,
메밀가루와 잘 섞는다.
- 그 새끼집 속에 소를 집어넣되, 닭고기나 꿩고
기도 함께 넣되~,
- 전복, 해삼, 나물 등을 썰어 넣고, 깨소금, 기름
(간)장을 섞어 돼지 새끼집과 찜을 하면 좋다.

兒猪 아졔찜

-아졔 졍히 씨셔 그 뷔속에 양념ﻭ여 왼니로 찜ﻭ면 졀미ﻭ나 웃기 어렵고 위ﻭ여 잡기ᄂ 음덕에 ﻬ로은니 그져 연ﻬ 돗찰 퇴ﻭ여 왼니로 ﻵ쟝과 한가지로 큰 솟히 너코 파 미나리 그 속의 만히 너코 슌무도 만히 너허 살무뒤

-나무식ᄂ 나죵 너허

-녹게 살마ﻵ여 ᄲ 읍시ﻭ고 살 가날게 ᄯ더 비게와 ﻵ쟝은 방졍이 ᄻ흘고 파 ﻬ 치 기릐식 ᄻ흘고

-싱복이나 슉복이나 읍거든 미복 고은 것과 ﻬ솜 표고 박옥어리 너코

-싱파 싱강 호초 ᄻ소곰 만히 너코 ᄌﻵ물너 유쟝 갓초와 놋합에 즁탕ﻭ여

-익은 후 게란 황ᄇﻅ을 부쳐 치쳐 호초 잣가로을 ﻣ혀 겨ᄌ에 먹나니라

- 새끼 돼지를 깨끗이 씻어 그 배속에 양념하여 통째로 찜하면 맛이 내우 좋지만, 잇기 어렵고 (일부러 음식을) 위하여 잡기는 덕행에 해로우니, 그저 연한 돼지의 털을 뽑고 통째로 내장과 함께 큰 솥에 넣고~, 파, 미나리를 그 속에 많이 넣고, 순무도 많이 넣어 삶되~,

- 나물(푸성귀)은 나중에 넣는다.

- 물러지게 삶아내서 뼈는 없애고, 살만 가늘게 뜯어 비계와 내장을 반듯하게 썰고, 파는 1치 길이씩 썬다.

- 생전복이나 익힌 전복이든 없으면, 마른 전복 곤 것과 해삼, 표고, 박 썰어 말린 것을 넣고, 생파, 생강, 후추, 깨소금을 많이 넣고 주물러 기름장을 갖추어 놋그릇에 중탕한다.

- 익은 다음, 달걀노른자 흰자를 부쳐서 채 쳐, 후추, 잣가루를 뿌려 겨자에 곁들여 먹는다.

鶉 뫼쵸락이찜

-뫼쵸락이 겁질 슝치 안니케 쓰
더 두족 너중 읍시 ᄒ고 정히
씨셔

-황육 두다려 온갓 양념ᄒ여 비
속에 소 너코

-나무시난 움파 미나리 약간 너
코 표고 쥭슌 말인 것 유즁 호
초와 합ᄒ야 쥐물너

-가로즙 약간ᄒ여 쓰되

-국 바토ᄒ여 제 몸에 져즐 만
ᄒ여야 조흐니라

봉통찜

싱치 피즈 슝치 안니케 털을 쎱
아 고이 쓰더 ᄉ각을 쓰되

-다리 겁질을 ᄌ로쳐로 쥴 벗겨
져치고 쌔난 ᄋ리마듸난 져쳐
두고 웃마듸난 찍고 살을 다 글
거

-황육 조곰 셕거 날은ᄒ게 두다
려 양념 갓초와 함담 맛쳐 쥐물
너

-반 우희 펴 노코 싱치 다리을
믿드려 졋친 겁질을 도로 씌워

-모양을 임의로 믿다라

-이쳐로 여럿 믿다라 찜 ᄒ랴면
나무시와 각식 양념을 너허 찜
ᄒ고 굽거든 조희 노ᄒ 유즁 발
나 씨라

38) 메추라기찜

- 메추라기 껍질을 상처 나지 않게 뜯고, 두 다리는 나중에 없애고 깨끗이 씻는다.

- 쇠고기를 다지고 갖은 양념하여 배 속에 소를 채워 넣고,

- 나물은 움파, 미나리를 약간 넣고, 표고, 죽순 말린 것과 기름장에 후추와 합하여 주물러~

- 밀가루 즙을 약간 넣어 쓰되,

- 국물을 자작하게 끓이는데, 메추라기 몸이 젖을 만해야 좋다.

39) 봉통찜

- 날 꿩 껍질이 상처 나지 않게 털을 뽑아 곱게 뜯고 4토막으로 뜨되,

- 다리 껍질을 자루처럼 잘 벗겨 젖혀두고, (다리)뼈 아랫마디는 젖혀 두고 윗마디는 찢어 살을 다 긁어낸다.

- 쇠고기 조금 섞어 나른하게 다져 양념을 갖추어 간을 맞춰 주물러,

- 쟁반 위에 펴 놓고 꿩 다리를 만들어 (붙이고), 젖힌 껍질을 도로 씌워,

- 모양을 임의대로 만든다.

- 이처럼 여럿 만들어, 찜으로 하려면 나물과 각색 양념을 넣어 찜하고, 굽는 것은 종이 위에 놓고 기름장을 발라 쓴다.

가리찜

-가리을 잘게 흔 치 기리식 잘 나 살무뒤 양 퇴흔 것과 부화 곱충 통무우 다스마 흔틴 너허 물어게 살마 건져서

-가리찜할 졔 무우난 탕무우쳐 로 쎠흐뒤 잣칫 즐게 쎠흘고

-다른 고기도 그뒤로 쎠흘고 다 시마난 골픽조각쳐로 쎠흘어 표 고 셕이 버셧 다 썰며

-파 미나리도 잠간 데쳐 너허

-가진 양념에 가로 셕거 쥐물너 복가 씨되 국물 조곰 잇게 ᄒ여

-그릇싀 담고 우희 계란 부쳐 셕이와 갓치 치 쳐 쑤려 쓰라

40) 갈비찜

- 갈비를 잘게 1치 길이씩 잘라 삶는데, 양(소의 위) 데친 것과 부아, 곱창, 통무, 나시마를 한네 넣고 물러지게 삶아 건져낸다.

- 갈비찜 할 때 무는 탕무처럼 써는데, 똑같이 잘게 썰고,

- 다른 고기도 잘게 썰고, 다시마는 골패조각(건빵)처럼 썰고, 표고, 석이버섯 다 썰며,

- 파, 미나리도 잠깐 데쳐 넣는다.

- 갖은양념에 밀가루를 섞고 주물러 볶아 쓰되, 국물은 조금 있게 볶아,

- 그릇에 담고, 위에다 달걀 부치고 석이와 같이 채 쳐서 뿌려 쓴다.

軟雞 연계찜

연게 빅숙으로 폭 고와 건져셔 쎼 다 츄리고 쓰더 표고 늦타리 셕이 파 너허 가진 양념 가로즙 에 가리찜갓치 ᄒ여 쓰라

41) 연계찜 軟雞

- 연계(연한 닭고기)를 백숙으로 푹 고아 건져 서~, 뼈 다 추리고 살을 뜯어~, 표고, 느타리, 석이, 파 넣고 갖은양념하고, 밀가루 물을 풀어 갈비찜처럼 조리하여 쓴다.

속딘찜

-국슈 마라 먹어도 조흐니라

-조흔 빈츠 속딘 골나 졍히 씻
고 쇠리도 졍히 벗거 너코

-졍육 다져 너허 쳥쟝에 폭 물
으게 다린 후 퍼셔 고초가로 끼
소금 기름 셕거 쓰라

蕨 고사리찜

고사리 살마 졍히 쌀아 고기 너
허 가진 양념에 가로즙 조곰 흐
여 복가 쓰라

썩복기

-다른 찜과 갓치 흐되

-잘 된 흰썩을 탕무우쳐로 쎠흐
러 즘간 복가 쓰되

-찜 지료 다 드딕 가로즙만 안
니 흐나니라

42) 속대찜

- 국수를 말아 먹어도 좋다.

- 좋은 배추속대 골라내 깨끗이 씻고 배추 꼬리
도 깨끗이 벗겨 넣고,

- 쇠고기 다져 넣고 청장에 푹 무르게 달인 후,
퍼서 고춧가루, 깨소금, 기름을 섞어 쓴다.

43) 고사리찜

- 고사리를 삶아 깨끗이 빨아 쇠고기를 넣고 갖
은양념에 밀가루 물을 조금 풀어 넣고 볶아 쓴다.

44) 떡볶이

- 다른 찜 요리와 똑같이 조리하되,

- 잘 된 흰떡을 탕무처럼 썰어 잠깐 볶아 쓰되,

- 찜 재료는 다 들어가되, 밀가루 즙만 풀어 넣
지 않는다.

鯔魚 슈어찜

-슈어 토막 지여 게란 씌워 지져셔

-황육 두다리고 표고 늣타리 셕이 파 미나리 호초가로 씌소곰 기름 합ᄒᆞ여 쥐물너

-싱션 토막에 격지 노화 덥고

-물 조곰 쳐셔 지지면 조흐니라

-여러 가지 싱션찜은 다 슈어찜과 ᄒᆞᆫ 법으로 ᄒᆞ나니라

쇠골찜도 가로 약간 씌워 게란에 부쳐 싱션찜갓치 ᄒᆞ라

菘 빈츠션

-조흔 빈츠 속ᄃᆡ로 한 치 기ᄅᆡ식 잘나 좀간 데쳐 닉여

-졍육 가날게 쎠흘고 표고 늣타리 셕이 실고초 파 미나리 다 치 쳐 가진 양념에 -빈츠와 합ᄒᆞ야 쥐물너 다시 살쪽 복가 닉야

-겨ᄌᆞ의 먹으라

冬瓜 동과션

-셔리 후 동아를 동글고 방정히 쎠흘러 기름 쳐 복고

-겨ᄌᆞ에 먹ᄂᆞ니라

45) 숭어찜

- 숭어 토막 내서 달걀을 입혀 지져서~,

- 쇠고기 다지고 표고, 느타리, 석이, 파, 미나리, 후춧가루, 깨소금, 기름을 섞고 주물러~,

- 생선 토막에 겹겹이 놓아 덮고~,

- 물 조금 쳐서 지지면 좋다.

- 여러 가지 생선찜은 다 숭어찜과 똑같은 방법으로 조리한다.

- [소골 찜]도 밀가루를 약간 씌워 달걀에 부쳐 생선찜같이 조리한다.

46) 배추선

- 좋은 배추속대로 1치 길이씩 잘라 잠깐 데쳐내어~,

- 쇠고기 가늘게 썰고 표고, 느타리, 석이, 실고추, 파, 미나리 다 채 쳐, 가진 양념에~,

- 배추와 합쳐 주물러, 다시 살짝 볶아 낸 다음,

- 겨자에 곁들어 먹는다.

47) 동아선

- 서리 내린 후 동아를 동그랗고 반듯하게 썰어 기름 쳐 볶고~,

- 겨자에 곁들여 먹는다.

南瓜 호박션

-어린 호박 쥬먹만흔 거슬 쓰기여 아슷아슷ㅎ게 등으로 어여셔 폭 찐 후에

-황육 두다려 복가셔 쏘다시 곱기 다져

-파 마날 호초가로 기름 쿨 갓초 양념 너허 복가

-표고 늣타리 셕이 치 치고 씰고초 게란 부쳐 치 쳐 셧거

-소를 어인 식이로 잘 너코

-그릇시 담은 우희 초중에 빅쳥 타셔 붓고

-고초 셕이 게란 치 쳐 언고 잣가로 만히 섁려 쓰라

-외션도 어린 외를 통치 호박션 어이듯ㅎ여 쪄셔 그와 갓치 ㅎ ㄴ니라

苦草 고초션

-풋고초를 약간 살마 건져 닉여

-졍육 다져 양념 갓초와 지셔

-고초를 쓰기고 너허 가로 약간 무쳐 게란 씨워 부쳐셔

-초중에 먹으라 가지션은 외션과 갓치 ㅎㄴ니라

-외김치쳐로 셕여 졍육 다진 것 소 너허도 쓰ㄴ니라

48) 호박션

- 애호박 조그만 것을 쪼개고 등을 어슷하게 칼집을 내고 푹 찐 다음,

- 쇠고기 다져서 볶고 또다시 곱게 다져,

- 파, 마늘, 후춧가루, 기름, 꿀을 갖추어 양념 넣고 볶아,

- 표고, 느타리, 석이는 채 치고 실고추, 달걀을 부쳐 채 쳐 섞어~,

- 소를 (호박) 등 칼집 낸 사이로 잘 넣고 ~,

- 그릇에 담고 위에다 초장에 꿀을 타서 붓고~,

- 고추, 석이, 달걀 채 쳐서 얹고 잣가루 많이 뿌려 쓴다.

- 오이선도 어린 오이를 통째로 호박선 등 베듯이 쪄서, 호박선과 똑같이 조리한다.

49) 고추선

- 풋고추 약간 삶아 건져내고~,

- 쇠고기 다져 넣고 양념을 갖추어 재워서~,

- 고추를 쪼개 넣고, 밀가루 약간 묻혀 달걀 씌워 부쳐서~,

- 초장에 곁들여 먹는다. [가지선] 오이선과 똑같이 한다.

- 오이김치처럼 쪄서 쓰는데, 쇠고기 다진 것을 소로 넣어서도 쓴다.

軟泡湯 연포국

-두부난 회람왕 뉴안의 닌 거시라

-염즙 간슈에 엉기고 미감에 허여지고 젓국에 너흔즉 연ᄒ고 쓀 셕근 즉 치담ᄒ고

-만히 먹은 즉 총명이 감흔다 ᄒ니라

-보즈 죄 쨘 게란 까 셧거 유즁 각식 양념ᄒ여 후박 맛초 붓쳐

-골픽만치 쎠흐러 싀오젓국에 즘간 담가 밀목에 꼐고

-달국에 즁 셧거 맛잇게 쓸혀 진말 게란 풀고 치게뉵 가날게 쯔져 셧거 쓰라

-소동파가 두부에 우유와 쓀 셧거 호왈 밀슈라 ᄒ니라

50) 연포국

- 두부는 회남왕 유안이 만든 것이다.

- 소금 즙은 간수에 엉기고 쌀뜨물에 풀어지고, 젓국에 넣으면 연하고, 꿀을 섞으면 담을 치료하고,

- 너무 많이 먹으면 총명함이 떨어진다고 한다.

- 보자기에 죄다 짜고, 달걀을 까 섞어 기름장에 각색 양념하여 두께를 맞춰 부쳐~,

- (두부를) 골패만큼 썰어 새우젓국에 잠깐 담가 꼬치(밀목)에 꿰고,

- 닭고기국에 간장을 섞어 맛있게 끓여~, 밀가루와 달걀을 풀고 꿩이나 닭고기를 가늘게 찢어 섞어 쓴다.

- 소동파가 두부에 우유와 꿀을 섞어 부르길, '밀수'라고 한다.

일과

-외 속 닉고 약간 복가

-고기 가날게 두다리고 싱강 파

마날 두다려 너허 유ᄌᆞᆼ 마초고

복가

-잣가로 셧거 외 속에 너코

-가날고 긴 부초닙흐로 고되 소

가 ᄲᅡ지지 안니케 동혜

-춍강 고초 양념 가초고 ᄭᅮ미

만히 너허 ᄌᆞᆼ 만히 달혀

-치와 부어 닉거든 됴빙ᄒᆞ여 쓰

라

牛眉湯 쇠꼬리국

-살진 쇠꼬리를 썰히 살ᄍᆞᆨ 무로

녹게 살마

-유ᄌᆞᆼ 호초 등속을 셧거 쥐물너

-살문 파 만히 너허 쳥ᄌᆞᆼ에 고

초ᄌᆞᆼ 약간 셧거 깅을 민들면 게

국과 갓타여 마시 ᄌᆞ별ᄒᆞ니라

---

51) 일과

- 오이 속을 발라내고 약간 볶는다.

- 쇠고기 얇게 저미고 생강, 파, 마늘 다져 넣고 기름장을 맞춰 볶아,

- 잣가루를 섞어 오이 속에 넣고,

- 가늘고 긴 부추잎으로 고이되, 소가 빠지지 않게 동여매,

- 파, 생강, 고추 양념을 갖추어 고기붙이 많이 넣고, 장국을 많이 달여서~,

- 채워 붓고 익으면 식혀 쓴다.

52) 소꼬리 국

- 살찐 쇠꼬리를 뿔이 살짝 무르녹게 삶아~,

- 기름장, 후추 등을 섞어 주물러 ~,

- 삶은 파를 많이 넣고, 간장에 고추장을 약간 섞어 국을 만들면 게국과 같아서 맛이 매우 좋다.

悅口子湯 열구즈탕

-神仙爐에 담고 화통에 불 피워 살히며 스시로 써 먹누니 만두 죡게 비져 숣기도 ᄒ나니라

-싱치 진계 히슴 전복 양 천녑 부화 곤즈손 골 제육 슛무우 도랏 파 표고 딕ᄒ 황육 다 줄고 방정히 점히 번철에 기름 쳐 지지고

-미나리난 게란 쓰워 지져야 죠코 나무시난 그져 지져ᄂ되 제육 만ᄒ야 죠흔니라 열구즈탕 그릇식 겻겻치 담고

-싱션 빗 곱게 황빅 전유어 지져 가치 지져 써흘어 **각각 기름 쳐 복고** 싱치소를 양념ᄒ여 완즈로 더러 민다라 너코 나무시난 식 드려 츤합 넛틋 겻겻치 담고

-계란 황빅을 부치되 게 거문중으로 기름 치고 게란 약간 셧거 부치면 빗치 쥬홍 갓타니 귀지게 써흘어 우희 흣고 실빅 은힝 호도도 흣트며

-국을 양슉을 고아 황슉 만히 너코 고기 복근 즙을 만히 합ᄒ야 화통에 숫불 퓌우고 쯀여 쓰되

-국슈 셔너 치식 버히고 흰썩 싱치소 너허도 죠흔니라

---

53) 열구자탕

- 신선로(神仙爐)에 담고 화통에 불 피워 끓이면 사계절 떠먹을 수 있다. 만두 작게 빚어 삶기도 한다.

- 꿩고기, 묵은 닭, 해삼, 전복, 양, 천엽, 부아, 곤자소니, 소골, 제육, 순무, 도라지, 파, 표고, 대하, 쇠고기를 모두 잘고 반듯하게 저며 번철(무쇠솥 뚜껑)에 기름 치고 지진다.

- 미나리는 달걀 씌워 지져야 좋고, 나물은 그냥 지져내되, 제육을 많이 넣어야 좋다. 열구자탕 그릇(신선로)에 가지런히 담는다.

- 생선은 빛깔 곱게 달걀노른자와 흰자, 전유어를 함께 지져서 썰고, 각각 기름을 쳐서 볶고, 꿩고기 소를 양념하여 덜어내서 완자를 만들어 넣고, 나물은 색깔을 맞춰 찬합에 넣듯 가지런히 담는다.

- 달걀노른자와 흰자를 부치되, 게 간장에다 기름치고, 달걀 약간 섞어 부치면 빛이 주홍빛 같으니, 어슷하게 썰어 위에 올리고, 잣, 은행, 호두도 뿌린다.

- 국은 양숙(羊熟)을 고아 황숙(黃熟)을 많이 넣고, 고기 볶은 즙을 많이 붓고 합쳐서 화통에 숯불을 피워 끓여 쓴다.

- 또, 국수 3~4치(1치:3.03cm)씩 잘라 흰떡과 꿩고기 소를 넣어 먹어도 좋다.

완자탕

큰 싱션 겁질과 쌔 읍시ᄒ고 살을 가날게 두다리고 졔육이나 황육이나 싱치나 달이나 두다려 호초 싱강 파 기름쟝 합ᄒ여 쥐믈너 밤만치 환 민드라 가온디 실빅ᄌ ᄒ나식 너허 게란니나 녹말이나 씨워 쟝국에 ᄯᆯ이ᄂ니라

蟹湯 게탕

-게 누른 쟝과 거문 쟝 각각 글거 게란에 황쟝 셧고 유쟝 맛초기고 호초 총강 등물을 화합ᄒ야 쟝국 ᄯᆯ히고 그 허 익거든 게란 푸러 쓰라

艾湯 익탕

-셰말 츈초이 익탕 쑥 움 돗난 거셜 ᄶᅳ더다가 졍히 다듬어 씨셔 한 줌만 다지고
-황육 ᄒ 줌 부피되기 다져 쑥 다진 것과 합ᄒ여 유쟝 양념 갓초 너허 쥐믈너 밤만치 환을 민드라
-게란 씌여 푸러 ᄯᆯ힐 제 쟝국이 팔팔 ᄯᆯ어나거든 게란을 무쳐 너코

54) 완자탕

- 큰 생선 껍질과 뼈 발라내고, 살을 가늘게 다지고, 제육이나 쇠고기나 꿩고기나 닭고기를 다져서 후추, 생강, 파를 기름장에 합쳐 주물러~, 알밤만 하게 완자를 만들어, 가운데 잣 하나씩 박아 넣어, 달걀이나 녹말을 씌워 장국에 끓인다.

55) 게탕

- 게의 누른 장과 검은 장을 각각 긁어내고, 달걀에 누른 장을 섞어 기름장에 간 맞추어 후추, 파, 생강 등을 잘 섞어 장국을 끓이고, 한소끔 끓여 익으면, 달걀 풀어 쓴다.

56) 애탕 (艾湯·쑥탕)

- (음력) 12월 말이나 이른 봄에 애탕은 쑥 움이 돋는 것을 뜯어다가 깨끗이 다듬고 씻어 한 줌만 다진다.
- 쇠고기 한 줌 부피로 다져 쑥 다진 것과 합쳐 기름장에 양념을 갖춰 넣어 주물러 밤알만큼 완자를 만든다.
- 달걀 깨서 풀어 끓일 때 장국이 팔팔 끓어오르거든 (완자에) 달걀을 묻혀 넣는다.

\,

북어겁질도 가시 읍시 졍히 샏라 흔듸 너허셔 두어 그룻가량으로 쓸이라

-혹 환을 안니 ᄒᆞ고 혼합ᄒᆞ여다가 즁국 쓸을 졔 슈져로 쪽쪽 써 너허면 등이등이 되난니라

雜湯 잡탕

-잡탕국은 양지머리와 가리 씀난 국에 부화 ᄎᆞᆼᄌᆞ 퇴ᄒᆞ고 통무우 다시마 너코 물을 만히 부어 푹 살마 건져 쎠흘고

-부화 ᄎᆞᆼᄌᆞ 양 다시마 등속을 다 골픽 모양으로 쎠흘어 살믄 국에 흔듸 셕거

-고비와 도라지와 파 미나리 다 가날게 쎠셔 가로 약간 뭇쳐 계란 씨워 얄계 부쳐 국 건지와 흔 모양으로 쎠흘어 너코 계란도 얄게 부쳐 귀지게 쎠흘고

-완ᄌᆞ ᄒᆞ여 우희 너허 쓰라

[완ᄌᆞ법은 부빔밥 방문이 보라]

膏飮 고음국

다리쌰 ᄉᆞ틱 독안니 흘덕이 ᄭᅩ리 양 곤ᄌᆞ손니 전복 ᄒᆡ슴 갓초 너허 큰 솟히 물을 만히 붓고 만화로 푹 고아야 국이 진ᄒᆞ고 보ᄒᆞ난니라

- 북어 껍질도 가시 없이 깨끗이 빨아 한데 넣어서 두어 (2~3) 그릇 가량으로 끓인다.

- 혹은 완자를 안 만들고 치내놓은 재료를 상국을 끓일 때 수저로 똑똑 떠넣으면 '덩이덩이'가 된다.

57) 잡탕

- 잡탕국은 양지머리와 갈비를 삶는 국물에 부아와 창자를 데쳐내고, 통무, 다시마를 넣고 물을 많이 붓고 푹 삶아 건져 썬다.

- 부아, 창자, 양(소의 위), 다시마 등속을 다 골패 모양으로 썰어 삶은 국물에 함께 섞는다.

- 고비와 도라지와 파, 미나리, 다 가늘게 째서 밀가루를 약간 묻혀 달걀을 씌워 얇게 부쳐, 국 건더기와 한 모양으로 썰어 넣고, 달걀도 얇게 부쳐 어슷하게 썰고~,

- 완자를 빚어 위에 넣어 쓴다.

[완자법은 비빔밥 방문에서 보라]

58) 고음국

(쇠고기) 다리뼈, 사태, 도가니, 흘떼기, 꼬리, 양, 곤자소니, 전복, 해삼을 갖춰 넣고 큰 솥에 물을 많이 붓고 뭉긋이 약불로 푹 고아야 국물이 진하고 몸을 보(補)한다.

육기증

-정육과 흘덕이와 부화 ㅎㅈ 양 퇴ㅎ고 전복 히슴 너허 물 만히 붓고 물으게 술마 거지고

-고기ᄂ 씻고 다른 거션 다 골 픽쳐로 쎠흘고

-파 리 약간 데쳐 줄너 너코 가진 양념과 유즁에 함담 맛초아 가로기음 ㅎ여 쥐물너 쓸히고 완ㅈ도 너코 계란 얄게 부쳐 귀지게 쎠흘어 우희 언져 쓰라

[건육ㄱㅣ증 계ㅈ의 쓰면 술안쥬 죠흐니래]

-계기증은 연계을 빅숙ㅎ여 건져 쌔 다 츄리고 쓰더 육기증 ㅎ듯 ㅎ되 만일 육죵 읍시면 파 미나리 살문 것과 양념 갓초와 게육과 갓치 가로즙 ㅎ여 쎠도 조흐니라

싱션국

-싱션 토막지여 쓰ㄱㅣ여 진말 약간 무쳐 계란 씨워 지져셔

-황육과 파 미나리 약간 데쳐 너코 유즁에 간 마초와 쓸혀 씨ᄂ니라

-쇠골국은 싱션국과 갓치 쓸히ᄂ니라

[골은 겁질 벗기 붓치래]

59) 육개장

- 쇠고기와 흘떼기, 부아, 창자, 양을 살짝 데쳐 내고, 전복, 해삼을 넣고 물을 많이 붓고 무르게 삶아 건진다.

- 고기는 찢고 다른 것은 다 골패처럼 썰고,

- 파, 미나리는 살짝 데쳐 잘라 넣고 갖은양념과 기름장에 간을 맞추어 밀가루 반죽하여 주물러 끓이고, 완자도 넣고 (끓이고), 달걀을 얇게 부쳐 어슷하게 썰어 위에 얹어 먹는다.

[건육개장은 겨자에 곁들이면 술안주로 좋다]

- [닭개장]은 연한 닭을 백숙하여 건져 뼈 다 추리고 뜯어 육개장 만들듯이 하되, 만일 고기류가 없으면 파, 미나리를 삶은 것에 갖은양념을 넣고 닭고기처럼 밀가루 즙을 풀어 써도 좋다.

60) 생선국

- 생선을 토막 내고 쪼개어 밀가루를 약간 묻혀 달걀을 씌워 지져~,

- 쇠고기와 파, 미나리를 약간 데쳐 넣고 기름장에 간을 맞추어 끓여 쓴다.

- [쇠골국]도 생선국과 같이 끓인다.

[소 골은 껍질 벗겨 부친다]

싱치국

싱치각을 써혀 탕무우와 파 마
날 양념 갓초 너허 줘물너 간
마초아 쓸혀 쓰라

송이국

-송이 겁질 얄계 벗겨 닷 분 기
릭식 쎠흘어
-황육 다져 파 마날 양념 유중
갓초 셧거 줘물너 쓸히라

알국

-묵물을 쓸히되 만화로 쓸히다
ㄱ 싀오졋국을 마초 부어 조곰
쓸히면 슝얼슝얼 쎠올를 거신니
즉시 국ㅈ로 그릇싀 쎠 쓰되 고
초가로와 김 부쉬 언지라

토란국

토란 졍히 글거 씨셔 흘덕이와
무우 다시마 너코 지령에 간 마
초와 푹 쓸히라 *[달 너흐면 조*
흐니래

61) 생치국

- 꿩고기 각을 떠서 탕무와 파, 마늘, 양념을 갖
춰 넣고 주물러 간을 맞춰 끓여 쓴다.

62) 송이국

- 송이 껍질 얇게 벗겨 5푼 길이씩 썰어~,
- 쇠고기 다져 파, 마늘 양념에 기름장을 갖춰
섞어 주물러 끓인다.

63) 알국

- (녹두) 묵 물을 끓이되 뭉근히 약불로 끓이다
가, 새우젓국을 간 맞춰 붓고 조금 끓이면 (묵이)
숭얼숭얼 떠오를 것이니, 즉시 국자로 그릇에 떠
담아 쓰되, 고춧가루와 김을 부숴 얹는다.

64) 토란국

- 토란을 깨끗이 긁어 씻어 흘떼기와 무, 다시마
를 넣고 간장에 간을 맞추어 푹 끓인다. [닭을
넣으면 좋다]

湯餠 쎡국

-흰쎡 졍히 줄 ᄒ여 얄게 써흘
어 고기 즁국에 팔팔 ᄭᆯ을 젹
썩 졈을 죱간 너허 얼는 써셔

-싱치국 맛나기 ᄭᆯ히고 고기 복
근 즙을 타 다시 썩 졈을 말고
우희 약ᄉᆞᆫ젹 ᄌᆞ옥이 ᄒᆞ여 언고

-호초가로 ᄲᆡᆨ려 쓰되

-맛난 즁국 싹근싹근ᄒ게 ᄭᆯ혀
겻히 노코 연ᄒ여 부어가며 먹
으라

-졋국에 ᄭᅮ미 너허 ᄭᆯ히면 병인
소복ᄒ기 졔일이니라

肉膾 육회

-황육 기름기 읍난 연한 살노
얄게 졈혀 가날게 써흘어 물에
담가 피을 죱간 ᄲᅢᆨ셔 뵈보ᄌᆞ에
잘 ᄶᅡ셔 파 마날 다져 호초가로
ᄭᅢ소곰 기름 ᄭᅮᆯ 셕거 줄 쥐물너
지되

-잣가로 만히 셕고 ᄭᅢ소곰이 과
히 들면 마시 탁ᄒ고

-기름은 만히 치고 호초 ᄭᅮᆯ을
셧거셔 윤즙은 식셩ᄃᆡ로 ᄒ라

-잡회난 콩팟 쳔녑 겻간 양깃머
리로 지난니라

-소곰 기름에 지난 즙회난 호초

65) 떡국 湯餠 (탕병)

- 흰떡을 깨끗이 잘 만져 얇게 썰고, 고기 장국
에 팔팔 끓을 적에 떡살을 잠깐 넣다가 얼른 떠
내고,

- 꿩고기국 맛나게 끓이고~, 고기 볶은 즙을 타
다시 떡살을 말아 넣고, 위에 약산적을 자옥이
얹고,

- 후춧가루 뿌려 쓰되,

- 맛난 장국을 따끈하게 끓여 곁에 놓고 연이어
부어가며 먹어라.

- 젓국에 고기붙이 넣어 끓이면 병자 회복에 제
일 좋다.

66) 육회

- 쇠고기는 기름기 없는 연한 살로 얇게 저며 가
늘게 썰어 물에 담가 피를 잠깐 빼서 베보자기에
잘 짜서 파, 마늘 다져 후춧가루, 깨소금, 기름,
꿀을 섞어 잘 주물러 재우되~,

- 잣가루 많이 섞고, 깨소금이 너무 들어가면 맛
이 탁하고,

- 기름은 많이 치고 후추와 꿀을 섞어서 윤즙(潤
汁:곁들여 먹는 양념장)은 식성대로 만든다.

가로 기름 소곰에 쥐물너 쓰고
혹 깨소곰 약간 너흐나니라
[단 천념회난 갸름이 버혀 가흐
로 실빅즈 ᄒ나식 물녀 말아셔
담어 쓰라]

- 잡회는 콩팥, 천엽, 곁간, 양지머리로 재운다.
- 소금 기름에 재워놓은 잡회는 후춧가루, 기름을 소금에 주물러 쓰고, 더러 깨소금을 약간 넣는다.

[단, 천엽회는 갸름하게 베어 가장자리에 잣 하나씩 물려 말아서 담아 쓴다.]

魚膾 어회

-민어 겁질 벗기고 살노 알게
졈여 가로 결노 가날게 쎠흘어
기름 발나 졉시에 담고
-겨즈와 고초쟝 윤즙은 식셩디로 쓰라
-각식 어회 다 이와 갓치 ᄒ되
즈근 싱선은 등디쌔만 ᄇ르고
셰졀ᄒ라
-조기회난 초쟝에 고초가로 파
싱강 다져 너허 쓰고
-혹 계즈도 쓰라
-낙지와 싱문어와 소라와 싱복
과 싱히ᄉ음은 다 살즉 데쳐 쎠흘
어 쓰라 초쟝 쎠나니라
-굴회난 싱굴 물에 담아 젹을
골나 ᄇ리고 건져 졉시에 담고
초쟝에 고초가로 타셔 부으라

67) 어회 魚膾

- 민어 껍질을 벗기고 살을 얇게 저며 가로결로 가늘게 썰어 기름 발라 접시에 담고~,
- 겨자와 고추장 양념장은 식성대로 쓴다.
- 각종 어회는 모두 이와 똑같이 만들되, 작은 생선은 등뼈만 발라내고 가늘게 자른다.
- [**조개회**]는 초장에 고춧가루, 파, 생강을 다져 넣어 쓰고,
- 더러 겨자도 곁들여 쓴다.
- 낙지와 생문어와 소라와 생전복과 생해삼은 다 살짝 데쳐 썰어, 초장에 곁들여 먹는다.
- [**굴회**]는 생굴을 물에 담가 이물질을 골라 버리고 건져서 접시에 담고 초장에 고춧가루 타서 먹는다.

미나리강회

-북어회난 흠신 불아 겁질 벗기고 반듯 써흐려 조흔 고초중에 파 마날 다지고 쒸소곰 기름 쑬 초 너허 쥐물너 쓰나니라

-미나리 다듬아 살마 건져서 고초치 계란치 셕이치 양지머리 추돌빅이 치 치고

-실빅즈난 가온듸 씨고 다른 치 친 거슨 엽흐로 돌여가며 식식 이 씨고 감어서 졉시에 담고

-윤집에 쓰라

-셰파강회난 쌕리 쓰고 졍히 씨셔 싱으로 미나리회와 가치 하나니라

-두릅회난 살진 두릅 살마 건져 겁질 벗기고 거두졀미하여 한 치 기릭식 줄너 그릇싀 담고

-고초중 윤즙에 먹으라

68) 미나리강회

- 북어회는 (물에) 흠씬 불려 껍질 벗기고 반듯이 썰어 좋은 고추장에 파, 마늘 다져 넣고 깨소금, 기름, 꿀, 식초를 넣고 주물러 먹는다.

- 미나리 다듬어 삶아 건지고, 고추 채, 달걀 채, 석이 채, 양지머리, 차돌박이를 채 쳐 놓는다.

- 잣은 가운데 끼는데, 다른 채 친 것은 옆으로 돌려가며 색색이 끼우고 (삶은 미나리로) 돌돌 감아서 접시에 담고~,

- 양념장을 곁들여 쓴다.

- [세파강회]는 뿌리 따고 깨끗이 씻어 데치고 미나리강회와 같이 만든다.

- [두릅회]는 살찐 두릅을 삶아 건져 껍질 벗기고 머리와 꼬리는 떼어내고, 1치 길이씩 잘라 그릇에 담고,

- 고추장 양념장을 곁들여 먹는다.

溫麵 온면

-빅면가로에 술이 쪄지면 아조 비리니 조심하고 일졀 즙것 다 불길하니라

-탕무우 너흔 고기 중국에 국슈을 퇴렴하여 말고 즙탕국 우희 언는 웃기 언져 쓰라

69) 온면 溫麵

- 백면가루에 술이 들어가면 아주 비리니, 조심하고 일절 잡것이 들어가지 않게 한다.

- 탕무를 넣고 달인 고기 장국에 국수를 토렴해서 말고, 잡탕국 위에 얹는 웃기(고명)를 얹어 쓴다.

冷麪

-청신혼 나박김치나 조흔 동침이 국에 말되 화청ᄒ고 우희난 양지머리 ᄇᆡ 조흔 ᄇᆡᄎᆞ 통김치 세 가지 다 ᄎᆡ 쳐 언고 고초가로와 실ᄇᆡᆨᄌᆞ 흐터 쓰라

汨董麪 부빔국슈

-황육 다져 ᄌᆡ셔 복고 슉쥬 미나리 살마

-묵 무쳐 양념 갓초 너허 국슈을 부븨여 그릇시 담고

-우희난 고기 복근 것과 고초가로 ᄭᆡ소곰 ᄲᅣ려 쓰되

-ᄉᆞ에 ᄌᆞᆼ국 노으라

ᄌᆞᆼ국닝면

-고기 ᄌᆞᆼ국 ᄭᅳᆶ히여 ᄊᆞᄂᆞ러키 식혀 국슈 말고

-우희난 외 ᄎᆡ 쳐 소곰에 ᄌᆞᆷ간 져리여 ᄲᅡ라 ᄶᅥ셔 살ᄶᅩᆨ 복가 ᄭᆡ소곰 고초가로 유ᄌᆞᆼ에 못친 것과 양지머리 ᄎᆡ 쳐 셕거 언고

-실고초 셕이 계란 부쳐 ᄎᆡ 쳐 언져 쓰라

-호박도 외와 갓치 복난니라

---

70) 냉면 冷麪

- 산뜻한 물김치나 좋은 동침이 국물에 말되 꿀을 타고, 위에는 양시머리, 배, 좋은 배추 통심지 3가지를 다 채 쳐 얹고, 고춧가루와 잣을 흩어 쓴다.

71) 비빔국수 汨董麪(골동면)

- 소고기를 다져 재서 볶고 숙주, 미나리를 삶아 ~,
- 묵 무쳐 양념 갖춰 넣고 국수를 비며 그릇에 담고,
- 위에 고명은 고기 볶은 것, 고춧가루, 깨소금을 뿌려 쓰되,
- 먹을 땐, 밥상에 장국을 함께 놓아라.

72) 장국냉면

- 고기 장국 끓여 서늘하게 식혀 국수를 말고~,
- 위에는 오이를 채 쳐 소금에 잠깐 절여 빨고 짜서 살짝 볶아 깨소금, 고춧가루 기름장에 묻힌 것과 양지머리를 채 쳐 섞어 얹고~,
- 실고추, 석이, 달걀을 부쳐 채 쳐 얹어 쓴다.
- 호박도 오이와 똑같이 볶는다.

밀국슈

밀가로 계란 황청에 반죽ᄒᆞ여 얄게 밀어 머리털처럼 써흘어 ᄉᆞᆯ마 건져 오미ᄌᆞ국에 쓰면 일흠이 난면이라 ᄒᆞ나니라

-찻되로 너 되 반죽ᄒᆞ라면 밀가로 가난 체에 곱기 쳐셔 계란 팔구 ᄀᆡ 씌여 셕거

-반쥭할 졔 물은 보아가며 쳐셔 반죽을 눅도 되도 안니ᄒᆞ계 ᄒᆞ여 ᄆᆡ오 쥐물너 얄계얄계 밀어

-졉을 졔 가로 ᄲᅡᄉᆞ 실갓치 써흘어

-ᄉᆞᆯ물 ᄃᆡ 물이 팔팔 ᄭᅳᆯ을 쪄 슐슐 털어 너코 조리 ᄌᆞ루로 곱계 가만니 져어 솟ᄯᅮ이 좀간 덥퍼다가 물이 너무려 ᄒᆞ거던 열고 닝슈을 슐슐 쳐셔 건져

-닝슈에 두세 번 씨셔 ᄉᆞ리는 쥬먹만치 쥐여 ᄶᅡ 놋난이라

-ᄃᆞᆰ국을 ᄭᅳᆯ히되 빅슉 고아 ᄲᅨ 추고

-고기 ᄶᅵ져 파나 부초나 너허 양념ᄒᆞ여 간 맛초아 줄 ᄭᅳᆯ혀

-밀국슈을 말고 우희난 외와 호박 치 쳐 복근 것과 계란 얄게 부치고 셕이 고초 다 치 쳐 언져 쓰라

-국슈 반쥭을 물은 말고 계란에만 ᄒᆞ면 조흔니라

73) 밀국수

- 밀가루와 달걀을 황청(꿀)에 반죽하여 얇게 밀고, 머리카락처럼 썰어서 삶아 건져내 오미자국에 쓰면, 이름이 '난면'이라고 한다.

- 찻되로 4되 반죽하려면 밀가루를 가는 체에 곱게 쳐서 달걀 8~9개 깨어 섞어~,

- 반죽할 때 물은 봐가면서 쳐서 반죽을 질거나 되지도 않게 만들어 매우 주물러 얄팍하게 밀어~,

- 접을 때는 밀가루를 싸서 실처럼 썰고,

- 삶을 때는 물이 팔팔 끓을 때, 술술 털어 넣고, 조리 자루로 곱게 가만히 저어, 솥뚜껑 잠깐 덮었다가 물이 넘으려고 하거든 (뚜껑을) 열고, 냉수를 술술 쳐서 건져~,

- 찬물에 2~3번 씻고, 국수 서리는 주먹만큼 쥐어 물기를 짜고 놓는다.

- 닭국을 끓이되, 백숙을 고아 뼈는 추려내고,

- 고기 찢어 파나 부추를 넣고 양념하여 간을 맞추어 잘 끓여~,

- 밀국수를 말고, 위에는 오이와 호박을 채 쳐 볶은 것과 달걀 얇게 부치고 석이, 고추 모두 채 쳐 얹어 쓴다.

- 국수 반죽을 물로 하지 말고 달걀에만 하면 좋다.

-혹 날콩가로 곱게 쳐서 흔티
반죽ㅎ되 만히 들면 염녀 나셔
조치 못ㅎ니라

-쎼국 ㅎ난 법은 쎼 복가 불 셕
거 가라 체에 밧쳐 소곰 타 간
맛초아 밀국슈 말고

-우희 치소와 치 친 것 언기는
웃법과 갓탄니라

-콩국은 콩을 담가 불녀 슬쪽
데쳐 가는 체에 밧쳐 소곰 타
간 맛초아 밀국슈 말고

-웃기난 쎼국과 갓치 ㅎ여 언지라

시면

-녹말노 국슈 눌너 오미ㅈ국에
화청ㅎ여 말고 실빅ㅈ 훗터 씨라

-오미ㅈ국법은 오미ㅈ 흔 줌 닝
수에 담가다ㄱ 진ㅎ계 울어나거
든 체에 밧쳐 쓰려 화청ㅎ면 일
홈이 오미ㅈ국이라

창면

-녹말가로 물에 타 체로 밧쳐
양푼에 조곰식 부어 쓸난 물에
두루다가

-쓸난 물을 양푼에 조곰 쎠 둘
너야 고로 줄 익을 거신니 일으
집어 쎄여 닉여 닝슈에 담고
연ㅎ여 여러 줄을 ㅎ야 닉여 묵
치듯시 곱기 쎠흘어 화청ㅎ고
실빅ㅈ 훗터 쓰라

- 더러 날콩가루 곱게 체에 밭쳐서 한데 반죽하
되, 너무 많이 들어가면 비린내가 나서 좋지 않다.
- [깨국] 만드는 법은 깨 볶아 물을 섞고 갈아
체에 밭쳐 소금 타고 간을 맞추어 밀국수를 만다.
- 위에 채소와 채 친 것 얹는 고명은 밀국수와
같다.
- [콩국]은 콩을 담가 불려 살짝 데쳐 가는 체에
밭쳐 소금 타 간을 맞추어 밀국수를 말고~,
- 위 고명은 깻국과 같이 만들어 얹는다.

74) 시면

- 녹말로 국수를 눌러 만들고, 오미자국에 꿀을
타서 말고, 위에 잣을 흩어 쓴다.
- [오미자국] 만드는 방법은 오미자 1줌을 찬물
에 담갔다가 진하게 우러나면, 체에 밭쳐 따르고
꿀을 타면, 이름이 '오미자국' 이다.

75) 창면

- 녹말가루 물에 타서 체로 밭쳐 양푼에 조금씩
붓고, 끓는 물로 둘러주다가~,
- 끓는 물을 양푼에 조금 떠서 둘러야 골고루 잘
익을 것이니, 집어 떼어내 냉수에 담그고, 연달아
여러 장을 만들어 묵 치듯이 곱게 썰어 꿀을 타
고 잣가루를 흩어 쓴다.

만두

-빅면가로을 가는 겹체에 쳐셔 반죽을 물 팔팔 쓸허 맛초 잘ᄒ고 싱반쥭 ᄒ랴면 연ᄒᆫ 두부 너허 ᄒ나니라

-소가음 황육 싱치 제육 달 다 쓰고 미나리 숙쥬 무우는 다 솜고 두부와 빅츠김치 다지고

-고기도 다져셔 나무ᄉᆡ는 두부와 탈 ᄊ고

-총강 마날 고초가로 ᄢᆡ소곰 기름 너허 함담 마초아 쥐물너 쓰되 제일 기름을 만히 너코

-극히 얄계 비즈되 속에 실빅즈 두어식 너허 비져

-고기 즁국에 솔무되 팔팔 쓸를 제 너허 솟ᄯᅮ에 덥지 말고 살마 동동 ᄯᅳ거든 건져 함담에 담으고 호초가로 ᄲᆡ리고

-솽에 공기 놋코 초즁에 고초가로 타 쓰라

어만두

-민어나 슈어나 두미을 겁질 벗기고 얄계 졈허 소난 항육 다져 지고

-혹 미나리 숙쥬도 합ᄒ여 양념

- 백면가루를 가는 명주 체에 쳐서, 반죽을 물 팔팔 끓여 (점도를) 맞추어 (만두피 반죽을) 잘하고~,

생 반죽을 하려면 연한 두부를 넣어 반죽한다.

- (만두) 소는 쇠고기, 꿩고기, 제육, 닭을 다 쓰고, 미나리, 숙주, 무는 다 삶고 두부와 배추김치를 다지고~,

- 고기도 다지고, 나물은 두부와 탈탈 짜고~,

- 파, 생강, 마늘 고춧가루, 깨소금, 기름을 넣고 간을 맞추어 주물러 쓰되, 제일은 기름을 넉넉히 넣고~,

- 매우 얇게 빚되, 속에 잣 두어(2~3) 개씩 넣어 빚어~,

- 고기 장국에 삶되, (만두는) 팔팔 끓을 때 넣고 솥뚜껑을 덮지 말고 삶아, 동동 뜨거든 건져내고, (고기장국은) 간을 하여 담아내고 후춧가루 뿌린다.

- 밥상에 빈 그릇 놓고 초장에 고춧가루를 타 곁들여 쓴다.

77) 어만두

- 민어나 숭어 머리와 꼬리를 껍질 벗기고 얇게 저미고, 소는 쇠고기 다져 재운다.

- 더러 미나리, 숙주도 혼합하여 양념을 갖춰 넣

가초 너허 줴물너 소 너허
-송편 모양으로 접어 녹말가로
뭇쳐 쥥국 팔팔 쓸흘 적에 너허
살마 건져 초쥼에 고초가로 타
먹느니라

고 주물러, 소를 넣고 송편 모양으로 접어 녹말
가루 묻혀,

- 징국 팔팔 끓을 적에 넣고 삶아 건져 초장에
고춧가루 타 먹는다.

밀만두 일명은 편슈라
-밀가로 닝슈에 반쥭ᄒ여 얄계
밀어 네모반듯ᄒ계 버히되 되소
난 죽게 말고
-소ᄂᆞᆫ 만두 소쳐로 민다라 귀
거러 싸셔 네모반듯ᄒ게 ᄒ되
이 혜를 쏙 붓게 ᄒ여 삼기도
만두와 갓ᄐ니라

78) 밀만두 (일명 편수)

- (만두피는) 밀가루를 냉수에 반죽해서 얇게 밀
어 네모반듯하게 자르되, 크기는 너무 작지 않게
만든다.

- 소는 만두소처럼 만들고, (만두피) 4귀를 걸어
싸서 네모반듯하게 빚되, 4귀를 꼭 붙게 빚고, 삶
는 방법도 만두와 똑같다.

슈교의
-밀만두쳐로 미러 되소도 그만
치 버히고 소난 외을 치 쳐 줌
간 져려 쌘라 줄 쓰고 황육 다
져 너코 표고 늣타리 셕이 고초
계란 부쳐 여러 가지 치 쳐 셧
거 양념 가초 너허 복가 소를
너되
-괴불쳐럼 접어 만두 모양갓치
조롬조롬ᄒ게 줴여 감닙을 깔고
쩌셔
-가를 사를을 돌녀 염졈ᄒ고 기
름을 만히 발나 초쥼 먹으라

79) 수교의

- 밀만두처럼 (피를) 밀어 크기도 그만큼 자르
고~, 소는 오이를 채 쳐 잠깐 절여 빨아 잘 짜
내고~, 쇠고기 다져 넣고 표고, 느타리, 석이, 고
추, 달걀을 부쳐 여러 가지 채 쳐서 모두 섞어
양념을 갖춰 넣고 볶아~ 소를 넣되,

- (피를) 괴불노리개처럼 접어 만두 모양 같이
조물조물 쥐어 빚어,) 감잎을 깔고 쪄서 ~,

- 접시 가장자리를 둘러 가지런히 담고, 기름을
많이 발라 초장에 곁들어 먹는다.

전골법

*-연게 쌍치 제육 등속도 전골
  한나니라*

-연흔 안심술노 풀닙갓치 골픽
쪽쳐로 써셔 졈이기도 한고 얄
게 졈혀 치 치기도 한나니 식성
디로 한여

-물에 즙간 담아 피을 쌔고 건
져 보즈에 잘 짜셔 가진 양념에
육회갓치 지여 알합이나 화기
발아기에 담고

-우희 잣가로 즈옥이 쌕리고

-전골 지난 디 씨를 쓰라 쥭슌
씨여 쥴나 조곰 셕기도 한고 소
이 반듯반듯한게 쓰흐러 셕고
조기 셔흘어 너코 낙지는 술쭉
데쳐 너코 굴을 물기 읍시 쯔셔
셕거 지이면 조흔니라

-전골나물은 무우 콩나물 슉쥬
거두절미한고 미나리 파 고비
표고 늣타리 셕이 도라지 게란
황빅 각각 부쳐 쓰흘어 각각 다
치 치고

-홍식은 무우에 지치 즙간 드려

-나물 기릭을 다 흔 치 기릭식
쥴너 녑녑히 식실 노와 졉시에
담고 우희난 쥴노 실빅즈 노코
실고초 셕이 계란치을 쌕려 쓰

80) 전골법

- 연한 닭고기, 꿩고기, 제육 등으로도 전골을 만
든다.

- 연한 안심살로 풀잎같이 골패 쪽처럼 떠서 저
미기도 하고, 얇게 저며 채 치기도 하나니 식성
대로 하여,

- (고기는) 물에 잠깐 담가 핏물을 빼고 건져 보
자기에 잘 짜서 갖은양념에 육회같이 재워, 반합
이나 꽃꽂이 그릇, 바라기(사발)에 담고,

- 위에 잣가루를 자욱이 뿌린다.

- 전골 재는 데엔 때에 따라 죽순을 쪄서 잘라
조금 섞기도 하는데, 송이 반듯반듯하게 썰어 섞
고, 조개 썰어 넣고, 낙지는 살짝 데쳐 넣고, 굴
을 물기 없이 짜서 섞어 재우면 좋다.

- 전골에 (들어가는) 나물은 무, 콩나물, 숙주를
꼭지와 뿌리는 잘라내고, 미나리, 파, 고비, 표고,
느타리, 석이, 도라지, 달걀노른자 흰자를 각각 부
쳐 썰어 각각 다 채 쳐 놓고~,

- 홍색은 무에 지치를 잠깐 물들이고,

- 나물 길이를 모두 1치 길이씩 잘라 엽렵히(하
나하나 꼼꼼하게) 색실처럼 놓아 접시에 담고, 위
에는 줄지어 잣을 놓고 실고추, 석이, 달걀 채를

라
-소반에 전골 합과 나물 접시 노코 탕기에 날중국 타고 접시에 계란 이숩 기 담고 기름 종 즈에 노코 풍노에 슛 피여 전골 틀이나 남비 지지라

뿌려 쓴다.

- 소반에 전골 찬합과 나물 접시를 놓고, 탕기에는 닐 장국을 타고, 접시에 달걀 2~3개 담고, 기름은 종지에 담아 놓고, 풍로에 숯을 피워 전골 틀이나 냄비에 (자박하게) 지진다.

81) 어채 魚菜

- 파 밑동과 미나리를 1치씩 자르고, 생선은 토막 내어 도독하게 저미고~, 전복과 해삼은 골패 쪽같이 썰고, 고추는 반을 쪼개어 씨 발라내고, 국화잎과 표고, 느타리, 석이 다 깨끗이 빨아 건져서~,

- 모두 다 녹말가루를 묻혀서, 물이 팔팔 끓을 때 잠깐 삶아 건져 물을 뺀 후 그릇에 담고, 초장에 고춧가루 타 곁들여 먹는다.

[조개어채] - 조개를 까서 깨끗이 빨아 녹말 씌워 삶으면 조개어채다.

- 오이를 갸름하게 썰어 녹말 씌워 삶고 꺼내, 삶은 것을 갸름하게 잘라 녹말 물에 삶고~, 달걀을 삶아 까서 4등분으로 썰어 나물에 섞는다.

魚菜 어치

-총빅 미나리 흔 치식 줄고 싱션은 토막 지여 도독ᄒ게 졈이고 전복 히숩 골ᄑ죽갓치 쓰흘고 고초난 반을 ᄍᄀ여 씨 발으고 국화입과 표고 늣타리 셕이 다 졍히 ᄶ라 건져셔

-모도 다 녹말가로 뭇쳐셔 물 팔팔 ᄭᆯ를 ᄯᅨ예 줍간 술머 건져 물 ᄭᆞᆫ 후 그릇시 담고 초중에 고초가로 타 쓰라

-조긔을 ᄭ 졍히 빨아 녹말 씨워 술무면 조긔어치라

-외 갸름ᄒ게 쎠흐러 녹말 씨워 슙고 퇴ᄒ야 슬문 것 갸름ᄒ게 버혀 녹말에 슙고 계란 술마 ᄭ셔 사파로 쎠흐러 나무싀에 셧그라

全鰒熟 전복숙

-조흔 디전복을 슬무되 첫 번 슬마 물을 퍼 브리고 황육과 히ᄉ 문어 홍합 등속을 너허 물르게 고아 건져셔 전복을 졈이든지 통으 열십ᄌ로 줄나셔 줄게 어이셔 파 마늘 다져셔 너코 호초가로 기름 씨소곰 쑬 너허 슬문 물에 졸여야 조치

-만일 지렁을 치면 맛 갓지 못ᄒ고 푼 후에 ᄌ가로 만히 셧거 쓰고 그릇시 담은 우희 ᄌᄀ로 ᄌ옥이 ᄲ리라

-황육은 건져 ᄂ고 문어 히ᄉ은 줄나 너코 홍합은 고을 졔 다 녹난니라

족편

-쇠족과 가죽과 쇠리을 ᄒ 벌 슬마 그 물을 퍼 브리고 다시 슬물 졔 사ᄐ와 ᄭᆡᆼ치나 달이나 너허 고와야 마시 죠흔니 다 고아 풀 ᄶᆡ 눅고 된 거셜 그릇시 ᄶᆕ셔 식커 보아 가면셔 건덕이를 건져

-ᄭᆡᆼ치난 ᄲᆡ 다 츌이고 다른 건덕이와 각각 다지고 실고초 셕이 계란 부쳐 다 치 치고

-호초가로 ᄌ가로 ᄒ여 다진 고기와 치 친 거셜 그 국에 기름 것고 펴셔 갓초 셕거 큰 목판

82) 전복숙 全鰒熟

- 좋은 큰 전복을 삶되, 첫 번째 삶은 물은 퍼내 버리고, 쇠고기, 해삼, 문어, 홍합 등속을 넣어 물러지게 고아 건져서~, 전복을 저미거나 통으로 열십자(十)로 잘라서 잘게 도려내고 파, 마늘 다져 넣고 후춧가루, 기름, 깨소금, 꿀을 넣어 삶은 물에 졸여야 좋다.

- 만일 간장을 치면 맛이 좋지 못하고, (전복을) 퍼낸 후에 잣가루 많이 섞어 넣고, 그릇에 담은 위에 잣가루를 자욱이 뿌린다.

- 쇠고기는 건져내고, 문어, 해삼은 잘라 넣고, 홍합은 고는 동안 다 녹는다.

83) 족편

- 쇠족과 가죽과 꼬리를 한 벌 삶아 그 국물을 퍼내 버리고, 다시 삶을 때 사태와 꿩고기나 닭을 넣어 고아야 맛이 좋으니, 다 고아 퍼낼 때, 눅고 된 것을 그릇에 떠서 식히는데, 보아 가면서 건더기를 건져,

- 꿩고기는 뼈 다 추려내고 다른 건더기와 각각 다지고, 실고추, 석이, 달걀을 부쳐 다 채 치고,

- 후춧가루와 잣가루를 넣고, 다진 고기와 채 친

갓튼 듸 얇게 펴 노코 우희난
치 친 양념과 잣가로 즈옥이 쌜
려 쓰라
-식은 후 네모반듯시 버허 담고
초중에 잣갈로 너허 쓰라
-다리쌔 흔듸 고아 기름 것고
쓰면 조흔니라

紅蛤炒 홍합초
홍합을 물에 담マ 부른 후 졍히
쌀라 황육 다져 너코 양념 갓초
아 젼복숙갓치 복가 담고 우희
잣가로 쌜리라

蟹 게간랍
-게 싹지 쎄여 즁은 죄 훌터
-숙쥬 미나리 황육 다지고 두부
너허 양념ᄒ야 쥐물너 싹지에
가득 너허 가로 약간 무쳐 게란
씨워 지져 쓰라
-게 발은 발톱만 즐으면 계란
씨워 부치라

鳥 춤시 젼유어
-춤시을 터를 졍히 쓰더 황육
너허 곱게 다져 양념 너허 지셔
화젼갓치 얇게 만드라
-가로 약간 무쳐 게란 씨워 지
져 초즁에 쓰라

것을 그 국물에 기름을 걷어내고, 펴서 같이 섞
어 큰 목판 같은 데다 얇게 펴 놓고, 위에는 채
친 양념과 잣가루 자욱이 뿌려 쓴다.
-식은 후 네모 반듯이 베어 담고, 초장에 잣가루
를 넣어 곁들여 쓴다.
- 다리뼈는 한데 고아 기름을 걷어내고 쓰면 좋다.

84) 홍합초 紅蛤炒
- 홍합을 물에 담가서 불린 후 깨끗이 빨아~,
쇠고기 다져 넣고 양념을 갖춰 전복숙처럼 볶아
(그릇에) 담고, 위에 잣가루를 뿌린다.

85) 게 간랍　蟹
- 게딱지를 떼어 내장은 죄다 훑어내고,
- 숙주, 미나리, 쇠고기 다지고 두부 넣고 양념하
여 주물러~, 게딱지에 가득 넣어, 밀가루 약간
묻히고 달걀 입혀 지져 쓴다.
- 게 발은 발톱만 자르고 달걀을 입혀 부친다.

86) 참새 전유어 鳥
- 참새 털을 말끔히 뜯고, 쇠고기 넣어 곱게 다
져 양념을 넣고 재워서 화전같이 얇게 만든 다음,
- 밀가루 약간 묻혀 달걀을 입혀 지져서, 초장에
곁들여 먹는다.

느르미

-조흔 도랏 술마 밀오 담가 울러 졍히 ᄲᆡ라 거두졀미ᄒᆞ고 산젹 고기 써흣듯 ᄒᆞ고

-파 살ᄌᆞᆨ 데쳐 도랏갓치 즐으고 황육도 그와 갓치 ᄒᆞ고

-박우거리도 살마 너코 늣타리 셕이난 써흐지 말고 너허 양념 갓초아 ᄀᆞ로기임 약간ᄒᆞ여 쥐물너

-물 조곰 치고 복가 퍼 ᄂᆡ셔 ᄯᅩ 것 양념을 더ᄒᆞ되 함담 보아 ᄀᆞ며 기름 ᄭᆡ소곰 호초가로 너허 셕거 ᄭᅩ지에 ᄭᅦ이되

-여러 가지을 ᄉᆡ이ᄉᆡ이 두다려 모양 잇게 <u>염졈</u>을 즐ᄒᆞ여 ᄭᆡ소곰을 안밧그로 담북담북 무쳐 졉시에 담고

-우희는 실고초 셕이 계란치를 흣터 쓰라

-ᄭᆡ소곰 실ᄒᆞ야 ᄒᆞ난 법은 ᄭᆡ을 물에 ᄌᆞᆷ간 담가다ᄀᆞ 물을 ᄯᅡ르고 오지그릇ᄉᆡ 담고 문질으면 겁질 버셔지나니

-물ᄭᅵ 읍시 ᄌᆞᆷ간 말녀 킈에 ᄭᅡ불녀 ᄇᆞ리고 복가 ᄶᆡ으면 일홈이 실ᄒᆞᆫ ᄭᆡ소곰이라

87) 누르미

- 좋은 도라지를 삶아, (물에) 매우 담가 우려내고 깨끗이 빨아, 머리와 꼬리 잘라내고, 산적 고기 썰 듯(어슷어슷) 썰고~

- 파 살짝 데쳐 도라지처럼 자르고, 쇠고기도 그와 똑같이 썰고,

- 박 고지(박속 파내고 길게 썰어 말린 것)도 삶아 넣고~, 느타리, 석이는 썰지 말고 넣고, 양념을 갖추어 밀가루 약간 넣고 주물러~,

- 물 조금 치고 볶아 퍼내서~, 또 겉에 양념을 더하되 간을 보아 가며 기름, 깨소금, 후춧가루를 넣고 섞어 꼬치에 끼우되,

- 여러 가지(재료)를 사이사이 두드려, 모양 있게 <u>매무새</u> 단정을 잘하여, 깨소금을 안팎으로 듬뿍듬뿍 묻혀 접시에 담고~,

- 위에는 실고추, 석이, 달걀 채를 흩어 쓴다.

- [깨소금 실하게 하는 법]은 깨를 물에 잠깐 담갔다가 물을 따라 내고, 오지그릇에 담고 문지르면 껍질이 벗겨지니,

- 물 끼 없이 잠깐 말려, 키에 까불러 (껍질을) 버리고, 볶아 찧으면 이름하여 '실한 깨소금'이다.

어육각식간랍 一名 煎油魚

-졍육은 얇게 졈이고 양은 퇴ᄒ
여 ᄉᆞᆲ마 건져 얇게 졈이고 쳔넙
은 닙흘 씻고 쥴기를 칼노 줄
두다려 ᄒᆞ고 간은 졈이고 각ᄉᆡᆨ
ᄉᆡᆼ션 다 얇계 졈여 가로 무쳐
게란 씌워 지지되
-간ᄭᆡ간랍은 간을 ᄆᆞᆫ니로 지져
ᄭᆡ소곰 안밧츠로 무치ᄂᆞ니라
-다져 ᄒᆞ난 육간랍은 다져 양념
ᄒᆞ여 화전갓치 붓치라
-쇠골간랍과 조기간랍은 통으로
부치고 굴간랍을 적을 졍히 골
나 물을 체에 밧쳐 쎈 후 가로
뭇쳐 게란 푸러 혼합ᄒᆞ여 부치
고 ᄃᆡᄒᆞ大蝦 간랍은 졈이ᄂᆞ니라
[간랍 부치는 계란은 ᄭᆡ셔 졋되
소곰 조곰 너허 푸래]

海蔘 ᄆᆡ삼
-알쌈법은 게란을 번쳘에 얇게
조곰 노아 펴며 ᄆᆡ삼 쏘를 ᄒᆞᆫ편
으로 조곰 노코 ᄒᆞᆫ편을 일러 졉
어 덥퍼 송편처로 지져
-익거든 가을 염졈ᄒᆞ여 졉시 담
고 초ᄍᆞᆼ에 쓰라

88) 어육각색간랍 일명 전유어(一名 煎油魚)

- 쇠고기는 얇게 저미고, 소의 양은 깨끗이 손질
하여 삶아 건져 얇게 지미고, 천엽은 잎을 찢고
줄기를 칼로 잘 두드려 준비하고, 간은 저미고,
각색 생선 다 얇게 저며 가루 묻히고 달걀을 씌
워 지지되,

- [간깨간랍]은 간을 생으로 지져 깨소금을 안팎
으로 묻힌다.

- 다져서 만드는 [육(고기)간랍]은 (고기를) 다지
고 양념하여 화전처럼 부친다.

- [소골간랍]과 [조개간랍]은 통으로 부치고, [굴
간랍]은 이물을 깨끗이 골라내고 물을 체에 밭
쳐 뺀 후, 밀가루 묻혀 달걀 풀고 섞어 부치고,
[대하(大蝦)간랍]은 저민다.

 [간랍을 부치는 달걀은 깨서 젓되, 소금 조금
넣고 풀어준다]

89) 해삼 海蔘

- [알쌈법]은 달걀을 번철(지짐이 무쇠솥 뚜껑)
에 얇게 조금 놓아 펴면서, 해삼 소를 한편으로
조금 놓고, 다른 한편을 뒤집어 접어 덮어 송편
처럼 지져~,

-조흔 히슈 물에 담가 붓거든 푹 살마 쓰기여 속에 모리와 히감과 즙거셜 바리고 졍히 씨셔
-황육과 슉쥬 미나리 다져 두부 셕거 가진 양념 너허 쥐물너 비 속에 가득 너코 가로 무쳐 계란 씨워 붓치라

水卵 슈란
-슈란주에 기름 조곰 치고 쩌야 붓지 아니ᄒ나니
-존에 계란 쏘다 물 팔팔 쓸을 졔 너허 -물에 줌가 익히셔 닝슈에 담가 건져셔 가을 염졈ᄒ여 졉시에 담고
-슈란 봉 우희 고초 쳥파 너 푼 기리식 줄너 가늘게 쎠흐러 열 십주로 언고 줏가로 쌕려 쓰라

乾水卵 건슈란
-번쳘에 기름 두루고 계란 쏫고 우희 소곰 약간 쌕려 지지되
-불이 쌋면 타기 쉬우니 마초하 야 가을 염졈ᄒ여 쓰라
-살마 싯셔 쓰면 일홈 핑란이라

– 다 익으면, 가장자리를 정돈해 접시에 담고 초장에 곁들어 먹는다.

– 좋은 해삼 물에 담가 불거든, 푹 삶아 쪼개어, 속에 모래 해감과 잡것을 버리고 깨끗이 씻어,

– 쇠고기와 숙주, 미나리 다지고 두부를 섞어 갖은양념을 넣고 주물러~, (해삼) 뱃속에 가득 넣고 밀가루 묻혀 달걀을 씌워 부친다.

90) 수란 水卵

– '수란자'에 기름 조금 치고 떠야 붙지 않으니,

– 잔에 달걀을 쏟아 물 팔팔 끓을 때 넣어 물에 잠겨 익혀서~, 냉수에 담가 건져 가장자리를 정리하여 접시에 담고,

– 수란 봉 위에 고추, 청파 4푼 길이씩 잘라 가늘게 썰어 열십자(十)로 얹고 잣가루를 뿌려 쓴다.

91) 건수란 乾水卵

– 번철(지짐이 무쇠솥)에 기름을 두르고 달걀을 쏟고, 위에 소금 약간 뿌려 지지되,

– 불이 싸(세)면 타기 쉬우니 알맞게 조절해서 가장자리를 정돈하여 쓴다.

– 삶아 까서 쓰면 이름이 '팽란'이다.

魚膠 어교슌딕

-민어풀에 물에 담マ 피 쎅고 정히 씨셔

-슉쥬 미나리 살마 황육과 갓치 다지고 두부 셕거 가진 양념 다 ᄒ여 쥐물너

-소 너코 실노 부리 동혀 살마 건져 쓰흐러 쓰라

도야지슌딕

-챵ᄌ을 뒤졉어 졍히 쌕라

-슉쥬 미나리 무우 데쳐 빅츄김치와 가치 다져 두부 셕거

-총 강 마날 만히 다져 너허 쌔소곰 기름 고초マ로 호초가로 각식 양념 만히 셕거 피와 ᄒ딕 쥐물너 챵ᄌ에 너코 부리 동혀 살마 쓰라

熟肉 슉육

-양지머리 부화 길 허 유통 우랑 쇠머리 사틱 이ᄌ 졔 육을 다 살마 쎠흘어 쓰나니라

-살마 쌔 츄리 ᄒ딕 합ᄒ여 보ᄌ에 쓰 눌너다 쓰면 조흐니라

-졔육은 쵸쟝과 졋국과 고초가로 너허 쓰고 마늘 졈혀 싸 먹으면 늑기ᄒ지 아니ᄒ나니라

92) 어교순대 魚膠

- 민어 부레를 물에 담가 피 빼고 깨끗이 씻어~,
- 숙주, 미나리 삶아 쇠고기와 함께 다지고, 두부 섞고 갖은양념 다하고 주물러~,
- (부레에) 소를 넣고 실로 주둥이를 동여매고 삶아 건져 썰어 쓴다.

93) 도야지순대

- (돼지) 창자를 뒤집어 깨끗이 빨아 ~,
- 숙주, 미나리, 무를 데쳐 배추김치와 함께 다져, 두부 섞어~,
- 파, 생강, 마늘을 많이 다져 넣고, 깨소금, 기름, 고춧가루, 후춧가루로 각색 양념 많이 섞어~, (순대) 피와 한데 주물러, 창자에 집어넣고 주둥이 동여매 삶아 쓴다.

94) 수육 [熟肉]

- 양지머리, 부아, 지라, 젖퉁이, 쇠불알, 소머리, 사태, 이자, 제육을 다 삶아 썰어 쓴다.
- 삶아서 뼈를 추려내고 한데 합하여 보자기에 싸서 눌렀다가 쓰면 좋다.
- 제육은 초장과 젓국과 고춧가루를 넣어 쓰고, 마늘 저며 싸서 먹으면 느끼하지 않다.

蟹炙 게구이법

-싱게를 만히 싹지 써여 중은 죄 글거 그릇식 담고 견지 발은 다 나른ᄒ게 찌여 체에 걸너 즙을 ᄂᆡ여 게중에 셕고

-싱강 파 호초 너코 게란 식 셕거 녹말이나 밀가로나 좀 너허 흔ᄃᆡ 합흔 후

-ᄃᆡ통 밋 막은 거슬 어더 반에 쪼기여 게 유중 맛촌 것을 너코 ᄃᆡ통을 다시 마초고 노흐로 단단히 동허 익게 슬마

-동인 것슬 풀고 ᄃᆡ통을 갈나 모지게나 마암ᄃᆡ로 써흐러 졈혀 꼿지에 쎄여 유중 발나 구으면 아람다온니라

95) 게구이법 蟹炙

- 생게를 여러 마리 딱지 떼어 내장은 죄다 긁어서 그릇에 담고, 다리와 발(肩肢)은 다 나른하게 찧어서 체에 걸러 즙을 내어 게장에 섞고,

- 생강, 파, 후추를 넣고 달걀을 까서 섞고, 녹말이나 밀가루를 좀 넣어 한군데 합한 후,

- 대(나무)통 밑이 막힌 것을 구해 반으로 쪼개어, 게 기름장 맞춘 것을 넣고, 대통을 다시 맞추고 노끈으로 단단히 동여매 익도록 삶아,

- 동여맨 것을 풀고 대통을 갈라, 모나게나 마음대로 썰어, 저며 꼬치에 꿰어 기름장 발라 구우면 아름다우니라.

鮒魚炙 부어구이

-슛불을 만히 픠오고 얄게 그 우희 펴고

-비날 거슷지 말고 졍히 씨셔 불 우희 언고

-비날 말나 거사려질 거시니 닝슈 발으면 비날이 도로 붓트락 오륙 번 ᄒ거든 발기깃슬 거구루 줍고 씨셔 유쟝 발나 무로녹게 구으면 비날 스스로 써러지고 마시 ᄌ별ᄒ니라

-각싴 싱션 굽ᄂᆫ 법이 긴 젹쇠지로 입부터 빗기 질너 화로가에 먼니 들고 뒤젹여 덥게 쒼즉 어즙이 시스로 날 거시니 그른 후의 토막 지어 구은 즉 마시 ᄌ별ᄒ니라

生鮮炙 싱션구이

-비날 거슬너 비 쩨여 ᄂᆡ쟝 ᄂᆡ고 졍히 씨셔 토막 지어 젹쇠에 언고

-발기깃슬로 유쟝 셕거 두셰 번 발나 굽다ᄀ 진쟝 총강 마날 다져 느코 기름 쑬 씨소금 호초가로 고초ᄀ로 셕거 합ᄒ야 발으되

-오릭 구으면 양념이 타셔 못 쓰니 줌간 구어 그릇싴 담고 잣ᄀ로 쎅려 쓰라

96) 붕어구이　鮒魚炙(부어적)

- 숯불을 많이 피우고, 얇게 그 위에 펴고,

　비늘은 기스르지 말고 정히 씻어 숯불 위에 얹으면,

- 비늘 말라 잘 거슬려질 것이니, 냉수를 발라 비늘이 (일어났다가) 도로 붙었다 5~6번 하면, 꿩 깃을 거꾸로 잡고 (훑어) 씻어서, 기름장을 발라 무르녹게 구우면 비늘 스스로 떨어지고 맛이 매우 좋다.

- 온갖 [생선 굽는 법]은 긴 적꼬치로 입에서부터 빗겨 질러, 화롯가에 멀리 들고 뒤적이며 덥게 (열기를) 쪼이면, 어즙이 스스로 날 것이니, 그런 다음 토막 지어 구우면 맛이 매우 좋다.

97) 생선구이　生鮮炙

- 비늘 거슬러 배 쩨어 내장을 발라내고, 정히 씻어 토막 지어, 석쇠에 얹고 ~,

- 꿩 깃으로 기름장을 섞어 2~3번 발라 굽다가, 진간장, 파, 생강, 마늘 다져 넣고, 기름, 꿀, 깨소금, 후춧가루, 고춧가루를 섞어 합쳐 발라주되,

- 너무 오래 구우면 양념이 타서 못 쓰니, 잠깐 구워 그릇에 담고 잣가루 뿌려 쓴다.

生雉炙 싱치구이

통으로 구으면 일홈이 젼쳬슈라

-싱치 털 쏩아

-셕낭불에 나문 털 그슬녀 술으고 각을 쎠셔 가슴 둑가온 술은 두셰 쪽에 졈이고 다리은 흔 편만 버혀 쓰기셔

-마날 다지고 씬소곰 기름 호초가로 꿀 합ᄒ여 소곰에 흠담 마초아 쥐물너 지여 빅지에 물 축여 ᄊ셔 구으라

-혹 양념에 쥐물느기 젼 민술을 조희 물 젹셔 가며 구어 반슉ᄒ거든 조희 벗기고 유즁 발나 구어 쓰나니라

鷄炙 달구이

-달구이도 이와 갓ᄒ나 지령에 지여 굽나니라

가리구이라

-가리을 두 치 슴사 푼 기릭식 줄나셔 졍히 ᄲ라

-가로 결노 믹오 줄게 안팍글 어히고 셰로 쏘 어히고 가온딕를 타라

-우로 졋치고 가진 양염ᄒ여 식오졋국에 함담 맛초와 쥐물너 지여 구어라

---

98) 꿩고기 구이　生雉炙(생치적)

통째로 구우면 이름이 '전체수'이다.

- 꿩 털을 뽑아,

- 성냥불에 남은 털 그슬러 사르고 각을 떠서, 가슴 두꺼운 살은 2~3쪽으로 저미고, 다리는 한 편만 베어 쪼개서

- 마늘 다지고 깨소금, 기름, 후춧가루, 꿀을 합하여 소금에 간을 맞추어 주물러 재운 뒤, 백지에 물을 축이고 싸서 굽는다.

- 더러 양념에 주무르기 전에 (꿩고기) 맨살을 종이에 물 적셔가며 구워, 반 정도 익으면 종이 벗기고 기름장 발라 구워 쓴다.

99) 닭구이 鷄炙

- 닭구이도 생치구이와 똑같으나 간장에 재워 굽는다.

100) 갈비구이 (가리구이라)

- 갈비를 2치 3~4푼 길이씩 잘라서 깨끗이 빨아

- 가로결로 매우 잘게 안팎을 에이고, 세로로 또 에이고, 가운데를 쭉 갈라,

- 위로 젖히고, 갖은 양념하여 새우젓국에 간을 맞추어 주물러 재워서 굽는다.

염통구이

-염통을 줄기는 버히고 쓰기여 너븨안니쳐로 얄게 졈이고
-줄기는 쪄여 가로셰로 즐게 어혀 즌칼질ᄒ여 네모번듯번듯 즐으고 가진 양념에 쥐물너 구으라

족구이

족을 녹ᄂᆞ니 살마 ᄃᆡ강 ᄲᅢ를 츄리고 양념ᄒ여 굽ᄂᆞ니라

沙蔘炙 더덕구이

-더덕을 물에 담가 물에 부른 후 겁질을 졍히 글거 씨셔 건져
-도마에 노코 칼노 ᄌᆞ근ᄌᆞ근 두다려 젹쇠에 언고 발기깃 셔로 유ᄌᆞ 발나 굽다가
-파 다져 ᄭᅢ소곰 기름 ᄭᅮᆯ 고초가로 합ᄒ여 그릇시 담아 함담 보아 굽든 더덕을 너허 줌간 쥐물너 굽되 오릭 구으면 양념이 타셔 못 쓰니
-구어 ᄂᆡ여 ᄒᆞᆫ 치 기릭식 즐너 접시에 담고 우희에 ᄭᅢ소곰 ᄲᅮ려 씨라
-*삼ᄉᆞ월 느진 더덕은 물을 가라 여러 날 울여야 알인 맛 읍ᄂᆞ니라*

---

101) 염통구이

- 염통 줄기를 잘라내고 쪼개어 너비아니처럼 얇게 저미고,
- 줄기는 째어 가로세로 잘게 에어 칼집을 넣어주고 네모 반듯반듯 자른 다음, 갖은양념에 주물러 굽는다.

102) 족 구이

(돼지) 족을 무르녹게 삶아, 대강 뼈를 추리고 양념하여 굽는다.

103) 더덕구이 沙蔘炙(사삼적)

- 더덕을 물에 담가 불린 후, 껍질을 깨끗이 긁어 씻어 건져,
- 도마에 놓고 칼로 자근자근 두드려 석쇠에 얹고, 꿩 깃으로 기름장 발라 굽다가 ~,
- 파 다져 깨소금, 기름, 꿀, 고춧가루 합하여 그릇에 담고 간을 보아, 굽던 더덕을 넣고 잠깐 주물러서 굽되, 너무 오래 구우면 양념이 타서 못 쓰니,
- 구워내어 1치 길이씩 잘라 접시에 담고 위에 깨소금 뿌려 쓴다.
-3~4월 늦은 더덕은 물을 갈면서 여러 날 우려야 아린 맛이 없다.

파산적

움파 다듬어 씨서 살죽 데쳐 고기를 네모반듯시 후박을 침척 두 푼 넉넉이 ᄒᆞ고 기릐난 두 치 이슴 푼 줄나 파와 ᄒᆞᆫ듸 양념에 ᄌᆡ여 석거 쒸여 구으라

송이슌적

송이슌적은 겁질 벗기고 기릐로 쪼기여 고기와 ᄒᆞᆫ듸 ᄌᆡ나이라

승금초슌젹

-승금초슌젹은 봄에 연ᄒᆞᆫ 쥴기를 데쳐 겁질 벗겨 안심살과 ᄒᆞᆫ듸 ᄌᆡ이나니라
-겨을에난 흰 움을 싱치적에 쒸이나니라

염통슌젹

염통슌젹은 염통만 오려 쒸여 굽고

육슌젹

육슌젹은 졍육만 오려 굽고 다 우희 젓가로 ᄲᅳᆯ려 쓰나니라

[산적류]

104) 파산적

움튼 파 다듬어 씻고 살짝 데쳐, 고기를 네모 반듯이, 두께를 바느질자로 2푼 넉넉히 하고 길이는 2치 2~3푼 잘라, 파와 한데 양념에 재워 (꼬치에) 섞어 꿰어 굽는다.

105) 송이산적

송이산적 껍질 벗기고 길이로 쪼개어 고기와 한데 재운다.

106) 승금초 산적

- 승금초 산적은 봄에 연한 줄기를 데쳐 껍질 벗겨 안심살과 한데 재운다.
- 겨울에는 승금초 흰 움을 꿩고기 산적에 꿴다.

107) 염통 산적

- 염통산적은 염통만 오려 꿰어 굽는다.

108) 육산적

- 육산적은 쇠고기만 오려서 굽고 다 위에 잣가루 뿌려 쓴다.

셕산젹

셕산젹은 조흔 흰썩 고기 기리
와 갓치 쎠흘고 파와 흔듸 양념
에 쥐물너 구으라

너븨안이

-연흔 졍육 얇게 졈이 즌칼질
즈근즈근ᄒ여 가진 양념에 직여
굽나니라
-졔육구이도 이와 갓탄니라

약산젹

-졍육 오려 조흔 진즁에 가진
양념 합ᄒ여 쥐물너 쇠지에 쒜
여 도마에 노코 즌칼질ᄒ되
-사면을 얌젼니 모흐 반반ᄒ게
ᄒ고 ᄭᆡ소곰 쑤려 젹쇠에 구어
쓰되
-혹 네모반듯시 쎠흐러 쓰기도
ᄒ나니라

뭉치구이

-뭉치구이ᄂᆞᆫ 졍육을 다져 가진
양념에 직여 다식만치식 뭉쳐
구어 쓰되
-혹 두부 셧거 ᄒ고 잣가로난
무론 아모 구이든지 육죵에ᄂᆞᆫ
다 ᄲᅳ리라

109) 떡산적

- 떡산적은 좋은 흰떡을 고기 길이와 같이 썰고
파와 한데 양념에 주물러 굽는다.

110) 너비아니

- 연한 쇠고기를 얇게 저며 칼집 넣어 자근자근
하여 갖은양념에 재워 굽는다.
- 제육구이도 이와 똑같이 조리한다.

111) 약산적

- 쇠고기 오려, 좋은 진간장에 갖은양념을 합하
여 주물러, 꼬치에 꿰어 도마에 놓고 칼집을 넣
되,
- 4면을 얌전히 모아 반반하게 하고 깨소금 뿌려
석쇠에 구워 쓰되,
- 더러, 네모 반듯이 썰어 쓰기도 한다.

112) 뭉치구이

- 뭉치구이는 쇠고기를 다져 갖은양념에 재워 다
식만큼씩 뭉쳐 구워 쓰되,
- 간혹 두부 섞어서 하고, 잣가루는 물론 아무
구이든지 고기류에는 다 뿌린다.

편포

-연ᄒᆞ고 기름진 황육을 가ᄂᆞᆯ게 두다려 소곰으로 함담 맛초고 기름 호초가로 실ᄒᆞᆫ ᄢᅢ 복근 것 잣가로 ᄒᆞᆫ가지로 쥐물너 모양을 방정히 ᄆᆡᆫ다라 우희 기름을 발나션 건ᄒᆞ여 쓰라

-ᄭᅴᆼ치편포도 이 법ᄃᆡ로 ᄒᆞ면 조흔니라

藥脯 약포

-연ᄒᆞᆫ 졍육을 너븨안니쳐로 졈여 유즁에 ᄌᆡ여 졍ᄒᆞᆫ 치반에 펴 너러 ᄲᅢ득ᄒᆞᆫ 듯ᄒᆞ거든 다시 거더 조흔 진즁에 ᄭᅮᆯ ᄭᅢ소곰 기름 호초가로 파 마ᄂᆞᆯ 다져 너코 쥐물너 ᄌᆡ여 ᄯᅩ 치반에 펴여 노코 잣가로 자옥이 ᄲᅮ려 말니되

-아조 말니지 말고 촉촉할 제 거더 두고 쓰라

순포법

-순포법은 졍육 둣거이 졈혀 가진 양념이 쥐물너 밧삭 말여 두고 쓰라

113) 편포

- 연하고 기름진 쇠고기를 가늘게 두드려 소금으로 간을 맞추고 기름, 후춧가루, 실한 깨 볶은 것, 잣가루 한가지로 주물러, 모양을 방정히 만들어, 위에 기름을 발라선 말려서 쓴다.

- 꿩고기 편포도 이 방법대로 하면 좋다.

114) 약포 藥脯

- 연한 쇠고기를 너비아니처럼 저며 기름장에 재웠다가, 깨끗한 채반에 펴 널어놓고 뽀득해진 듯하면, 다시 걷어~, 좋은 진간장에 꿀, 깨소금, 기름, 후춧가루, 파, 마늘을 다져 넣고 주물러 재우고, 또 채반에 펴 놓고 잣가루 자욱이 뿌려 말리되,

- 아주 바싹 말리지는 말고 촉촉할 때 걷어 두었다가 쓴다.

115) 산포법

- 산포법은 쇠고기를 두껍게 저며, 갖은양념에 주물러 바싹 말려두고 쓴다.

창포법

창포법은 졍육 둣거이 졈혀 유
증 발나 쥐물너 젹쇠에 구어 반
슉되거던 도마에 노코 마치로
두다려 또 유증 발나 굽다ㄱ 다
시 도마에 두다려 조흔 진증에
가진 양념 셧거 그릇싀 담고 포
육을 안팍으로 양념에 젹셰 늬
여 젹쇠에 줌간 구어 늬여 쓰흘
어 반춘에 쓰라

어포법

-어포법은 민어나 슈어유을 살
를 너븨안니쳐로 졈혀 조흔 진
증에 고초가로 ᄭᅦ소곰 기름 호
초가로 셧거 함담 마초아 쥐물
너 함담 맛계 ᄒᆞ여 치반에 말녀
쓰라
-게포난 곳게 다리살노 민다ᄂᆞ
니라

증조림법

*-졍육을 크게 덩이 지여 진증
밧삭 조리면 오릭여도 변미 안
니되고 쏙쏙 ᄶᅵ져 쓰면 조흐니
라*
-졍육을 다져 젼골쳐로 지여 회
리밤만치 뭉치되 속에 호초 ᄒᆞ
기 실백ᄌᆞ ᄒᆞ 기식 너허 뭉쳐
젹쇠에 죠희 깔고 다 언진 후
불에 노와 구어 조흔 진증에 졸

116) 창포법

- 창포법은 쇠고기 두껍게 저며, 기름장 발라 주
물러, 석쇠에 구워 반숙되거든, 도마에 놓고 망치
로 두드리고, 또 기름장 발라 굽다가, 다시 도마
에 두드려, 좋은 진간장에 갖은양념을 섞어 그릇
에 담고, 포육을 안팎으로 양념에 적셔 내어, 석
쇠에 잠깐 구워내서 썰어 반찬으로 쓴다.

117) 어포법

- 어포법은 민어나 숭어류의 살을 너비아니처럼
저며, 좋은 진간장에 고춧가루, 깨소금, 기름, 후
춧가루 섞고, 간을 맞추어 주물러~, 간을 맞게
해서 채반에 말려 쓴다.
- [게포]는 꽃게 다리 살로 만든다.

118) 장조림법

- 쇠고기를 크게 덩이지게 (잘라) 진간장에 바싹
조리면, 오래돼도 맛이 변하지 않고, 쭉쭉 찢어서
쓰면 좋다.
- 쇠고기 다져, 전골처럼 재워, 회오리밤만큼 뭉
치되, 속에 후추 1개, 잣 1개씩 넣고 뭉쳐~, 석

이되
-빅청 만히 타 단맛 잇게 조리
ᄂᆞ니라

약순젹 조림
-약순젹 조림은 약순젹 구어 네
모반듯시 써흐러 이와 갓치 조
리ᄂᆞ니라

각ᄉᆡᆨ 중조림
-각ᄉᆡᆨ 중조림에는 다 빅청 타
단맛 잇게 ᄒᆞ나니라

生雉 ᄭᅥᆼ치즁조림
- ᄭᅥᆼ치 족여 토막 지어 가진 양
념에 쥐물너 조흔 진즁에 조리
되
-황육과 게란 살마 ᄭᅵᆨ셔 ᄒᆞᆫ듸
조리면 죠흐니라
-졔육도 조리나니라
-鷄 달조림도 이와 갓치 ᄒᆞ나니
라
-生鮮 ᄉᆡᆼ션즁앗지도 이 법으로
ᄒᆞ되 미나리 파 데쳐 줄나 너코
표고 늣타리 셕이 다 ᄎᆡ 쳐 황
육 좀 두다려 양념에 쥐물너 너
허 조리나니라
-ᄭᅮ미 다져 너허라

쇠에 종이 깔고, 다 얹은 후, 불에 놓고 구워, 좋
은 진간장에 졸이되,
- 꿀 많이 타서 단맛 있게 졸인다.

119) 약산적 조림

-약산적 조림은 약산적을 구워, 네모 반듯이 썰
어 위와(장조림법 2)) 같이 조린다.

120) 각색 장조림

갖가지 장조림에는 다 꿀을 타서 단맛 있게 조린다.

121) 생치 장조림 生雉 (꿩고기 장조림)

- 꿩고기 잡아 토막 지어, 갖은양념에 주물러 좋
은 진간장에 조리되,
- 쇠고기와 달걀을 삶아 까서 한데 조리면 좋다.
- [제육]도 (이렇게) 조린다.
- [닭조림]도 생치 장조림과 똑같이 조리한다.
- [생선장아찌]도 위(생치장조림)와 같은 방법으
로 하되, 미나리, 파 데쳐 잘라 넣고, 표고, 느타
리, 석이 다 채 쳐, 쇠고기 좀 두드려 양념에 주
물러 넣고 조린다.
- 꾸미(고명)는 다져 넣는다.

쟝복기

-어란도 겻드리고 민어 주반 졈
여 겻드리고 약포와 쳔니찬 겻
드리라

굴비도 겻드리라

-고초쟝을 쇠옹에나 남비나 담
아 물 조곰 치고 만화로 복그되

-파 싱강 고기 다져 너코 꿀기
름을 만히 너허 복가야 마시 조
코 윤이 나되

-불은 쓰게 말고 주로 져허야
늣지 안니 하나니라

-복다가 실빅조 통으로 너코 졉
시에 담아 쓸 씨 우희 잣가로
샌리라

122) 장볶이

- 어란도 곁들이고, 민어 자반을 저며 곁들이고, 약포와 천리찬(쇠고기 장조림)을 곁들인다. 굴비도 곁들인다.

- 고추장을 작은 놋쇠 솥이나 냄비에 담아 물 조금 치고 약불로 볶되,

- 파, 생강, 고기 다져 넣고, 꿀, 기름을 많이 넣고 볶아야 맛이 좋고 윤이 나되,

- 불은 세게 하지 말고, 자루로 저어야 눈지 않는다.

- 볶다가 잣을 통으로 넣고 접시에 담아낼 때, 위에 잣가루 뿌린다.

콩주반

-콩을 푹 삼다가 그 물에 진쟝
과 춍 강 기름 씨소금 고초가로
쓸 고기 다져 너코 조리라

123) 콩자반

- 콩을 푹 삶다가 그 물에 진간장과 파, 생강, 기름, 깨소금, 고춧가루, 꿀, 고기 다져 넣고 조린다.

海衣 김주반

-김 여러 쟝 합하여 진쟝 씨소
곰 고초가로 기름 합하야 젹시
여 칙반에 말녀 반듯시 쓰흐러
쓰라

-츈말하쵸 소용이라

124) 김자반 海衣

- 김 여러 장을 합치고 진간장, 깨소금, 고춧가루, 기름을 합하여 적셔서 채반에 말려 반듯이 썰어 쓴다.

- 늦은 봄이나 초여름에 많이 쓴다.

千里饌 쳔니찬

-졍육 다져 지여 물 조곰 붓고 복가셔 건져 도마에 곱게 다져 그 물에 파 마날 유쳥 씬소곰 호초가로을 진즁에 합ᄒᆞ여 복가 물끠 읍시 펴셔 쓰라

만나 지법

-만나 지법은 고기 즐게 쎠흘어 시옹에 슬마 건져 도마에 노코 마치로 두드려 날읜ᄒᆞ거든 그 물에 양념ᄒᆞ여 ᄒᆞ난 법은 쳔니찬과 갓ᄒᆞ니라

탄평치

-묵 가늘게 치고 슉쥬 미나리 데쳐 즐너 양념ᄒᆞ여 슉쥬와 갓치 뭇치고
-졍육 다져 복가 너코 슉육 치쳐 너코 김 부쉬 너코
-씬소곰 고초가로 기름 초 합ᄒᆞ야 지령에 함담 맛초아 묵과 ᄒᆞᆫ ᄃᆡ 뭇쳐 담고 우희 김 부쉬 언고 씬소곰 고초가로 섁리라

125) 천리찬 千里饌

- 쇠고기 다져고 재워, 물 조금 붓고 볶아 건져~, 도마에 곱게 다져서, 볶은 국물에 파, 마늘, 유자청, 깨소금, 후춧가루를 진간장에 합하여 볶아 ~, 물기 없이 펴서 쓴다.

126) 만나 지법

- 만나 지법은 고기를 잘게 썰어 작은 놋쇠 솥에 삶아 건져서, 도마에 놓고 망치로 두드려 나른해지면 고기 삶은 물에 양념하는데, 조리하는 방법은 '천리찬'과 똑같다.

127) 탕평채

- 묵은 가늘게 치고, 숙주, 미나리 데쳐 잘라 양념하여 숙주와 함께 (조물조물) 무치고,
- 소고기 다져 볶아 넣고, 수육은 채 쳐서 넣고, 김 부숴 넣고~,
- 깨소금, 고춧가루, 기름, 식초를 합쳐, 간장에 간을 맞춰 묵과 한데 무쳐 담고, 위에 김 부숴 얹고 깨소금, 후춧가루 뿌린다.

파나물

-움파 데쳐 슉쥬 양지머리 치치고 기름 고초가로 찍소금 초쳐 진중에 함담 마초아 쥐물너 쓰라

죽슌나물

-죽슌나물은 데쳐 써셔 흔 치 기린식 쎠흐러 고기 다져 너코 찍소금 고초가로 기름 진중 함담 마초아 쥐물너 복가 쓰라

둘흡나물은 살마 겁질 벗겨 졈여 초에 뭇치나니라

도랏나물

콩나물은 거두졀미ᄒ여 복고 슉쥬 미나리는 살마 초에 뭇치나니라

-더덕도 이와 갓치 ᄒ되 찌져 ᄒ라

-조은 도랏 살마 미오 우려 어슷어슷 졈혀 진중에 복가 찍소곰 기름 고초ᄀ로에 뭇치라

고비 고ᄉ리나물

-고비 고ᄉ리나물은 살마 흔 치 기린식 줄나 도랏나물쳐로 ᄒ나니라

128) 파나물

- 움파는 데쳐, 숙주, 양지머리는 채로 썰고~, 기름, 고춧가루, 깨소금, 식초를 치고 진간장에 간을 맞추어 주물러 쓴다.

129) 죽순나물

- 죽순나물은 데쳐내고 째서 1치(3cm가량) 길이씩 썰어~, 소고기 다져 넣고 깨소금, 고춧가루를, 기름, 진간장에 간을 맞추어 주물러 볶아 쓴다.
- 두릅나물은 삶아 껍질 벗기고 저며 식초에 무친다.

130) 도라지나물

- [콩나물]은 대가리와 꼬리를 따고 볶고,
    [숙주, 미나리나물]는 삶아 식초에 무친다.
- [더덕나물]도 도라지나물처럼 하되, 찢어서 한다.
- 좋은 도라지를 삶아 매우 우려내고, 어슷어슷 저며 진간장에 볶아 ~, 깨소금, 기름, 고춧가루에 무친다.

131) 고비나물, 고사리나물

-고비(나물), 고사리나물은 삶아 1치 길이씩 잘라 도라지나물처럼 한다.

외나물

-외나물은 져근 외를 돈쏙쳐로 얄게 써흐러 소곰에 줌간 졀려 물에 쌘라 줄 쓴

-솟틔 유즙 셕거 둘너 달거든 술쥭 복가 닉여 양념은 도랏나물과 갓치 ᄒᆞ라

호박나물

-호박나물은 어린 익호박을 돈쏙쳐로 써흐되 둣거이 말고 파 식오졋 다져 너코 함담 마초 복그되

-솟틔 기름을 둘너 가며 조곰식 너허 익난 듸로 호박 졈을 써닉야 졈이 도렷ᄒᆞ고

-쑤쩨 덥흐면 졈이 무르고 물이 나난니라

호박 문쥬법

-호박 문쥬법은 듀먹만ᄒᆞᆫ 어린 호박을 쏙지 편을 집피 도리고 속을 딕강 글거 닉고

-졍육 다져 표고버셧 셕이 게란 다 치 쳐 합ᄒᆞ여 양념에 줘물너 그 속에 너코 쏙지을 도로 맛쳐 고 쪄셔 닉여 통으로 담고 초중에 쓰라

혹 씸쳐로 국물 좀 잇게 ᄒᆞ여 남비에 지져 슐안주 ᄒᆞ나니라

132) 오이나물

- 오이나물은 적은 오이를 돈 쪽처럼(엽전처럼) 얇게 썰어, 소금에 잠깐 절이고, 물에 빨고 잘 짜서,

- 솥에 기름장 섞어 둘러서 (기름장이) 닳으면, 살짝 볶아 내고, 양념은 도라지나물과 똑같이 한다.

133) 호박나물

- 호박나물은 어린 애호박을 엽전처럼 썰되, 두껍게 말고 (얇게), 파, 새우젓을 다져 넣고, 간을 맞춰 볶되,

- 솥에 기름을 둘러 가면서 조금씩 넣어 (볶고), 익는 데로 호박 점을 꺼내야 점이 뚜렷하고,

- 뚜껑 덮으면 점이 무르고 물이 나온다.

134) 호박 문주법

- 호박 문주법은 주먹만한 어린 호박 꼭지 쪽을 깊이 도려내고, 속을 대강 긁어내고,

- 쇠고기 다져서 표고버섯, 석이, 달걀은 다 채쳐 합치고, 양념에 주물러~, 호박 속에 넣고 꼭지를 도로 맞추어 쪄서 꺼내어, 통으로 담고 초장에 곁들여 쓴다.

- 더러 찜처럼 국물 좀 있게 하여 냄비에 지져서 술안주로 한다.

杜蘅 곰취쌈

-싱곰취쌈은 졍히 씨셔 줄기 잘 으고 닙흘 기여 칭반에 담으라
-곰취 살마 우려 줄기 줄고 황육 다져 파 마날 고쵸가로 씨 소금 기름 합ᄒ여 쥐믈너 닙흘 두어 식 합ᄒ야 펴셔 툭빅이에 담으되
-씨소곰 고초가로 ᄲ려 가며 다 담아 밥에 쪄셔 화로에 끌여 졉 시에 담고
-씨소곰 ᄲ려 쓰라

씨닙쌈법

-씨닙쌈법은 여름에 연흔 씨닙을 살머 곰취쌈쳐로 ᄒ나니라

도랏싱치

-조흔 도랏 겁질 벗겨 우러 씻여 소곰 너허 쥐믈너 쌜아 보ᄌ에 잘 ᄶ셔
-파 마날 다지고 고초가로 씨소 곰 기름 초 합ᄒ여 지령에 함담 맛초아 쥐믈너 씨라

135) 곰취 쌈　杜蘅

- 생 곰취 쌈은 깨끗이 씻어 줄기 자르고 잎을 개서 쟁반에 담는다.

- 곰취 삶아 우려내 줄기 자르고~, 쇠고기 다지고, 파, 마늘, 고춧가루, 깨소금, 기름을 합하여 주물러~, 곰취잎 2장씩 겹치고 펴서, (주무른 양념을 켜켜이) 뚝배기에 담되,

- 깨소금, 고춧가루 뿌려 가며 다 담아, 밥할 때 쪄서 화로에 끓여, 접시에 담고,

- 깨소금 뿌려 쓴다.

136) 깻잎쌈 법

-깻잎쌈 법은 여름에 연한 깻잎을 삶아 곰취 쌈처럼 만든다.

137) 도라지생채

- 좋은 도라지 껍질 벗겨 우려내고 씻어, 소금 넣고 주무르고 빨아 보자기에 잘 짜서,

- 파, 마늘 다지고 고춧가루, 깨소금, 기름, 식초를 합하여 간장에 간을 맞추어 주물러 쓴다.

외싱치

-외싱치는 외를 속 니고 얄게 졈혀 잘게 치 쳐 소곰에 살쪽 져려 쌔라 보즈에 줄 쓴

-도랏 싱치쳐로 ᄒ되 마날만 더 들고 외노각 싱치는 겁질 벗기라

-겨즌에 쓰라

무우싱치

-연흔 무우 즐게 치 쳐 소곰에 슬쪽 져려 쌘라 보즈에 잘 쓴 죠

-흔 비치 쳐 너코 총 강 마날 ᄭᆡ소곰 마날 쑬 기름 고초가로 지렁에 함담 맛쵸아 줘물너 게즈에 쓰라

童芥菜 갓치

-종즛은 움에 뭇되 슌 버히지 말고 비츠종쳐로 시둘너 무드라
-가을에 쳥은 김치에 너코 봄에 움 슌은 나물ᄒ고 닝국도 ᄒ나니라

-밋갓 겁질 졍히 벗계 머리털쳐로 졍히 치 쳐 쑬 쵸 너코 소곰 함담 마초 줘물너 항에 너허 두고 쓰라

-그릇시 담고 우희 실빅즈 통으로 언져 쓰고

-혹 셕이 고초치도 언난니라

-항을 흔데 츠게 두라

138) 오이생채

- 오이생채는 오이 속을 꺼내고 얇게 저며 잘게 채 쳐 소금에 살짝 절이고 빨아 보자기에 잘 짜~,

- 도라지생채처럼 하되, 마늘만 더 들이고, 오이 노각생채는 껍질 벗긴다.

- 겨자에 곁들여 쓴다.

139) 무생채

- 연한 무 잘게 채 쳐, 소금에 살짝 절이고 빨아, 보자기에 잘 짜서,

- 좋은 배추 채 쳐서 넣고, 파, 생강, 마늘, 깨소금, 마늘, 꿀, 기름, 고춧가루를 간장에 간을 맞추어 주물러, 겨자에 곁들여 쓰라.

140) 갓채 童芥菜(동개채)

- 종자는 움막에 묻되, 순은 베지 말고 배추 종자처럼 시둘러(밑거름을 두르고) 묻는다.

- 가을에 갓 무청은 김치에 넣고, 봄에 움 순은 나물로 하고 냉국도 한다.

- 밑 갓(갓 무) 껍질을 깨끗이 벗겨 머리털처럼 깨끗이 채 쳐 꿀, 식초 넣고, 소금 간을 맞춰 주물러 항아리에 넣어두고 쓴다.

- 그릇에 담고 위에 잣을 통째로 얹어 쓰고, 또는 석이, 고추 채도 얹는다.

- 항아리는 추운데 차게 두어라.

묵복기

-묵을 후박이 사방 갓게 골픽쳐로 쎠흐러 황육 다져 지여 너코 물 좀 붓고

-씨소곰 호초가로 기름 합ㅎ여 너코 씨기 쓸히듯ㅎ여 좃치보에 담고 우희 김 부쉬 언지라

141) 묵볶이

- 묵을 후박하게 사방이 똑같게 골패처럼 썰어, 쇠고기 다져 재워서 넣고, 물 좀 붓고~,

- 후춧가루, 깨소금, 기름을 합쳐 넣고~, 찌개 끓이듯 해서 조칫보*에 담고, 위에 김 부숴 얹는다.

   * 김칫보보다 크고 높이가 낮은 그릇

천엽좃치

-양좃치는 씨국에 ㅎ나니라

-천녑과 간 콩팟 쎠흘고 항육 다져 양념에 합ㅎ여 지셔 국물 잇게 쓸히라

-파 갸름갸름ㅎ게 잘나 너흐라

142) 천엽 조치

- 양조치는 깻국에다 조리한다.

- 천엽과 간, 콩팥 썰고 쇠고기 다져 양념에 합하여 재워서 국물 있게 끓인다.

- 파를 갸름갸름하게 잘라 넣는다.

골좃치

-선지 물근 피 지난 법 녹은 선지에 젓국 좀 치고 파 싱강 다져 너허 씨나니라

-골을 게란에 붓쳐 쎠흘고 항육 다져 지여

-파 갸름갸름 쎠흐러 너코 호초가로 씨소곰 기름 합ㅎ야 지령에 함담 마초 쓸혀 쓰라

143) 골 조치

- 선지 묽은 피 재는 법 : 녹은 선지에 젓국 좀 치고, 파, 생강 다져 넣고 찐다.

- 소의 골에 달걀을 묻혀 부쳐 썰고, 쇠고기 다져 재운 다음,

- 파 갸름갸름하게 썰어 넣고, 후춧가루, 깨소금, 기름을 합하여 간장에 간을 맞춰 끓여 쓴다.

성션죳치

-싱션 토막 지어 황육 다져 너
코 파 써흘어 표고 셕이 늣타리
써흐러 너코 초즁에 마초아 기
름 치고 쓸혀 쓰라

-죳치 격식이 ㅎ도 호번ㅎ기에
되강 젹으나

-되져 각쇠 어육과 두부와 치소
와 버슷 등속으로 쳔변만화ㅎ난
즁에

-지령에 ㅎ난 거선 일홈이 말근
죳치요 고초즁 된즁에는 다 쇽
쓰물노 ㅎ즁 죳치라 ㅎ니니라

-젓국 씨기도 말근 죳치라

-관목이나 건은어나 아모 싱션
니라도 씨기ㅎ거든 다쑴 벗기고
마티 지여 흔 즈밤 그릇싀 담고
기름 두어 슐 쳐 가며 우흐로
풀고 지령에 담고 불근 구실 훗
튼닷 기비* 위ㅎ여 조흐니라

양즙 닉난 법

-양 졍히 씨셔 안에 기름 다 쓰
고 거쥭에 거문 것 칼노 다 돌
려 치고 흰살만 가늘게 써흐러
곱게 다져셔 황육 조곰 다져 너
코 싀옹이나 남비나 물 조곰 치
고 즈조 져허 복가 다 익은 후

144) 생선조치 (조치=찌개)

- 생선은 토막 내고 쇠고기 다져 넣고, 파(썰어),
표고, 석이, 느타리 썰어 넣고, 초장에 맞춤하게
기름을 치고 끓여서 쓴다.

- 조치 만드는 격식이 어찌나 많고 번거로운지
대강 적으나,

- 대체로, 각종 어육과 두부와 채소와 버섯 등속
으로 천변만화하는 것 중에,

- 간장에다 하는 것은 이름이 '맑은 조치'고, 고
추장, 된장에는 다 속(粟:오곡) 뜨물로 하는데,
'장 조치'라 한다. 젓국찌개도 맑은 조치다.

- 관목(貫目:말린 청어)이나 말린 은어나 아무
생선이라도 찌개로 하려면, (생선) 껍질 벗기고
마디지어 잘라 (찐 다음), (고춧가루) 1자밤을 그
릇에 담고, 기름 두어 술 치고 개어, (찐 생선)
위로 풀어주고 간장을 치면, 붉은 구슬 흩어 놓
은 듯하여 비위를 당기기 좋다.

 * 개비(開脾): 비위(脾胃)를 풀다.

145) 양즙 내는 법

- (소의) 양을 깨끗이 씻고 안에 기름기를 다 뜯
어내고, 가죽에 검은 것은 칼로 다 도려내고 흰
살만 가늘게 썰어 곱게 다져서~, 쇠고기 조금 다

뵈슈근에 잘 쓰 소곰 호초가로
너허 먹으라
-파 조곰 너허도 조흐니라

외지 담는 법
-소곰물 쓸혀 식혀 항에 붓고
외를 너허 져린 후 슈슈닙으로
우흘 치고 돌노 단단니 눌오라
*동 녹 쓴 돈니나 글릇 닥근 슈
싑이나 너허 두면 빗치 푸리고
싱싱흐니라*

꿀 민다는 법
-찰기중 흔 말을 쓸어 푹 살마
식기 전에 엿길금가로 두 되를
넝수 두 병에 골나 항에 너흐되
-초혼에 비져 히ᄀ 져르면 달
울어 씌어 니고
-히 진 쩌난 평명에 씌ᄂᆡ여 명
쥬 젼듸에 담아 걸너 도청시겨
서 듸(충) 걸너 셔너 홉 너코
팔팔 쓸혀 스기 항에 너코 겹겹
긴봉ᄒ고 스듸접으로 우흘 덥퍼
짜에 무더 삼십 일 만에 씌어ᄂᆡ
면 조흔 빅청이 되ᄂᆞ니라

져 넣고, 작은 솥이나 냄비에 물 조금 치고, 자주
저어가며 볶아~, 다 익은 후 베수건에 잘 짜~,
소금, 후춧가루를 넣어 먹는다.
- 파 조금 넣어도 좋다.

146) 오이지 담는 법
-소금물 끓이고 식혀 항아리에 붓고 오이를 넣고
절인 후, 수수 잎으로 위를 덮고 돌로 단단히 누
른다.
- 동(銅)이 녹 쓿은 돈이나 그릇 닦은 수세미를
넣어두면 빛이 푸르고 싱싱하다.

147) 꿀 만드는 법
- 찰 기장 1말을 찧어 푹 삶아, 식기 전에 엿기
름가루 2되를 냉수 2병에 걸러 항아리에 넣되,
- 해 질 무렵에 빚어 해가 짧을 때면 (다음날)
첫닭이 울면 꺼내고,
- 해가 길 때는 (다음날) 해 뜨는 시각에 꺼내어,
명주 자루에 담고 걸러~, 도청*시켜서~, 대충
걸러 3~4홉을 넣고, 팔팔 끓여 사기 항아리에
넣고, 겹겹이 봉하고, 사기대접으로 위를 덮어 땅
에 묻고 30일 만에 꺼내면 좋은 꿀이 된다.
* 도청(淘淸): 탁한 액체를 가라앉혀 말갛게 함

-밀 다섯 긔 밥 지여 셤누룩에
술을 비즈되

-제일 싱도라지 만히만히 씨져
여 너코 다 익은 후 싱도랏 씻
고 누룩 등이등이 지여 굽고

-딕초 여러 긔 굽고 서너 집 초
씩기를 으더다ㄱ 흔듸 합ㅎ야
파봉ㅎ고 쾌히 익기 전 거드리
지 말나

계즈 민드난 법

-계즈를 연에 죽말ㅎ여 고흔 체
에 쳐서
[ ]허 져허 먹으면 믹에 갈기도
경편ㅎ고

-팔월에 심근 갓션 김중에 쓰고
봄에 심근 갓슨 씨 밧고 [~]질
벗기고 다 딕지 여되 밤에 닉
노아 이슬을 무슈히 맛쳐 브릭
야 그 쥐] 문 거슨 심으난 밋
갓씨가 되난니라

O 계즈 물에 담가 [ ]를 업어
노코 걸으되 체 밋ㅎ 그릇 밧치
고 슈져로 문질너 걸너셔

-소(곰) 흔 즈밤 너코 초와 쑬를
너허 슈져로 져허 맛보아 단맛
잇게 ㅎ야 종즈에 써 노아 쓰라

148) 초 안치는 법

- 밀 5되로 밥을 지어 섬누룩에 술을 빚는다.

- 좋은 생도라지 많이 찢어 넣고, (술이) 다 익은 후, 생도라지를 찢고 누룩을 덩이덩이 지어 굽는다.

- 대추 여러 개 굽고, 서너 집의 초 찌꺼기를 얻어다가 한데 합하여 잘 봉하고, 온전히 익기 전에 건드리지 마라.

149) 겨자 만드는 법

-겨자를 맷돌에 가루 내어 고운(눈금이 세밀한) 체에 쳐서, [물에 담가] 저어, (물이) 먹으면 맷돌에 갈기도 쉽고 편리하다.

- 8월에 심근 갓(잎)은 김장에 쓰고, 봄에 심근 갓은 씨(열매)를 받아, [껍]질을 벗기고 다 뒤적여 널되, 밤에 내놓아 밤이슬을 6~7일 맞혀서 바래야(변색+ 쓴맛을 없애야~) 쓴다.

- 그중 움막(온실)에 묻은 것은 심으면 갓 무의 씨가 된다.

O 겨자는 물에 담가 [개어 그릇을] 엎어놓고 거르되, 체 밑에 그릇을 받치고 수저로 문질러 거른 뒤~,

- 소금 1자밤 넣고 식초와 꿀을 넣고 수저로 저어 맛봐서 단맛 있게 하여 종지에 떠 놓고 쓴다.

고초장윤즙법

-**고초즁**에 초와 쭐을 타셔 져허 맛보아 쓰고 단맛 잇게 ᄒᆞ여 종ᄌᆞ에 노허라

-**초즁**은 초를 밧쳐 진즁 타 쓰되 잣가로 ᄲᅮ리고 고초가로 ᄲᅮ리기ᄂᆞᆫ 음식을 ᄯᆞ라 ᄒᆞᄂᆞ니라

-**슈어나 조긔**나 ᄭᅳᆯ힐 젹 싱션 허리를 굽혀 쥐물너 ᄭᅳᆯ히되 살이 허어지지 아니ᄒᆞ고

-**조기 말뇌일 젹** 반건 후 씨셔 곳쳐 말니면 겻지 아니ᄒᆞ니니라

-**게젓 담글 졔** 슈유 닙흘 우 누른 가온ᄃᆡ 너허 두면 ᄒᆡ가 지ᄂᆡ여도 모릭가 나지 안코

-혹 다시마도 넛ᄂᆞ니라

-계젓 밤에 ᄂᆡᆯ 젹 일절 등불을 빗최지 말나

-게를 졍히 씨셔 항에 너코 지렁 부어 두어다가 숨 일 만에 지렁 ᄯᅳ려 솟히 달혀 식케 부어다ᄀ ᄯᅩ 숨 일 만 지렁을 다시 졸여 부어다가 익거든 쓰되

-ᄶᅩᆨ지를 ᄶᅦ노코 견지에 즁을 훌터 ᄶᅡᆨ지에 쳐와 졉시에 담으라

-주둥이 양 쳔엽 졈ᄒᆞ고 계발은 졉시 밋히 밧치고 잣가로 ᄲᅮ려 쓰라

---

150) 고추장 윤즙법

- 고추장에 초와 꿀을 타고 저어 맛을 보아, 쓰고 단맛 있게 히어 종지에 놓는다.

- [초장]은 식초를 밭쳐 진간장을 타서 쓰되, 잣가루 뿌리고, 고춧가루 뿌리기는 음식에 따라서 한다.

- [숭어나 조기]를 끓일 때, 생선 허리를 굽혀 주물러서 끓이면 살이 풀어지지 않는다.

- [조기] 말릴 때는 반건조 후 씻어 (모양을) 고쳐 말리면 (오래 두어도) 기름이 배지 않는다.

- [게젓 담글 때] 수유 잎을 위에 눌러 그 가운데 넣어 두면 해가 지나서도 모래가 나지 않고,

- 혹은 다시마도 넣는다.

- 게젓은 밤에 낼 적에는 일절 등불을 비추지 마라.

- 게를 정히 씻어 항아리에 넣고 간장을 부어두었다가, 3일 만에 간장을 따라 내서, 솥에 달이고 식혀 부어두었다가, 다시 3일 만에 간장을 다시 졸여 부었다가 익으면 쓰되,

- 딱지를 떼놓고 게 발에 묻은 내장을 훑어, 딱지에다 채워 접시에 담는다.

-(게의) 주둥이 양쪽 천엽을 저미고 게 발은 접시 밑에 받치고 잣가루 뿌려 쓴다.

청어젓 담난 법

-청어젓 담난 법은 청어을 발 우희 케케 노코 소곰을 솔솔 뺄려 돗찰 덥허 ᄒ로밤 지오면 어즙이 발 아릭로 빤질 거신니

-그제야 소곰을 케케 노코 담그면 히가 묵어도 머리 안니 쎠러지고 죠흐니라

-묵은 달은 무론 ᄌ웅ᄒ고 잉도 나무를 지르고 살무면 즉시 무르고 굴둑 겻히 기와 ᄒ 쪼각만 너흐면 연ᄒ니라

-말은 송이 진흘물에 담그면 싱 것 갓ᄒ고

-죽슌은 겁질 벗기고 마듸 지여 데쳐 말이엿다가 쓸 듸 쓰물에 담그면 싀것 갓고

-고비나 고ᄉ리 쉰 거슬 쓰물에 살무면 무르나니라

-게 오릭 두난 법은 무릇 슈십 기를 너흐면 조엽 반단 너흔 즉히 묵어도 죽지 안니 ᄒ나니라

-밤이나 은힝이나 살물 적 유지를 ᄒ가지로 너허 술무면 겁질이 졀노 벗나니라

-호도 싯셔 물에 담가 불은 후 번의 벗계 밧속 말녀 다지면 잣가로 듸신도 쓰고

-낙화싱율 번의 벗겨 다져도 잣가로 갓타니라

-김중 쩍 마날을 물에 담가다가 붓거든 벗기면 번의 잘 벗나니라

151) 청어젓 담는 법

- [청어젓 담는 법] 청어를 발(簾)위에 켜켜이 놓고, 소금을 솔솔 뿌려 돗자리를 덮고 하룻밤 재우면, 어즙이 발아래로 빠질 것이니,

- 그제야, 소금을 켜켜이 놓고 담그면 해(年)가 묵어도, 머리가 떨어지지 않아 좋다.

- **묵은 닭**은 암수 상관없이 앵두나무를 지르고 삶으면 즉시 물러지고 굴뚝 곁에 기와 1조각만 넣고 삶으면 연하다.

- **마른 송이** 진흙물에 담그면 생것 같고,

- **죽순**은 껍질 벗기고 마디지어 잘라 데쳐 말렸다가 쓸 때 뜨물에 담그면 새것 같고,

- **고비나 고사리** 쉰 것을 뜨물에 삶으면 물러진다.

- [게 오래 두는 법]은 무릇 수십 개를 넣고 조협(쥐엄나무열매 껍데기+콩깍지) 반(半) 단 넣으면, 해가 묵어도 죽지 않는다.

- [밤이나 은행]이든 삶을 때는 유지를 1가지로 넣어 삶으면 껍질이 절로 벗어진다.

- [호두] 까서 물에 담가 불린 후, 번의 벗게 바싹 말려 다지면 잣가로 대신으로도 쓰고,

- [**낙화생(=땅콩)**밤은 속껍질을 벗겨내고 다져도 잣가루와 같다.

- 김장할 때 마늘을 물에 담갔다가 불거든, 벗기면 속껍질이 잘 벗겨진다.

약식법

-정월 보름날 차례에 쓴단 말

-조흔 찰술 졍히 쓸허 물에 담가 부른 후 건져 실우에 지에밥 씨듯 씨되

-물 쥬지 말고 써셔 흔 말 지에밥에난 밤 흔 말 살마 삭셔 줄으고 혹 짜기고 딕초 흔 말 씨 발나 치 치고 그 씨난 솟히 물 조곰 붓고 되기 고아 얼어미에 걸으고 쑬 흔 보아 기름 흔 보아를 지에밥에 밤 딕초와 딕초 씨 걸은 것셰 합ᄒ여 버무려 도로 실우에 안치고

-우흔 모밀 낙기미를 물에 버물버물ᄒ여 그 우히 덥고 솟히 안쳐 씰 적에 처음에 불을 싸게 ᄒ야 된김 오르거던 만화로 쩌여 ᄒ로밤 식도록 쪄ᄂ야 빗치 검고 조흐니

-아츰에 실우 쪠여 우희 낙기미 ᄯ로 것고 그 즁간 쏘 ᄯ로 것고 속에 거문 것 ᄯ로 퍼셔 집쳥ᄒ여 즈근 항이 담고 우희 실빅 통으로 어지라 두고 씨다ᄀ 여러 날 되여 굿거든 남비에 기름 두로고 뇍여 집쳥ᄒ여 쓰나니라

152) 약식법

- 정월 대보름날 차례에 쓴다.

  좋은 찹쌀 깨끗이 찧어, 물에 담가 불린 후 건져, 시루에 지에밥 찌듯 찌되~,

- 물 주지 말고 쪄서, 1말 지에밥에는 밤 1말 삶아 까서 자르거나 짜개고, 대추 1말 씨를 발라내고 채 치고, 그 씨는 솥에 물 조금 붓고 되게 고아 어레미에 거르고, 꿀 1보시기, 기름 1보시기를, 지에밥에다 밤, 대추와 대추 씨 거른 것에 합하여 버무려, 도로 시루에 안치고,

- 위엔 메밀나깨*를 물에 버물버물하여 그 위에 덮고 솥에 안쳐 찔 때, 처음에 불을 싸게 해서, 김이 오르면 약불로 하룻밤이 새도록 쪄내야 빛이 검고 좋으니,

- 아침에 시루 떼어 위에 (메밀) 나깨를 따로 걷고, 그 중간을 또 따로 걷고~, 속에 검은 것을 따로 퍼서, 꿀을 바르고 작은 항아리에 담고, 위에 통잣 뿌려 두고 쓰다가, 여러 날이 지나서 굳어지면, 냄비에 기름 두르고 녹여 꿀을 발라 쓴다.

* 메밀을 갈아 가루를 채에 쳐내고 남은 속껍질

젼약법

-동지달에 쓰나니라

-녹각교나 조흔 아교 말가옷 부수고 디초 흔 말 고아 건강 석 냥 호초 엿 돈 졍힝 셔 돈즁을 다 죽말ᄒ야 도 화합ᄒ여 줌간 ᄭᅳᆯ혀 ᄯᅥ닉 보아 족편갓치 엉기거든 식혀 쎠흐러 쓰나니라

수정과

-조흔 건시 닝슈에 담으되 물을 넉넉이 부어 두어다ᄀ 흠신 부른 후 싱강ᄎ 진ᄒ계 달여 밧쳐 붓고 화청ᄒ여 실ᄇᆡᆨ 훗터 쓰라

ᄇᆡ슉

-조흔 ᄇᆡ 졍히 벗게 사파ᄒ야 속은 바리고 물 붓고 삼다ᄀ 꿀 너허 푹 살마 퍼셔 식혀 실ᄇᆡᆨ 훗터 쓰라

즁미화쳐

-황즁미 ᄭᅩᆺ송이 ᄯᅥ셔 각각 훗터 물에 졍히 씨셔 녹말가로 뭇쳐
-물 팔팔 ᄭᅳᆯ를 졔 너허 줌간 살마 건져 닝슈에 씨셔 닉여
-오미ᄌ국에 화청ᄒ여 너코 실ᄇᆡᆨ 훗터 쓰라

---

153) 젼약법

- 동짓달(음력 11월)에 쓰느니라.
- 녹각교나 좋은 아교 1말 가웃(1말 반 쯤)을 붓고, 대추 1 말을 고아, 건강 3냥, 후추 6돈, 정행 3돈가량을 다 가루 내고, 또 화합하여 잠깐 끓이고 떠내보아서, 족편같이 엉기거든 식혀~ 썰어 쓴다.

154) 수정과

- 좋은 곶감 냉수에 담그되, 물을 넉넉히 붓고 두었다가, 흠씬 불은 후 생강차 진하게 달여 채에 밭쳐 붓고 꿀을 타고 잣을 흩어 쓴다.

155) 배숙

-좋은 배(梨) 껍질 깨끗이 벗기고 4쪽으로 갈라 속은 버리고, 물 붓고 삶다가 꿀 넣고 푹 삶아 퍼내고~, 식혀 잣을 흩어 쓴다.

156) 장미화채

- 황장미 꽃송이 따서, 각각 흩어 물에 깨끗이 씻어, 녹말가루 묻혀,
- 물 팔팔 끓을 때 넣고 잠깐 삶아 건져~ 냉수에 씻어내어~,
- 오미자국에 꿀을 타 넣고 잣을 흩뿌려 쓴다.

두견화치

-진달니꼿 ᄶ셔 꼭지 ᄯ고 슐 셰여 ᄇ리고 졍히 씨셔 녹말 못쳐 쥼미화치와 갓치 ᄒ라

순치로 화치ᄒ᷏는 법

-순치로 화치ᄒ᷏는 법은 꼭지 ᄯ고 씨셔 녹말 못쳐 쥼미화치쳐럼 ᄒ라

-순치 소산은 여쥬 구영능못과 졔쳔의 림지못과 황간 읍니 잇ᄂ니라

빈화치

-조흔 빈 졍히 벗겨 골피 모양으로 써흐되 얄계 착착 써흐러 오미ᄌ국에 화쳥ᄒ고 실빅 훗터 쓰라

잉도화치

-농익고 조흔 잉도 골나 씨 발나 쑬에 지여 쑬물 달계 타 너코 실빅 훗터 쓰라

복분ᄌ화치

-복분ᄌ는 명셕ᄯᆯ기라

-복분ᄌ 졍히 골나 씨셔 쑬에 지여 쑬물 진히 타 너허 실빅 훗터 쓰나니라

157) 두견화채

- 진달래꽃 따서 꼭지 따고, 꽃술은 빼어 버리고 정히 씻어, 녹말가루 묻혀, 장미화채와 똑같이 한다.

158) 순채로 화채하는 법

- 순채로 화채하는 법은 꼭지 따고 씻어 녹말가루 묻혀 장미화채처럼 한다.
- 순채 소산은 여주 구 영릉 못과 제천 의림지 못과 황간 읍내에 있다.

159) 배화채

- 좋은 배 깨끗이 벗겨 골패 모양(사각)으로 썰되, 얇게 착착 썰어, 오미자국에 꿀을 타고 잣을 흩뿌려서 쓴다.

160) 앵두화채

- 농익고 좋은 앵두 골라 씨 발라내고 끌에 재우고, 꿀물 달게 타 넣고, 잣을 흩어 쓴다.

161) 복분자 화채

- 복분자는 '멍석딸기' 이다.
- 복분자 깔끔하게 골라 씻어 꿀에 재워, 꿀물 진하게 타 넣고 잣을 흩뿌려 쓴다.

복승화 화치

-제사에는 안니 쓰나니라

-유월도 조흔 복숭을 겁질 벗계 골픽쪽쳐로 얄게 축축 써흐러 꿀에 지여 쑬물 진히 타고 실빅 흣터 쓰라

밀슈 타난 법

-화절 소용이니 속담에 미수라

-밀슈에 타난 가로난 찰슬 지에 밥 쪄서 고로고로 쯔더 말녀 절구에 쓸어 복가 믹에 가라 고흔 체에 쳐셔 두고 밀수에 타셔 쓰며 혹 송화가로도 타셔 쓰나니라

싱감침 담으난 법

-물을 쓸혀 손 너허 보아 쌱근 ᄒ그든 감을 항에 너코 감닙흘 우희 만히 덥고 물을 부어 덥허 더운 딕 노코 항을 이불노 쏴셔 두엇다가 담은 지 돌 만에 건져 맛보아 쓸거든 두어다ᄀ 건져 쓰라

162) 복숭아 화채

– 제사에는 쓰지 않는다.

– 유월도 좋은 복숭아를 껍질 벗겨 골패 쪽처럼 얇게 착착 썰어 꿀에 재워, 꿀물 진하게 타고 잣을 흩어 쓴다.

163) 밀수 타는 법 (=미숫가루)

– 여름철에 쓰여 속담에 '미수(가루)' 다. 소용

– 밀수에 타는 가루는 찹쌀로 지에밥을 쪄서 골고루 뜯어서 말려~, 절구에 찧어 볶아~ 맷돌에 갈아, 고운 체에 쳐서 두었다가, 밀수에 타서 쓰며, 또는 송화가루도 타서 쓴다.

164) 생감침 담그는 법

– 물을 끓여 손 넣어 보아 따끈따끈하거든, 감을 항아리에 넣고 감잎을 위에 많이 덮고 (그 따끈한) 물을 부어 (뚜껑을) 덮고, 더운 데 놓고 항아리를 이불로 싸서 두었다가, 담은 지 1년 만에 건져 맛보아, 떫거든 (더) 두었다가 건져 쓴다.

시의전서   85

고초쟝에 쟝앗지 박는 물종

더덕
-겁질 글거 말녀 쎄득ᄒ거든 박
으라
-말녀 너흐면 좀 질기니라

송이
-씨셔 물기 말녀 녀ᄂ니라
-말닌 것도 엿난니라

무우
-그릇에 무우를 지름 씨기에 담
으 두으다가 봄에 씨셔 고초쟝
에 너코 ᄯ 김치를 씨셔 쎄득히
말녀 박기도 ᄒᄂ니라

외
-외를 져려 보에 잘 ᄯ 쎄둑히
말녀 너코 외지도 엿난니라

가지
-외와 갓탄니라

고초
-풋고초 ᄶᆨ지를 잘나 너흐라
-됨쟝에도 만히 너흐면 조흐니
라

싱감

두부
보ᄌ에 싸셔 돌노 눌너 물기 ᄲᅢ
고 보에 ᄯ 너흐라

---

165) [고추장에 장아찌 박는 물종(物種)]

ㅇ 더덕
- 껍질을 긁어내고 밀려 꾸덕꾸덕해지면 (고추장
에) 박는다.
- 말라서 넣으면 좀 질기다.

ㅇ 송이
- 씻고 물기 말려 넣는다.
- 말린 것도 넣는다.

ㅇ 무
- 그릇에 무를 간장 찌꺼기에 담아 두었다가, 봄
에 씻어 고추장에 넣고, 잘 짜낸 김치를 씻어 꾸
덕꾸덕하게 말려 박기도 한다.

ㅇ 오이
- 오리를 절여 보자기에 잘 짜서 꾸덕꾸덕 말려
넣고 오지지도 넣는다.

ㅇ 가지
- 오이지와 똑같다.

ㅇ 고추
- 풋고추 꼭지를 잘라 넣는다.
- 된장에도 많이 넣으면 좋다.

ㅇ 생감

ㅇ 두부

전복

-불녀 너흐라

문어

관목

숙뉵

싱강

-거피ᄒᆞ야 너흐라

마날종

승검초 줄기

- 보자기에 싸서 돌로 눌러서 물기를 빼고 보자기에 싸서 넣는다.

o 전복

- 불려서 넣는다.

o 문어

o 관목

o 수육

o 생강

- 껍질을 제거하고 넣는다.

o 마늘종

o 승검초 줄기

마날즁앗지법

- 마날쪽 다 굿게 전에 캐셔 씨여 물기 거든 후 통으로 초에 담가다가 건져 진즁에 너허 빗 감고 다 삭은 후 써흐러 쓰라

- 마날을 쪽을 쩌허 겁질 벗기고 진즁에 너허 쓰기도 ᄒᆞ고

-초에 담그지 안니ᄒᆞ여도 관게 치 안니하나니라

166) 마늘 장아찌 법

- 마늘쪽이 다 굳어지기 전에 캐서 씻고, 물기 거둔 후 통으로 초에 담갔다가 건져, 진간장에 넣어두고 빛이 검어지고 다 삭은 후 썰어 쓴다.

- 마늘쪽은 떼어 껍질 벗기고 진간장에 넣어 쓰기도 하고,

- 식초에 담그지 않아도 상관없다.

상편 上篇

上篇(상편) 마침

是議全書(시의전서) 下

정과편

각식 편 각식 웃기

조과

약과 각종 순주 강정 각종

싱실과

당속

약쥬

누룩 민다난 법

제물

희물 치소 물목

각종 염식 셔답법

반숭도식

十二朔 名節日 茶禮 所用 時食
祭物表

是議全書(시의전서) 下

[차례]

정과편

각색 편 각색 웃기

조과

약과 각종 산자 강정

각종 생실과

당속(**糖屬**)

약주

누룩 만드는 법

제물

해물 채소 물목

각종 염색 서답법

반상도식

[十二朔 名節日 茶禮 所用 時食 祭物表]

열두달 각 절일 다례 소용 시식 제물표	○ 12달 각 절일 다례 소용 시식 제물표
정조 -탕병 -슝원 -약식	○ 정조(正朝)= 원단(元旦); 정초 - 탕병 ○ 상원(上元:음력 정월 보름날) - 약식(藥食)
슴일 -송편 화전 탄평치 왜각탕 [마 써서 거피ᄒ여 쑬 노코 쓰나니래	○ 삼일(매월 3일) - 송편, 화전, 탕평채, 와각탕. [마 쪄서 껍질을 벗겨 꿀 넣고 쓴다.]
흔식 -송편 밤단ᄌ 쑥ᄉ구리 마 쎠 쓰나니라	○ 한식 - 송편 밤단자, 쑥구리*, 마를 쪄서 쓴다. *찹쌀가루에 데친 쑥을 넣고 치대어 만든 둥근 떡에, 팥고물을 버무려 묻힌 음식.
단오 -증편, 씨인절미	○ 단오 - 증편, 깨인절미.
유두 -슈단, 골무편, 연계탕 -외무룸탕 [중외을 토막 쳐 거피ᄒ고 속 지지 너허 슝ᄒ 막우리에 녹말 무쳐 살무면 외무룸탕]	○ 유두 - 수단, 골무편, 연계탕. - 오이무룸탕 [중간 크기 오이를 토막 쳐 껍질 벗기고 속 지져 넣어 상하 마구리에 녹말 무쳐 삶으면 '오이무룸탕'이다]
츄셕 -송편	○ 추석 - 송편

구일
-무시루편, 화젼, 밤단즈, 무왁즈
지.

동지
-팟쥭, 젼약, 인절미, 탄평치
[청포 네모반드시 버혀 소곰기
름에 무치래
-무왁자지
-무우 살마 돈쳐로 쎠흐러 소곰
기름에 무치라

○ 구일(매월 9일)
 – 무 시루편, 화전, 밤단자, 무왁자지

○ 동지
 – 팥죽, 전약, 인절미, 탕평채
 [창포 네모 반듯이 베어 소금 기름에 무친다]
 – 무왁자지(무왁자지)
 – 무 삶아 동전처럼 썰어 소금기름에 무친다.

山査 산사편

-저울눈 박이고 죠흔 쥰님순를 씨 발으고 물 썻지지 아니케 즁탕ᄒ여 가난 체에 걸너

-셔리 젼 ᄉᆞᆫ슈는 싱쑴을 버무러도 어리거니와 셔리 후 ᄉᆞᆫ슈는 ᄇᆡᆨ쳥를 만화로 ᄯᆞᆯ허 거품 거더 가며 조려

-ᄭᆞᆫᄭᆞᆫᄒ거든 산슈를 반듯ᄒ 큰 그릇ᶜ 담고 더운 김에 걸어 화합ᄒ되

-마니 져으며 긔오리 죄 이러 빗치 부희나니 가만가만 눌너 져어 고로고로 셕긴 후 우흘 반반이 ᄒ여 ᄎᆞᆫ ᄃᆡ 두면 죡편 어리닷 들어 엉기ᄂ니라

-ᄶᆞᆨ졍과는 죠흔 ᄉᆞᆫ사 ᄭᆞᆨ지 ᄭᅩ리 얏치얏치 버히고 졍히 갈희야 허리 버혀 씨 읍시ᄒ고

-ᄉᆞ옹에 물 ᄉᆞᆫ슈 ᄌᆞᆷ길만치 붓고 ᄌᆞᆷ간 데쳐 물을 ᄯᆞ라 닉고 ᄇᆡᆨ쳥 부어두면 과동ᄒ여 봄ᄭᅡ지 두어도 ᄉᆡᆨ미가 여젼ᄒ고 물을 오릭 두면 빗치 ᄉᆞᆼᄒ고

-그 이에 슈졍과로 ᄡᆞ랴면 물직 쑬으 쏫ᄂ니라

-삼지 아니ᄒ고 쑬을 오릭 부어 두면 산슈가 오고라져 못

[정과]

1) 산사편 山査(생꿀=백청)

- 저울눈 박히고 좋은 장림 산(産) (산사)씨를 발라내고, 물 빠지지 않게 중탕하여 고운 체에 걸러~

- 서리 내리기 전 산사는 생꿀에 버무려도 엉기는데, 서리 내린 후 산사는 꿀을 약불로 끓여 거품을 걷어 가며 졸여~

- 끈끈하거든 산사를 반듯한 큰 그릇에 담고, 더운 김에 붓고 화합하되,

- (너무) 많이 저으면 기포가 죄 일어나 빛깔이 부연해지니, 가만가만 눌러 저어 골고루 섞은 다음, 위를 반반이 하여, 차가운데 두면 **족편** 어리듯 들이 엉긴다.

- [**쪽정과**]는 좋은 산사 꼭지, 꼬리 얇게얇게 베고 깨끗이 갈아야 허리 베어 씨 없이하고

- 작은 솥에 산사 잠길 만큼 물을 붓고, 잠깐 데쳐 물을 따라 내고, 꿀을 부어 두면, 겨울지나 봄까지 두어도 빛깔과 맛이 여전하고, (삶은) 물을 오래 두면 빛이 상하고~

- 그 외에 수정과로 쓰려면 물째 꿀에 쏟는다.

- 삶지 않고 꿀을 오래 부어 두면, 산사가 오그라져 곱지 못[하다].

木瓜 모과 걸은 정과

-조흔 모과 못 읍고 빗 누른 거
슬 무르기 살마 가난 체에 걸
너 빅쳥을 모과 슈도곤 더 즙
고 강즙ᄒ여 쓰면 죠코

-모과편을 만들아면 잉도편쳐로
ᄒ되 잉도보다 덜 조려야 녹말
되게 ᄀ여 타야 빗치 곱고 어
릭나니라

-쪽졍과는 살믄 물 죄 ᄯ르고
무르게 살마 죠흔 빅쳥을 잠기
게 부어 녹을 만 ᄒ거든 즉시
그릇싀 담아야 빗치 숭틀 안니코

-살믄 국이 좀 잇셔도 빗치 읍
고 쑬이 ᄭ어도 빗치 곱지 안
니ᄒ니라

櫻桃 잉도편

-잉도를 놋그릇싀 담아 ᄌ간 쪄
니여 즁체에 걸너 빅쳥을 마초
타 식옹에 만화로 조려

-된죽만치 되거든 녹말 ᄌ간 타
익게 조려 졉시에 쩌 보아 족
편쳐로 엉기거든 사그릇싀 퍼
엉기거든

-버허 쓰면손ᄉ 빗 갓고 녹말
만히 들면 빗치 부희고 싹싹ᄒ
고

-조리기를 과히 ᄒ면 빗치 거므
니라

---

2) 모과 거른 정과 木瓜

- 좋은 모과, 못 없고 빛이 누런 것을 물러지게
삶아, 고운 체에 걸러, 꿀을 모과 양보다 더 잡고
생강즙을 더해 쓰면 좋고,

- 모과편을 만들려면 앵두편처럼 하되, 앵두보다
는 덜 졸여야 하며, 녹말 되게 개어 타야 빛이
곱게 어린다.

- [(모과)쪽정과]는 삶은 물을 죄다 따라 내고,
무르게 삶아, 좋은 꿀을 잠기게 부어, 녹을 만하
거든 즉시 그릇에 담아야 빛이 흉하지 않고,

- 삶은 국물이 좀 있어도 빛이 없고, 꿀이 끓어
도 빛이 곱지 않다.

3) 앵두편 (櫻桃片)

- 앵두를 놋그릇에 담아 잠깐 쪄내고, 중간 눈금
체에 걸러, 꿀을 맞춤하게 타서 작은 솥에 뭉근
히 약불로 졸여~

- 된 죽만큼 되거든, 녹말 잠깐 타고 익게 졸여,
접시에 떠 보아 족편처럼 엉기면, 사기그릇에 퍼
서 (옮겨 굳히고), 또 엉기면,

- 갈라 쓰면 산사 빛 같은데, 녹말이 많이 들어
가면 빛이 부연하고 딱딱하고,

- 너무 졸이면 빛이 검어진다.

-覆盆子 복분ᄌ편도 잉도편쳐로
ᄒ되 잉도보다 더 졀 되긔 쉬
운니라

- 覆盆子[복분자편]도 앵두편처럼 하되, 앵두보
다 더 잘 되직하기 쉽다.

杏茶 살구편

-살고편 벗편도 다 잉도편 되로
ᄒ여 어린 후에 버히면
-살구난 모과편 갓고 벗편은 전
약 갓ᄒ니라

4) 살구편 杏茶

- [살구편, 벗편]도 다 앵두편 (만드는) 방법대
로 하고, 엉긴 다음에 가르면,
- 살구는 (모양이) 모과편과 같고, 벗편은 전약
편과 같다.

菉末 녹말

-오미ᄌ국에 녹말가로 풀어 ᄭᅮᆯ
타셔 묵 쑤듯 ᄒ되
-연지을 타 홍ᄉᆡᆨ을 도으라 읍거
든 연분홍을 좀 타라
-다 쑤어 퍼 식거든 쎠흘되 네
모반듯시 ᄒ라
-들쥭편은 들쥭 살마 그 물을
ᄯᅡ라 오미ᄌ국에 타 녹말 풀고
ᄭᅮᆯ 타 녹말편갓치 쓰라

5) 녹말편 菉末

- 오미자국에 녹말가루 풀고 꿀 타서 묵 쑤듯
하되,
- 연지를 타 다홍색을 더한다. (연지) 없으면 연
분홍을 좀 탄다.
- 다 쑤고 퍼내 식으면 썰되 네모 반듯이 한다.
- [들쭉편]은 들쭉을 삶아 그 물을 따라, 오미자
국에 타고, 녹말 풀고 꿀을 타 녹말편처럼 쑨다.

生薑 싱강정과

-싱강 졍히 벗계 얇게 졈허 두 번 살마 바리고

-빅쳥를 물에 달게 타 만화로 숫불에 지오되 [조리단 말] 퉁노구 쑤에를 즈로 벗게 이살 마친 거슬 업시 ㅎ라

-이실이 쩌러지면 윤니 읍고

-반 남아 되거든 쑬 쳐야 윤ㅎ니 쓴쓴ㅎ여 엉기여 붓터야 조ㅎ니라

-가을에 싱강정과는 거피ㅎ고 파ㅎ고 통으로 살마 ㅎ나니라

柚子 유즈정과

-유즈 것겁즐 얇게 벗기 사파ㅎ여 흰 속 약간 졈이고 얇고 납쑥납쑥게 넙게 졈여

-즘간 데쳐 담가다가 빅쳥을 녹여 붓고 유즈 속을 쪽쪽이 늬여 다드마 흔듸 지어 쓰라

-柚子 감즈는 겁질 벗기고 속에 흰 허물 죄 벗게

-졔물에는 가로셔흐러 셰 읍시 ㅎ고 먹는 듸는 쪽을 늬여 허물 벗게 빅쳥 부어 쓰라

6) 생강정과 生薑

- 생강을 깨끗이 껍질 벗겨 얇게 저며 3번 삶아 물을 버리고,

- 꿀을 물에 달게 타 약불로 숯불에 조리되 [졸인다는 말] 작은 솥뚜껑을 자주 벗겨서 (뚜껑에) 이슬 맺힌 것을 없애준다.

- 이슬이 (솥으로) 떨어지면 윤기가 없고,

- 반으로 줄어들고 되직하면 꿀을 쳐야 윤이 나고, 끈끈하게 엉겨 붙어야 좋다.

- 가을에 생강정과는 껍질 벗기고 자라 통으로 삶아 만든다.

7) 유자정과 柚子

- 유자 겉껍질 얇게 벗겨 넷으로 갈라, 흰 속 약간 저며내고, 얇고 납죽납죽하고 넓게 저며,

- 잠깐 데쳐 담갔다가 꿀을 녹여 붓고, 유자 속 알을 쪽쪽이 내고, 다듬어 한곳에 만들어 쓴다. 감자

- 柚子 [감귤(정과)]는 껍질 벗기고 속에 하얀 허물을 죄 벗기되,

- 제사음식에는 가로 썰어 심은 없이하고, 먹는 데는 쪽을 내어 허물 벗겨 꿀을 부어 쓴다.

蓮根

-연근정과는 연근 어슷어슷 졈
허 ᄒᆞᆫ 번 살마 퍼 바리고 다시
믈 부어 삼되
-ᄭᅮᆯ 죠ᇝ 타셔 삼다ᄀᆞ ᄭᅮᆯ을 쏘
너허 조리되 믈이 읍고 엉기여
ᅟᆯᆫ단ᄒᆞ거든 퍼 쓰라 [ᄇᆡ난 도톰
도톰ᄒᆞ게 졈허 ᄭᅮᆯ에 조리래

桔梗

-도랏졍과난 죠흔 도랏 살마 ᄆᆡ
오 우려 졈여셔 ᄒᆞᆫ 번 살마 ᄇᆞ
리되 과 갓치 ᄒᆞ라

人蔘

-인슴졍과도 이와 갓치 ᄒᆞ라

唐杏仁

-ᄒᆡᆼ인졍과는 죠흔 당ᄒᆡᆼ인 믈에
담가 우려 거피ᄒᆞ고 연근과 갓
치 ᄒᆞ라

靑梅

-청ᄆᆡ졍과는 그져 ᄭᅮᆯ 타 조리라
-들쥭졍과는 살문 건득이을 믈
조곰 부어 ᄭᅮᆯ 타셔 지여 쓰나
니라

8) 연근 정과 蓮根

- 연근정과는 연근 어슷어슷 저며 1번 삶아 퍼 버리고, 다시 물 부어 삼되,

- 꿀 좀 타서 삶다가 꿀을 또 넣어 졸이되, 물이 없고 엉겨 끈끈하거든 퍼 쓰라 [배는 도톰도톰하게 저며 꿀에 조린다.]

9) 도라지 정과 桔梗

-도라지정과는 좋은 도라지 삶아 매우 우려내고 저며서 1번 삶아 (물을) 버리되, (정)과처럼 한다.

10) 인삼 정과 人蔘

-인삼정과도 도라지 정과처럼 만든다.

11) 행인정과 唐杏仁

-행인정과는 좋은 살구씨를 물에 담가 우려내고, 껍질 벗기고 연근정과처럼 한다.

12) 청매 정과 靑梅

- 청매정과는 그냥 꿀을 타고 졸인다.

- [들쭉정과]는 삶은 건더기를 물 조금 부어 꿀 타서, 재워 쓴다.

시루편 안치난 법

-한 반승 ᄒ난 ᄃᆡ ᄇᆡ미 이 두 점미 일 두 편 ᄒᆞ 말 ᄒᆞ면 거피고물은 젹두 팟 너 되팟고물 셕 되 숑편고물은 녀일곱 되 ᄒᆞ나니라

-팟편은 썩가로 민ᄂᆞᆯ로 ᄲᅢ아 소곰물에 버물여 도돔으로 치되

-묵어리를 손으로 연ᄒᆞ여 부븨여 치고 거피고물은 어레미로 쳐셔 안치되 후박을 마초고

-고명을 ᄃᆡ초 칼노 씨 바르고 살믐 밤 ᄶᆞ기여 드문드문 박고

-박지로 살살 문질은 후 고물을 ᄲᅮ려야 켜가 고흔니라

-녹두편은 팟편갓치 ᄒᆞ나니라

-녹두찰편은 가로을 물 안니 너리니 소곰 조곰 너허 ᄲᅢᆨ코 고명은 메편과 갓치 ᄒᆞ고

-고물은 녹두 싱거피ᄒᆞ야 ᄲᅮ리ᄂᆞ니라

-팟찰편도 가로 물 아니 너리고 고물는 메편 갓ᄐᆞ니라

-쑬찰편은 가로 민ᄂᆞᆯ로 ᄲᅢ아 쑬 버무려 쓱쓱 부븨야 안치되

-고물은 거피팟 고물을 복가 불근 빗 나거든 퍼셔 체에 치고 묵어리는 ᄲᅢ아 죄 쳐셔 쑬물에

13) [시루편 안치는 법]

- (시루편) 반(半) 상(床)하는 데에는, 백미 2말, 짭쌀(粘米) 1말이 들고 / 편 1말을 하려면, 껍질 벗긴 고물로는 붉은팥 고물 4되, 통팥 고물 3되, 송편 고물은 6~7되로 한다.

- [팥편]은 떡가루 맨 쌀로 빻아, 소금물에 버무려, 어레미 체로 치되,

- (체에 남은) 무거리들을 손으로 연달아 비벼 치고, 껍질 벗긴 고물은 어레미로 쳐서 안치되, 두께를 적당하게 맞추고,

- 고명에 얹을 대추는 칼로 씨 발라내고, 삶은 밤 쪼개어 드문드문 박고,

- (떡을 안친 층별 윗부분) 얇은 종이로 살살 문지른 후 고물을 뿌려야 켜가 곱다.

- [녹두편]은 '팥편'과 똑같이 한다.

- [녹두찰편]은 쌀가루에 물을 타지 않으니, 소금 조금 넣어 빻고 고명은 '메편'과 똑같이 하고,

- 고물은 통 녹두 껍질 벗겨서 뿌린다.

- [팥찰편]도 쌀가루에 물을 타지 않으니, 고물은 '메편'과 똑같다.

- [꿀찰편]은 가루 맨 쌀로 빻아, 꿀 버무려, 싹싹 비벼서 안치되,

- 고물은 껍질 벗긴 팥고물을 볶아 붉은빛이 나

게피 셕거 버무려셔 고물노 쓰
라

-씨찰편은 가로 민니로 쌘아 쑬
찰편쳐로 쑬 셕거 안치되

-고물은 흰쌔 실ᄒ여 복가 쌘아
쳐셔 고물노 쓰라

-쑬편은 민가로에 쑬물 진히 타
셔 가로에 버무려 도톰이로 쳐
셔 안치되 켜를 미오 둣거이
ᄒ고 고명은 디초 밤 치 쳐 즈
욱이 쌘리고 실빅 훗터 쓰라

-승검초편은 민가로에 쑬물 진
히 타셔 가로에 버무려 도톰이
로 쳐셔 승검초가로 셕거 안치되

-켜 둣게와 고명은 쑬편과 갓다
니라

-빅편은 가로 물 안니 니리니
소금 좀 너허 쌘아 안치되

-둣게는 메편과 갓치 ᄒ고 고명
은 셕이치와 빅즛 디초를 쓰되

-디초를 슈져 웃마디쳐로 네모
반듯 버혀 박고 그 가흐로 빅
즛 미여 오륙봉으로 박고 셕이
치 드뭇 훗트라

-파리도 셕이와 셧거 쌘리나니
라

-실우편은 가지 수 이러ᄒ나 쑬
편 빅편과 씨찰편 쑬찰편은 다

거든, 퍼서 체에 치고, 무가리는 빻아 죄 쳐서 꿀
물에 게피를 섞어 버무려서 고물로 놓는다.

- [**깨찰편**]은 가루 맨 쌀로 빻아 '꿀찰편'처럼
꿀 섞어 안치되,

- 고물은 흰깨 실하여(물에 불려 껍질을 벗겨)
볶아 빻아 쳐서 고물로 쓴다.

- 꿀편은 맨 가루에 꿀물 진하게 타서 가루에
버무려, 어레미 체로 쳐서 안치되, 켜를 매우 두
텁게 하고, 고명은 대추, 밤 채 쳐, 자욱이 뿌리
고 잣 흩어 쓴다.

- [**승검초편**]은 민 가루에 꿀물 진하게 타서 가
루에 버무려 어레미 체로 쳐서 승검초 가루를 섞
어 안치되,

- 켜 두께와 고명은 꿀편과 똑같다.

- [**백편**]은 쌀가루에 물을 타지 않고, 소금 좀
넣어 빻아 안치되,

- 두께는 메편과 같이하고, 고명은 석이 체와 잣,
대추를 쓰되,

- 대추를 수저 윗마디처럼 네모 반듯이 베어 박
고, 그 가장자리 잣을 밀어 5~6봉 박고, 석이
채 드문드문 흩는다.

- 파래도 석이와 섞어서 뿌린다.

- [**시루편**]은 가지 수가 여럿이나. 꿀편, 백편과

빅지에 기름 뭇쳐 쌀고 안치고
시루 우에 메편을 흔두 케 안
쳐야 삶편들이 브르고 부셔지
지 안니ᄒ고
-찐 후 쎄허 오리 노아두면 빗
치 불그니 즉시 닌되 나무편칼
노 닌라

깨찰편, 꿀찰편은 다 백지에 기름 묻혀 깐 다음
안치고~, 시루 위에 '메편'을 1~2켜 안쳐야 '꿀
편'이 바르고 부서지지 않고,
- (꿀편을) 찐 후에 떼어서 오래 놓아두면 빛이
붉어지니, 즉시 꺼내되, 나무 편 칼로 꺼낸다.

14)　[갖은 웃기 주악]
(주악 : 웃기떡의 하나)

가진 웃기 쥬악

-제스 쥬악은 송편만치 ᄒ고 잔치 쥬악은 ᄃᆡ초만하게 비지라 각식 웃기는 다 찰가로
-흰쥬악은 찰가로 물에 반죽ᄒ여 달썩 모양갓치 ᄒ여 가은ᄃᆡ 구멍 뚜러 살마 건져 싱가로 소곰 너허 반죽ᄒ여 비즈되 소는 팟소 너허 송편만치 비져
-번철에 기름 만히 붓고 지져 져까락으로 건져 집쳥ᄒ고 잣가로 게피가로 뿌려 쓰라
-치ᄌᆞ쥬악은 흰쥬악갓치 ᄒ되 반죽할 쩌 승금초 셧거 ᄒ라
-ᄃᆡ조쥬악은 ᄃᆡ조를 가로갓치 곱게 다져 싱반쥭 ᄒ여 비즈라
-귤병단ᄌᆞ는 귤병 곱게 다져 쑬물 진히 타셔 찰가로에 셕거 단ᄌᆞ쳐로 버무려 빅지에 기름 발나 깔고 쪄셔
-쑬과 게피가로 셧거 쥐물너 네모반듯하게 ᄒ여 잣가로 뭇쳐 쓰라
-밤ᄃᆞᆫᄌᆞ는 찰가로 반죽ᄒ여 쥬악 구멍썩쳐로 살마 건져
-냥푼니나 밥그릇에 담고 풀젹ᄀᆡ로 ᄆᆡ오 져허

─ 제사용 주악은 송편만큼 하고, 잔치용 주악은 대추만하게 빚는다. 각색 웃기는 다 찹쌀가루(로 한다).

─ [**흰주악**]은 찹쌀가루 물에 반죽하여 달떡 모양 같이 하여, 가운데 구멍 뚫어 삶아 건져~, 쌀가루에 소금 넣어 반죽하여 빚되, 소는 팥소 넣어 송편만큼 빚어~,

─ 번철에 기름 많이 붓고 지져, 젓가락으로 건져, 꿀을 바르고 잣가루 계핏가루 뿌려 쓴다.

─ [**치자주악**]은 흰주악처럼 하되, 반죽할 때 승금초를 섞는다.

─ [**대추주악**]은 대추를 가루같이 곱게 다져 생반 죽을 하여 빚는다.

─ [**귤병단자**]는 귤병 곱게 다져, 꿀물 진하게 타서 찹쌀가루에 섞어, 단자처럼 버무려, 백지에 기름 발라 깔고 쪄서~,

─ 꿀과 계핏가루 섞어 주무른 다음~, 네모반듯 하게 만들어 잣가루로 묻혀 쓴다.

─ [**밤단자**]는 찹쌀가루 반죽하여 주악 구멍 떡처럼 삶아 건져내,

─ 양푼이나 밥그릇에 담고 풀 젓개로 매우 저

-꾀아리 일거던 밤 살마 ㅅ겨
씨허 얼에미로 쳐셔 그 가로
조곰 쑬과 계피가로 너허 ㅈ겨셔
소 너허 ㅅ알쳐로 민다라 쑬
발너 밤가로에 뭇치라
-알쳐로 민다라 쑬 발너 밤가로
에 뭇치라
-밤쥭악은 황률가로 겹체에 곱
게 쳐셔 빅쳥 셕거 다식 반죽
도곳 질게 ᄒ여
-잣가로 게피 건강가로 셕거 쑬
버무린 거슬 소 너허 ㅈ근 만
두과쳐로 가 트러 살 ㅈ바 비
져 쑬 발너 잣가로 뭇치ᄂ니라
-건시단ㅈ는 빗 곱고 차진 건시
를 속과 겹질 다 오리고 넙고
얄계 져며
-사완에 담아 쑬에 직왓다가 황
률소 양념ᄒ야 반듯반듯 민다
라 틈 읍시 싼 잣가로 뭇쳐 쓰
라

어~,

- 꽈리가 일거든, 밤 삶아 까서 찧어 에레미로
쳐서, 그 가루 조금, 꿀과 세핏가루 넣고 새워서,
소 넣어 새알처럼 만들어 꿀 발라 ~, 또 밤가루
에 묻힌다.
- 알처럼 만들어 꿀 발라 밤 가루에 묻힌다.
- [밤주악]은 황률가루*를 명주 체에 곱게 쳐서
꿀 섞되, 다식 반죽보다는 질게 하여,
- 잣가루, 계피, 생강가루를 섞고 꿀 버무린 것을
소로 넣고, 작은 만두과처럼 가장자리를 들어 살
잡아 빚어, 꿀 발라 잣가루를 묻힌다.
* 황률가루: 말려서 껍질과 보늬를 벗긴 밤
- [건시단자]는 빛 곱고 차진 곶감을 속과 껍질
다 오리고 넓고 얇게 저미며,
- 사발에 담아 꿀에 재웠다가 황률 가루 소를
양념하여 넣고, 반듯반듯 만들어 틈 없이 감싸고
잣가루 묻혀 쓴다.

石耳 셕이단ᄌ

-셕이 두다려 ᄒ면 아름답지 안
니ᄒ니 셕이 실ᄒ여 죄 ᄲᆞ라
ᄇᆡᆺ곱 ᄶᆡ고 앗ᄉᆞ 말이여 가로
민다라 곱게 쳐 두엇다ᄀ

-쓰기 임시ᄒᆞ야 놋그릇싀 담고
ᄇᆡᆨ비탕 ᄯᅳᆯ허 죽죽 젹여 가며
슐노 ᄌᆞ로 져허 갈니 졈졈 만
코보드러지면 기름 조곰 치고
ᄭᅮᆯ에 ᄌᆡ왓다ᄀ

-ᄃᆡ초를 가로갓치 곱게 다져 찰
가로에 셕이와 합ᄒ여 버무러

-ᄇᆡᆨ지에 기름 발나 ᄭᅡᆯ고 쪄 잣
가로 뭇쳐 쓰라 [ᄭᅮᆯ병단ᄌ와 갓
치 ᄒ래

當歸葉 승검초단ᄌ

-승검초 가로에 찰가로 셕거 버
무려 절구에 찌여 살마 ᄭᅮᆯ 쳐
개야

-ᄭᅮᆯ팟소 너허 즛가로 뭇쳐 쓰라

15) 석이단자 石耳

– 석이 두드려서 하면 아름답지 않으니, 석이는
물에 담가 불려 서 이끼 등을 죄 빨아 배꼽 떼
고, 바싹하게 말려, 가루로 만들어서 곱게 쳐 두
었다가 ~,

– 쓰기 임박하여 (석이가루를) 놋그릇에 담고,
맹물에 끓을 때 작작 적셔가며, 수저로 자주 저
어, 가루가 점점 많아지고 부드러워지면, 기름 조
금 치고 꿀에 재웠다가 ~,

– 대추를 가루처럼 곱게 다져~, 찹쌀가루에 석
이와 합치고 버무려~,

-백지에 기름 발라 깔고 쪄서 잣가루 묻혀 쓴다.
['귤병단자'와 같은 방법으로 한다.]

16) 승검초 단자   當歸葉(당귀엽)

– 승검초 가루에 찹쌀가루 섞어 버무려 절구에
찧고, 삶아 꿀을 치고 갠 다음 ~,

-꿀 팥소를 넣고 잣가루 묻혀 쓴다.

雜果餅 잡과편

-딕초 건시 속 닉고 얄게 졈혀 즘간 말이워 머리털갓치 써흘어 싱눌 그쳐로 치 쳐 셕고

-찰가로 구멍쎡 믄드러 살마 기여 쑬 발나 게피 호초 셕근 소을 귀나기 만들어 얄게 싸고 과 치 친 거살 몬져 무친 후 즛가로 무쳐 쓰라

桂薑果 계강

-싱강 나른ᄒ게 두다려 물에 헤여 죄 쓰고 계피가로 만히 셕거 모밀가로 찰가로 각 흔 ᄉ 발식 너허 화합ᄒ여 체에 담아 쎠 닉여

-즛가로 쑬 셕거 소 너허 셰쌀나게 고이 비져 젼유어 지지듯 지져 집청 무쳐 즛가로 무쳐 쓰라

듯텁쎡

-찰가로에 쑬물 진히 타셔 반쥭ᄒ여 복근 팟가로 쑬 게피 셕거 지셔 소 너허 비져 동굴게 게란만치 믄다라

-우히 실빅 흔 기식 박고 딕초와 밤은 잘게 반듯ᄒ게 쎠흐러 돌녀 박고

17) 잡과편　雜果餅

- 대추. 곶감 속 씨 빼고, 얇게 저며 잠깐 말려, 머리털 모양 같이 썰어, 생밤도 똑같이(머리털 모양) 채 쳐 섞고~,

-찹쌀가루로 구멍떡을 만들어 삶고 개어, 꿀 바르고 계피, 후추 섞은 소를 귀나게 만들어 얇게 감싸고 과(대추, 곶감, 생밤) 채 친 것을 먼저 묻힌 후, 잣가루 묻혀 쓴다.

18) 계강과　桂薑果

- 생강을 나른하게 두드려 물에 행구어 죄다 짜고, 계핏가루 많이 섞어 메밀가루, 찹쌀가루 각 1사발식 넣고 잘 섞어서~, 체에 담아 쳐낸 다음~,

- 잣가루, 꿀을 섞어 소를 넣고, 곱디곱게 빚어 전유어 지지듯 지져, 꿀 발라 잣가루 묻혀 쓴다.

19) 두텁떡

- 찹쌀가루에 꿀물 진하게 타고 반죽하여, 볶은 팥가루, 꿀, 계피 섞어 재워~, 소를 넣어 빚어, 둥글게 계란만큼 만들어,

- 위에 잣 1개씩 박고 대추와 밤은 잘게 반듯하게 썰어서 돌려 박고,

- 볶은 팥가루, 꿀물에 계피 섞고 버무려,

-복근 팟가로 쓸물에 게피 셕거 버무려
-븽지 깔고 팟가로 한 벌 샏리고 비즌 썩을 흔 벌 노코 팟가로 샏려 찌되
-두 케는 못 노은니 연ᄒᆞ여 씨고 어레미나 졍흔 치반에나 씨라

花煎 화전
-반죽는 바슬바슬이 ᄒᆞ라 질면 질기 못 쓰나니라
-닝수에 반죽ᄒᆞ면 기름 만히 드나니 소곰물 쓸혀 더운 김에 반죽ᄒᆞ여
-화전 졉시굽에 명쥬수건 펴고 집을 졔 밤소 너허 다 박은 후 족집기로 가난 살 ᄌᆞ바 지져 집쳥ᄒᆞ야 게피 줏가로 샏려 쓰라
-당귀닙 국화닙흔 소곰물에 줍간 젹셔 찰가로 담속 무쳐 기름에 씌워 지지라
-화전에 두견 중미는 만히 너허야 조코 국화는 만히 너흐면 씬니라

- 백지 깔고 팥가루 1벌 뿌리고, 빚은 떡을 1벌 놓고, 팥가루 뿌려 찌되,
- 2켜는 한꺼번에 놓지 못하니, 연달아 여러 번 어레미나 깨끗한 채반에 찐다.

20) 화전　花煎

- 반죽은 바슬바슬하게 하고, 질면 질어서 쓰지 못한다.
- 냉수에 반죽하면 기름이 많이 들어가니, 소금물 끓여 더운 물에 반죽하여,
- 화전 접시굽에 명주 수건을 펴고, (그 위에 반죽을 펴고) 집을 때, 밤 소 넣어 다 박은 다음~, 족집게로 가는 살을 잡아 지지고, 꿀을 발라 계피, 잣가루 뿌려 쓴다.
- 당귀잎, 국화잎은 소금물에 잠깐 적셔, 찹쌀가루 담뿍 묻혀,
기름에 띄워서 지진다.
- 화전에 두견, 장미는 많이 넣어야 좋고, 국화는 많이 넣으면 맛이 쓰다.

싱산승

-잔치 슌승은 잘게 ᄒ라

-쥬악 반쥭갓치 ᄒ여 화젼갓치 얄세 ᄒ뇌 오봉시세 ᄒ고 족집기로 쥴기 집고 엽흐로도 집어 쥬악쳐로 지져

-집쳥에 잣ᄀ로 게피가로 뭇쳐 쓰라 [산승은 쥬악갓치 각식으로 ᄒ나니래

-栗卵 률난은 밤 살마 가로 만다라 쑬 게피 셕거 지셔 식알만치 민다라 잣가로 뭇쳐 쓰라

-棗卵 조란는 ᄃ초을 가로갓치 곱게 다져 푹 쎠셔 밤가로에 게피 쑬 셕거 지셔 소 너허 ᄃ초 모양갓치 민다라 잣가로 무쳐 써라

싱강편

-싱강 졍히 글거 씨셔 가로갓치 곱게 다져

-쑬 만히 너허 조리되 송진갓치 되거든 퍼셔 계피 셧거 쎄쌀지게 민다라 쑬 발나 잣가로 무쳐 쓰라

21) 생산승

- '잔치 산승'은 잘게 한다.

- 주악 반죽같이 반죽하여 화전같이 얇게 하되, 5봉우리(꽃잎모양) 지게 하고, 족집개로 줄기를 집고, 옆으로도 집어 주악처럼 지져,

- 꿀 발라 잣가루, 계핏가루 묻혀 쓴다.

[산승은 주악처럼 각색으로 한다]

-栗卵 [율란]은 밤을 삶아, 가루 만들어 꿀, 계피 섞어 재서, 새알만큼 만들어 잣가루 묻혀 쓴다.

-棗卵 [대추란]는 대추를 가루처럼 곱게 다져, 푹 져서 밤 가루에 계피, 꿀 섞어 잰 다음, 소 넣어 대추 모양처럼 만들어 잣가루 묻혀 쓴다.

22) 생강편

- 생강 껍질을 깨끗이 긁어 씻어, 가루같이 곱게 다져 ~,

- 꿀 많이 넣고 조리되, 송진같이 되직해지면, 퍼서 계피 섞어 세뿔지게 만들어 꿀 바르고 잣가루 묻혀 쓴다.

무우쎡
-무우 얄게 졈혀 소곰물에 줌가 체에 건져 가로에 버무러 가로 죄 썰고 안치되
-찰가로 두둑이 쎼허 무우을 덥고 밤 듸초 고명 박아 밧삭 쪄야 유활ᄒ니라
[출가로가 조흐니래]

松䭏 송편
-쭐소 듸초 밤소는 잘게 비져 웃기 소용이라
-조흔 쌀 옥갓치 쓰러 ᄲᅢ아 겹체로 쳐셔 물 팔팔 ᄭᅳᆯ혀 가로에 부어 반쥭 믜오 ᄒ되 되게 말고
-소는 거피팟 고물 녹두 고물 쭐팟 게피쩍 고물 듸초 밤으로 ᄒ여 너허
-얄게 파셔 소을 단단히 너허 솔 케케 노아 살 다히지 안케 너허 안쳐 푹 쪄셔 씨스되
-두난 거슨 솔 쳐 거더 두면 터지지 안니 ᄒ고
-송편 씻기를 여러 번 씨셔 건져 물 쏙 ᄲᅡ진 후 기름 발나 쓰라
-솔닙을 ᄭᅢ바셔 ᄒᆫ 번 푹 살마 바리고 말녀 두엇다가 쪄야 씩

23) 무떡

– 무 얇게 저며 소금물에 잠가 체에 건져, 가루에 버무려 가루
죄다 털어내고 안치되,

– 찹쌀가루 두둑이 씌워 무를 덮고, 밤, 대추 고명 박고 바싹(푹) 쪄야 부드럽고 매끈하다.

[찹쌀가루로 해야 좋다.]

24) 송편 松䭏

– 꿀 소, 대추, 밤 소는 잘게 빚어야 웃기*에 잘 쓰인다.

* 흰떡에 물을 들여 여러 모양으로 만든 떡. 합이나 접시에 담은 떡 위에, 모양을 내기 위하여 얹거나 꽂는다.

– 좋은 쌀 옥같이 일고 빻아 명주 체로 쳐서~, 물 팔팔 끓여 쌀가루에 부어, 반죽을 매우 하되, 되게 하지 말고,

– 소는 껍질 벗긴 팥고물, 녹두 고물, 꿀팥, 계피떡 고물, 대추, 밤 등을 고물로 넣고~,

– (반죽을) 얇게 파서 소를 단단히 넣고, 솔 켜켜이 놓아, 살이 닿지 않게 넣고~ 안쳐, 푹 쪄서 씻되,

– 두고 먹는 것은 솔 채 걸어 두면 터지지 않고,

– 송편 씻기를 여러 번 씻어 건져, 물이 쪽 빠진 후 기름 발라 쓴다.

빗치 졍ᄒ니라

-쑥송편은 쑥 졍히 골나 씨셔 물 탈

-잣가로 너허 다시 찌어 싱반죽으로 비ᄂ니라

-송편 ᄒ라면 가로 곱기 ᄒ여 흰 썩을 누굿ᄒ게 ᄒ야 쪄셔

-쾌 쳐셔 슈란만치 ᄀ로 뭇치지 말고 부븨여 그릇싀 담고 소가 빗최게 얄게얄게 비져

-쑬소 계피ᄀ로 너허 달계달계 호초 건강ᄀ로 너허 버들닙 모양으로 비져 솔 켜켜 노하 폭 씨면 맛시 ᄌ별

어름소편

-흰 썩 쳐 ᄀ피썩 미듯 얄게 미러

-슉쥬 미ᄂ리나 외나 치소 갓초 양념ᄒ여 민다라 소 너허 ᄀ피썩쳐로

-송편만치 써 녀어 다시 또 쪄 셔기름 발나 초장에 쓰라

- 솔잎을 뽑아서 1번 푹 삶아 버리고, 말려두었다가 써야 떡 빛이 깨끗하다.

- [쑥송편]은 쑥을 깨끗이 골라 씻고, 물 탈탈 털고,

- (여기에) 잣가루 넣고 다시 찧어 생반죽으로 빚는다.

- 송편 하려면 가로 곱게 하여 흰 떡을 누긋하게 한 다음, 쪄서~,

- (반죽을) 꽤 쳐서 수란만큼 가루를 묻히지 말고, 비벼서 그릇에 담고 소가 비치도록 얇게 얇게 빚어,

- 꿀 소, 계피가루 넣어 달게 하고, 후추가루, 생강가루 넣어 버들잎 모양으로 빚어, 솔 켜켜이 놓고, 폭 찌면 맛이 매우 좋다.

25) 어름소편

- 흰떡을 쳐서 계피떡 밀듯 얇게 밀어,

- 숙주, 미나리나 오이나 채소 갖춰, 양념하여 소를 만들고, 소 넣어 개피떡처럼 (빚어),

- 송편만큼 쪄내고, 다시 또 쪄서 기름 발라 초장에 곁들인다.

烝餅 증편

-조흔 살 ᄒᆞ 말 옥갓치 쓸허 빅셰 작말ᄒᆞ여

-물 고붓지게 ᄭᅳᆯ여 된 편 반죽만치 ᄒᆞ야 반죽에 탁쥬를 ᄂᆡᆼ슈에 술맛 잇게 타 반죽ᄒᆞᆫ 살헤 치고

-기름 ᄒᆞᆫ 종ᄌᆞ를 타셔 ᄒᆞᆫ가지로 망울 업시 쳐 죄 푸러

-맛 보아 가며 싀금ᄒᆞ여 술맛 헌헌이 잇거든 손으로 축여드러 쳔쳔이 ᄡᅥ러 지거든 유지와 보ᄌᆞ로 ᄡᆞᄆᆡ여 다스ᄒᆞ고 잔풍ᄒᆞᆫ 딕 방에 둣 덥허 노하 두고

-갓금 여러 보아 복 괴ᄂᆞ 듯ᄒᆞ야 처엄보다 반이나 더ᄒᆞ여 괴여 올나 오고 송알송알 괴여 쾌히 괴쥬된거슬 안치되

-소ᄂᆞ ᄭᅮᆯ팟헤 계피도 너코 혹 ᄭᆡ소곰 ᄭᅮᆯ 셕거 소 ᄒᆞ여

-치반에 보ᄌᆞ 펴고 괴쥬된 거슬 국ᄌᆞ로 ᄯᅥ셔 ᄒᆞᆫ 벌 ᄭᆞᆯ고 소를 회리밤만치 쥐여 살 다치 안케 드문드문 노코 소 덥히게 우ᄒᆞ로 괴쥬된 거살 조곰 ᄯᅥ 붓고

-실빅ᄌᆞ ᄶᅡᄀᆡ여 봉에 박고 딕초 ᄎᆡ 쳐 봉기릭로 붓치고

-딕쵸 ᄉᆡᆨ이 다 ᄎᆡ ᄎᆞ 쳐셔 자옥히

---

26) 증편　烝餅

– 좋은 쌀 1 말을 옥같이 찧어, 백색 가루로 만들어,

– 물 펄펄 끓여, 된 (떡)편 반죽만큼 반죽을 만들어, 막걸리를 냉수에 술맛 있도록 타~, 반죽한 쌀을 헤치고,

– 기름 1 종지 타서 한가지로 망울 없이 쳐서 죄 풀어주고~,

– 맛을 보아 가며 시큼하여 술맛이 헌헌히 있거든, 손으로 축여 들어봐서, 천천히 떨어지거든 유지와 보자기로 싸매어 따스하고 바람이 잔잔한 방에 두껍게 덮어 놓아두고,

– 가끔 열어 보아 복 괴는 듯하고, 처음보다 반 이상 더 괴어올라 오고, 송알송알 괴여, 쾌히 기주*된 반죽을 안치되,

* 증편이나 강정 또는 빵 따위를 만들 때, 반죽에 술을 부어 부풀어 오르게 함.

– 소는 꿀 팥에 계피도 넣고, 혹은 깨소금, 꿀 섞어 소를 만들어,

– 채반에 보자기 펴고 기주된 반죽을 국자로 떠서 1벌 깔고, 소를 회오리밤만큼 쥐어, 떡 살이 닿지 않게 드문드문 놓고, 소 덮이게 위로 기주된 반죽을 조금 떠 붓고,

– 잣 쪼개 봉에 박고 대추 채 쳐서 봉 길이로

쓸어 쪄서 기름 발나 쏫으되
봉이 샹치 안이케 ㅎ라

붙이고,
- 대추, 석이 다 채 쳐서 자옥이 뿌려 쪄서~, 기름 발라 쏟되, 봉이 상하지 않게 한다.

大棗粘餅 디초인절미
-조흔찰살 담가 흠씬 부른 후 건져
-흔 말 ㅎ라면 디초 흔 말을 씨발나
-지에 실우 우희 언져 푹 쪄서 흔듸 찌면 조흐니라
[거피팟고물 콩가로 무치래
-쑥인절미는 어린 쑥 골나 씨셔 살적 데쳐 물 탈쓰고 씨허셔 지에밥에 흔듸 치나니라
-씨인절미는 씨 실ㅎ여 복가 찌여
-체로 쳐서 고물 무치고 네모반듯ㅎ게 죽게 ㅎ야 증편 우희 언져 쓰나니라

27) 대추 인절미 大棗粘餅(대추점병)
- 좋은 찹쌀 담가 흠씬 불린 다음 건져,
- 1말 하려면, 대추 1 말을 씨 발라내고,
- 지에(밥) 시루 위에 얹어 푹 찌되, 한데 찌면 좋다.
[껍질 벗긴 팥고물, 콩가루를 묻힌다.]
- [**쑥인절미**]는 어린 쑥 골라 씻어 살짝 데쳐~, 물기 짜내고 찧어서 지에밥에 한데 안친다.
- [**깨인절미**]는 깨를 물에 불려 껍질을 벗겨 볶아 찧고~,
- 체로 쳐서 고물 묻히고, 네모반듯하게 작게 하여 증편 위에 얹어 쓴다.

艾 쑥절편
-쑥 골나 데쳐 건져 탈쓰 쩍 칠듸 너허 쳐셔
-달쩍갓치도 ㅎ고 갈쥭ㅎ게도 ㅎ야 살 박어 기름' 발나 쓰라

28) 쑥 절편 艾
- 쑥 골라서 데치고 건져 잘 짜고, 떡칠 때 넣어 쳐서,
- 달떡같이도 하고, 걸쭉하게도 하여 살 박고 기름 발라 쓴다.

松皮 송기절편

-솔나무 송순 겁질 벗게 것겁질 글거 ᄇ리고 물을 만히 붓고 푹 살마 건져

-물에 빨아 담가 여러 날 우려 건져 탈쓴 나른ᄒ게 지여

-셕 된 김 오르거든 언져 푹 쪄 셔 쪄셔 절편 믠들고

-팟소 너허 ᄀ피쩍 ᄒ여 기름발나 쓰라

-즐기고 마시 ᄌ별하니라

甘藷 감져병

-감져는 남감이니 속명은 고구마라 전나도 소ᄉ니라

-감져겁질 죄 씨셔 말니여 ᄌ말 ᄒ여

-찰가로 셕거 쩍 ᄒ면 달기 쑬 갓고 조흐니라

赤茯苓 적복녕편

-적복령날 연니 찌여 깁체로 쳐 셔 찰가로 복령말과 다 반식 셧 거 샤탕가로와 게피말을 만니 너코 쑬에 버므러 도돔이에 망 울 읍시 쳐셔

-ᄌ 고명 두고 팟 케 노와 찌면 조흐니라

29) 송기절편　松皮

- 소나무 새순 껍질 벗겨, 겉껍질 긁어 버리고 물을 많이 붓고 푹 삶고 건져,

- 물에 빨고 담가 여러 날 우려내고 건져, 잘 짜고 나른하게 찧어,

- 떡이 된 김이 오르거든 얹저, 푹 쪄서 잘라 절편 만들고,

- 팥소를 넣어 계피떡 만들어 기름 발라 쓴다.

- 질기고 맛이 자별하다.

30) 감자병　甘藷

- 감자는 '남감'이고 속명은 '고구마'요, 전라도에서 생산된다.

- 감자껍질을 죄 씻어 말려서 가루를 만들어,

- 찹쌀가루 섞어 떡으로 만들면 달기가 꿀 같고 좋다.

31) 적복령편　赤茯苓

- 적복령 나른하게 찧어, 명주 체로 쳐서 (가루로 만들어)~, 찹쌀가루와 복령 가루 모두 반반 섞어 사탕가루와 계핏가루를 많이 넣고, 꿀에 버무려, 도드미에 망울 없이 쳐서,

- 잣 고명을 얹어두고 팥을 켜켜이 놓아 찌면 좋다.

시의전서　109

橡窠 상실편

-도토리을 겁질치 술마 헤쳐 말
녀

-오린 후 무르게 살마 치반에
담아 이실을 맛치고 볏 쐬여 오
린 후 죽말ᄒᆞ여

-찰가로에 셧거 고명 두고 팟
케로 찌면 조흐니라

기피쎡

-흰 쎡 치고 풀은 거슨 쑥 너허
절편 쳐셔 만드되

-팟 거피 고물 ᄒᆞ여 소 너흐되
ᄒᆞ나식 민들 거슨 소을 송편만
치 쥐여 방망치로 얄게 미러
소 너허 탕기 쑤에 갓튼 거스
로 써닉고

-둘 붓치난 흰 것 ᄒᆞ나 풀은 것
ᄒᆞ나 쪽갓치 소 너허 접시로
써닉여 ᄒᆞ나흔 혀로 되고 ᄒᆞ나
는 동으로 되셔 붓치고

-셋 부치는 싴을 쳥 빅 홍 황을
쓰니

-홍은 흰 쎡에 분홍 드리고 황
은 치ᄌᆞ 진히 울여 들이고

-쳥은 쑥쎡으로 ᄒᆞ여 소 너허
ᄌᆞ근 접시에 써셔 혀와 등을
맛초ᅡ 부치라

32) 상실편　橡窠

- 도토리를 껍질째 삶아 헤쳐놓고 말려두었다
가~,

- 오래 지난 후에 무르게 삶아 채반에 담아 이
슬을 맞추고 볕을 쪼여~, 오래 지나 가루를 내
어,

- 찹쌀가루에 섞고 고명 얹고 팥을 켜켜이 해서
찌면 좋다.

32) 계피떡

- 흰떡을 치고, 푸른 것은 쑥 넣어 절편을 쳐서
만들되,

- 팥 껍질 벗긴 고물 하여 소를 넣되, 하나씩 만
든 것은, 소를 송편만큼 쥐어 방망이로 얇게 밀
어 소 넣고, 탕기 뚜껑 같은 것으로 떠내고,

- 둘 붙이는 흰 것 하나에 풀은 것 하나, 똑같이
소 넣어 접시로 떠내어, 하나는 서쪽으로 대고,
또 하나는 동쪽으로 대서 붙이고,

- 셋붙이는 색깔을 청(푸른색), 백(흰색), 홍(붉
은색), 황(노란색)을 쓰니,

- 홍색은 흰 떡에 분홍 물들이고, 황색은 치자
진하게 우려 물들이고,

- 청색은 쑥떡으로 하여 소 넣어 작은 접시에
떠서 서와 동을 맞추어 붙인다.

-쏩쏙은 삿기손가락만치 떠셔 셋식 붓쳐셔 반만 쇠부리고
-각식으로 ᄒ나식 떠셔 등으로 휘여 두 ᄭᅳᆺ 마조 붓치면 일홈이 ᄉ병이니라
-골무편은 흰 ᄯᅥᆨ 쳐셔 갸름ᄒ게 잘으되 손가락 둣게처럼 ᄒ야
-ᄒᆫ 치 너븨에 치 닷 분 기릭로 잘나 살 박아 기름 발나 쓰라
-경단은 찰가로 반쥭ᄒ야 밤만치 부븨여 물 ᄭᅳᆯ을 ᄯᅢ 살마 건져 ᄭᅮᆯ 발너 콩가로 무쳐 쓰라

막우셜기
-빅미 졍히 쓰러 ᄯᅥᆨ가로 가는 체에 쳐셔 ᄭᅮᆯ물 진히 타셔 버므리되 살문 밤과 ᄃᆡ초 씨 발나 너허 버므려 쪄셔 쓰라
-호박ᄯᅥᆨ은 달고 조흔 호박을 겁질 벗겨 만히 쎠흘러
-찰가로 메가로 각 반식 너허 버므려 게피고물에 케 둣거히 ᄒ여 ᄆᆡ오 쪄셔 쓰라

- [꼽쟝떡]은 새끼손가락만큼 떠서 셋씩 붙여서 반만 꼬부리고,
- 각색으로 하나씩 떠서 등으로 휘어 두 끝을 마주 붙이면 이름이 '산병'이다.
- [골무편]은 흰 떡 쳐서 갸름하게 자르되, 손가락 두께처럼 하고,
- 1치 너비에 1치 5분 길이로 잘라, 떡살에(모양을 눌러) 박아, 기름 발라 쓴다.
- [경단]은 찹쌀가루 반죽하여 알밤만큼 비벼, 물 끓을 때 삶아 건져, 꿀 발라 콩가루 묻혀 쓴다.

33) 마구셜기

- 백미 깨끗이 찧어, 떡가루 가는 체에 쳐서 꿀물 진하게 타서 버무리되, 삶은 밤과 대추 씨 발라내고 넣고 버무려, 쪄서 쓴다.
- [호박떡]은 달고 좋은 호박을 껍질 벗겨 많이 썰어,
- 찹쌀가루, 멥쌀가루 각 반씩 넣고 버무려, 계피고물에 켜켜이 두껍게 하여 매우 쪄서 쓴다.

슈단

-흰 떡 셜덕갓치 미러 콩알갓치
쎠흐러 녹말 쓰워 살머 닝슈에
씨셔 건져 노코

-닝슈에 꿀물 진히 타셔 슈단
너코 실빅 흣터 쓰라

보리슈단

-보리 쇠깅이 나게 싹거 되기여
살마 건져

-녹말 쓰워 다시 살마 닝슈에
씨셔 건져 오미ᄌ국에 너허 실
빅 흣터 쓰라

食醯 식혜

-밀 엿기름이 더 달고 조흐니라

-빅미 졍히 쓸허 씨셔 밥 되게
지여

-엿기름가로 물에 쎨아 담가다
ᄀ ᄀ라안쳐 웃물 짜러

-항에 밥 너코 부어 슈져로 져
허 항부리 봉ᄒ여 두어다ᄀ

-삭근 후 쑬 타고 유ᄌ는 쎠흐
러 너코

-왜감은 쪽으로 너코 실빅 셕뉴
흣터 쓰라

-밤슉은 밤 살마 씨여 어럼이에
걸너 쑬 계피가로 셧거 계란만
치 뭉치기도 ᄒ고 다식판에 빅
으로 쓰나니라

---

34) 수단 (水團)

- 흰 떡 썰 때 함께 밀어, 콩알처럼 썰어 녹말
씌우고 삶아 냉수에 씻어 건져 놓고,

- 냉수에 꿀물 진하게 타고, 수단을 올려 넣고
잣 흩어 쓴다.

35) 보리수단

- 통보리 고갱이 나오게 세게 닦어, 삶아 건져서,

- 녹말 씌워 다시 삶아 냉수에 씻어 건져, 오미
자국에 넣어 실 잣 흩어 쓴다.

36) 식혜   食醯

- 밀 엿기름이 더 달고 좋다.

- 백미는 깨끗이 찧고 씻어 된 밥을 짓고~,

- 엿기름가루는 물에 빨아 담갔다가 가라앉혀,
윗물을 따라내~,

- 항아리에 밥을 넣고 (따른 물을) 부어, 수저로
저어 항아리 주둥이를 봉하여 두었다가~,

- 삭은 후 꿀 타고 유자를 썰어 넣고,

- 왜 감은 쪽으로 넣고 잣, 석류를 흩어 쓴다.

- [밤숙] 밤을 삶아 찧어 어레미에 걸러, 꿀, 계
핏가루 섞은 다음~, 달걀만큼 뭉치기도 하고 다
식판에 박아도 쓴다.

江丁 강정방문

-물ᄭᅵ 읍난 찰솔을 희게 쓸어 담가다ᄀ 건져 ᄲᆞ라
-가는 체로 쳐셔 반쥭 물을 고 부나게 ᄭᅳᆯ혀 조흔 슐노 ᄒᆞ되
-반쥭을 맛보아 슐맛 잇난 듯ᄒ 게 쳐 ᄉᆡ알심 반쥭만치 ᄒᆞ여
-보ᄌᆞ에 솟ᄯ에 다라 솟헤 물 세 번만 가라 ᄆᆡ오 쪄셔
-큰 도마에 노코 모ᄎᆞ로 ᄯᅬ아리 가 일게 ᄭᅬ 쳐
-붓난 디는 슐을 조곰식 발나 치기을 ᄆᆡ 셔
-제 가로로 분가로을 ᄒᆞ여 편편 ᄒᆞᆫ 디 노코 알마초 늘여 제 몸 이 식거든 쎠흐러
-더운 방에 빅지 ᄭᆞᆯ고 너러 ᄌᆞ 로 뒤젹여 말은 후에 말근 슐노 축여다ᄀ 제 몸이 녹진녹진 축 거든 ᄯᅳ더 꼿꼿시 펴 ᄯᅩ 말여 가지고 기름에 지지되
-나무도 소나무가 조코 기름은 식혀 가며 ᄒᆞ고 조절을 ᄌᆞ조 ᄒᆞ여
-강정을 처음 기름에 너코 불을 ᄎᆞᄎᆞ ᄡᅥ이다가 일 ᄊᆞ 과희 ᄊᆞ 히고 ᄉᆡ 솔거든 ᄂᆡ여야 죽지 아니ᄒᆞ고
-겨울에는 바람 쏘이면 속 비고

37) 강정방문 江丁

- 물 끼 없는 찹쌀을 빻아 깨끗이 씻고 담갔다 가 건져 빻아,

- 가는 체로 쳐서~, 물을 팔팔 끓여, 좋은 술로 (반죽)하되,

- 반죽을 맛보아 술맛 있는 듯하게 (술을)치고, 새알심 반죽만큼 (여럿) 만들어,

- 보자기는 솥뚜껑에 매달아, 솥에 물 3번만 갈 아서 매우 쪄서,

- 큰 도마에 올려놓고, 홍두깨로 똬리가 일도록 꽤 쳐서,

- (반죽이) 붙는 데는 술을 조금씩 발라 치기를 매우 쳐~,

- 제(찹쌀) 가루로 분가루를 만들어 편편한 데 놓고, 알맞게 늘여 제 몸이 식거든 썰어,

- 더운 방에 백지 깔고 널고, 자주 뒤적여 말린 후에, 맑은 술로 축였다가, 제 몸(반죽)이 녹진녹 진 축여지면, 뜯어서 꼿꼿이 펴고, 또 말린 다음 기름에 지지되,

- 나무는 소나무가 좋고, 기름은 식혀 가며 하되, (기름) 조절을 자주 하면서,

- 강정을 처음으로 기름에 넣고, 약불로 지르다 가, (강정 반죽) 일어나면 센불로 조절하고, 솔거 든(말라서 굳음) 꺼내야 죽지(퍼지지) 아니하고,

반죽이 되여도 기둥이 셔고 연
ᄒ지 안니ᄒ고
-반죽이 질어도 기름 비여 조치
안니ᄒ니 ᄒ기 극난극난
-여름은 볏ᄒ 말녀도 조ᄒ니라
-ᄆ화산ᄌ 밥은 가장 조흔 찰벼
를 ᄆ오 말니워 밤이실 사오
일 맛쳐 술에 축여 몸이 젓기
ᄒ여
-ᄒ로밤 지닌 후 솟철 달으며 벼
을 ᄌᄌ 너허 슈져로 져허 가며
튀여 나거든 칙반으로 덥허
-튄 후 ᄭᅡ불너 겨 읍시 ᄒ고 반
우희 펴 모양이 반듯ᄒ고 골진
고은 것으로 갈희여 담고
-흰 엿 즁탕ᄒ며 연ᄉ 바탕을
녜모반듯ᄒ계 염졈ᄒ여 우희
즙을 발고 ᄆ화밥을 즐노 박
고 모의도 즐노 붓치라
-지치 조흔 것스로 기름 ᄭᅳᆯ혀
사완에 밥을 고로고로 물이 들
게 뭇쳐 즐노 박으되
-박아 가지고 지치물 드리면 밥
이 써러져 물 아조 드려 박음
만 갓지 못ᄒ니라
-빅 입 박으랴면 츌벼 두 말만
튀고 ᄆ화 밥 갈힌 것 셔 되면
홍빅이 넉넉ᄒ니라

- 겨울에는 바람을 쏘이면 속이 비고, 반죽이 되
직하면 기둥이 서고 연하지 않고,
- 반죽이 질어도 기름이 배서 좋지 않아 만들기
도 매우 어렵다.
- 여름에는 볕에 말려도 좋다.
- [매화산자밥]은 가장 좋은 찰벼를 바싹 말려,
밤이슬을 4~5일 맞추고, 술에 축여 몸이 젖게
하여~,
- 하루밤을 지낸 후, 솥을 달구어 벼를 작작 넣
고, 수저로 저어가며, 튀어나오거든 채반으로 덮
어,
- 다 튀겨낸 다음, (키에) 까불러 겨를 없애고,
소반 위에 펴서, 모양이 반듯하고 골진 고운 것
으로 갈아 담고,
- 흰 엿 중탕하며 연사 바탕을 네모반듯하게 갈
무리한 다음, 위에 즙을 바르고, 매화밥을 줄지어
박고 가장자리도 줄로 붙인다.
- 좋은 지치(홍색)로 기름 끓여~, 사발에 밥이
골고루 물이 들게 묻혀 줄지어 박되,
- 박은 다음, 지치 물을 들이면 밥이 떨어지니,
지치 물 미리 들이고 박는 것만 못하다.
- 100입 박으려면 찰벼 2 말만 튀기고, 매화 밥
간 것 3되면 홍색과 백색이 넉넉하다.

모밀산주

-모밀 진말 참반ᄒ야 밀기 조케 반죽ᄒ여 얇게 미러 네모지게 써흐러

-져진 김에 지지되 불을 써와 지져

-강반 지진 것과 흑임 실ᄒ여 복그면 프르고 그져 복그면 검고

-참ᄢᅵ 그져 희게 복고 노ᄅ게 복가 다섯 가지를 바탕에 즙쳥 뭇쳐 강졍 뭇치닷 ᄭᅡ블ᄭᅡ블 뭇치면 보기 소담ᄒ고 맛시졀미ᄒ니라

-감ᄌᅶ과ᄂᆞᆫ 강졍반쥭 갓ᄒ되 ᄉᆡ아리 나게 쾌 쳐 발볏히 말니여 ᄭᅩᆺ젼 지지닷 ᄒᆞᄂᆞ이라

연ᄉᆞ

-연사도 강졍과 갓치 쪄 얇게 빗최게 미러 모밀산ᄌᆞ갓치 쎠흐러

-기름 퉁노고 ᄯᅮ에의 자금아치 붓고 지져 솔나 눌너 모양이 틀니지 아니케 ᄒ여

-한 편예 ᄭᅮᆯ 담속 발나 빅ᄌᆞ가로 뭇쳐ᄂᆞ니라

-연ᄉᆞ 만이 ᄒᆞ라면 ᄃᆡ초 ᄒᆞᆫ 말을 ᄒᆞ고 젹게 ᄒᆞ야면 닷 되 쎠 거르고

---

38) 메밀산자

- 메밀가루, 밀가루를 반씩 섞어, 밀기 좋게 반죽하여 얇게 밀고 네모지게 썰어~,

- (반죽이) 젖은 김에 지지되, 센불로 지지고,

- 누룽지 진 것과 검은깨를 실하여(물에 불려 껍질을 벗겨) 볶으면 푸르고, (껍질째) 그냥 볶으면 검고,

- 참깨 일부는 그냥 희게 볶고, 노랗게 볶아 5가지를 바탕에 꿀을 타 묻히되, 강정 묻히듯 까불까불 묻히면 보기 소담하고 맛이 절미하다.

- [감자과]는 강정 반죽 같되, 따리 나게 꽤 많이 쳐서, 발위에 볕에 말려, 꽃전(화전) 지지듯 한다.

39) 연사

- 연사도 강정과 함께 쪄, 얇게 비추게 밀어 메밀산자같이(네모지게) 썰어~,

- 기름 퉁노구(작은 놋쇠 솥) 뚜껑에 자그마치 붓고 지지되, 솔로 눌러서 모양이 틀어지지 않도록 한 다음~,

- 한 편에 꿀을 담뿍 발라 잣가루 묻혀 낸다.

- 연사를 많이 하려면, 대추를 1 말을 하고, 적게 하려면 5되 하되, 쪄서 거르고,

-밤 살마 거르고 ᄢᅵ소금 가날게 ᄒᆞ고 잣ᄀᆞ로 셔 홉 계피 호초 너허 ᄭᅮᆯ 달게 달게 셕거 소 ᄒᆞ고

-진가로 깁체의 고이 쳐 ᄭᅮᆯ물에 반죽ᄒᆞ되 기름 좀 쳐 마치 슈교의가치 가ᄂᆞᆫ ᄃᆡ로 얇게 빗최게 미러 소랄너흐되

-소가 질어야 연ᄒᆞ고 되면 연치 못 아니ᄒᆞ니

-ᄭᅮᆯ을 만히 타 달게 ᄒᆞ여

-불을 ᄊᆡ와 지져 즙쳥에 강즙 게피 호초 셕거 발나 잣가로 뭇쳐 쓰ᄂᆞ니라

-얇게 밀어야 연ᄒᆞ고

-만두과의셔 만이 잘게 비져 가을 트러 살을 잡고 손에 기름 뭇쳐 비즈라

-모밀가로에 밀가로 좀 셕거 곱게 뇌여 ᄭᅳᆯ힌 물에 소곰 잠간 너허 빗게 조흘만치 반죽ᄒᆞ고

-잣가로 호초 셕거 소를 비지되 ᄃᆡ소난 ᄃᆡ초만치 셕뉴 모양으로 비져 지치 기름에 지지난이라

-ᄆᆡ화 셰반 ᄒᆞ난 법은 ᄆᆡ화 밥풀을 ᄆᆡ에 팟 타 듯ᄒᆞ여 가로난 쳬로 치고 쳬에 거시 셰반이라

-산ᄌᆞ 바탕에 뭇치되 흰 엿 즁

- 밤은 삶아 거르고, 깨소금 가늘게 하고, 잣가루 3홉, 계피, 후추 넣고, 꿀을 달게 섞어 소를 만들고,

- 밀가루는 명주 체에 곱게 쳐, 꿀물에 반죽하되, 기름을 좀 쳐서, 마치 수교의 같이 가늘고 얇게 비추게 밀어 소를 집어넣되,

- 소가 질어야 연하고, 되면 연하지 못하니,

- 꿀을 많이 타 달게 하여,

- 불을 세게 하여 지져~, 꿀을 타고 생강즙, 계피, 후추를 섞고 발라 잣가루 묻혀 쓴다.

- 얇게 밀어야 연하다.

- [만두과에서] 많이 잘게 빚어 가장자리를 틀어 살을 잡고 손에 기름 묻혀 빚는다.

- 메밀가루에 밀가루 좀 섞어 곱게 뇌어(다시 가는 체에 쳐), 끓인 물에 소금을 잠깐 넣어, 빚기 좋을 만큼 반죽하고

- 잣가루, 후추 섞어 소를 빚되, 크기는 대추만큼, 석류 모양으로 빚어, 지치 기름에 지진다.

- [매화 세반하는 법]은 매화 밥풀을 맷돌에 팥 갈듯하여 가루는 체로 치는데, 체에 (남은) 것이 '세반'이다.

- 산자 바탕에 묻히되, 흰 엿을 중탕하여 녹은 후, 바탕을 안팎으로 발라,

탕ᄒ여 눅은 후 바탕을 안팟그
로 발나
-세반을 고리싹 갓턴 데 붓고
엿 무친 바탕을 너허 갓블갓블
ᄒ며 자조 흔들면 서로 부듸져
반반ᄒ고 고히 되난니
-산ᄌ 강정 뭇치난 볍은 다 이
갓치 ᄒ라
-홍ᄉ 지치기름을 세반에 잠간
쳐셔 버무려 민들고
-톄에 친가로난 홍ᄇ 민다라 강
졍에 뭇쳐 쓰난니라
-ᄆ화강졍은 강졍 동강에만 부
쳐셔 홍ᄇ 두 가지로 ᄒ난니라
-산ᄌ밥풀은 죠흔 찰쌀 졍히 쓸
어 지에밥 쪄셔 고로고로 쓰더
밧삭 말녀 졀구에 쓸어 쏠아기
치고
-큰 남비에 기름 부어 ᄭ을 삿 뵈
보ᄌ에 밥풀을 너허 마조 붓들
고 슐노 져허
-다 일거든 쓰고 기름에 지치
너허 일어 홍ᄉ 민다나니라
-잔치에 쓰난 ᄉ 강졍기로ᄂ 흰
ᄭ 실ᄒ여 복고○ 승검초가로
○ 송화 ○ 흑임ᄌ가로 ○ 홍
ᄉ 계피 잣가로

– 세반을 고리짝 같은 데 부은 다음, 엿을 묻힌
바탕을 넣어 까불까불하며 자주 흔들면, 서로 부
딪쳐 반반하고 곱게 된다.

– 산자 강정 무치는 법은 다 이같이 한다.

– 홍색 지치 기름을 세반에 잠깐 쳐서 버무려
만들고,

– 체에 친 가루는 홍색, 백색을 만들어 강정에
묻혀 쓴다.

– [매화강정]은 강정 동강에만 붙여서 홍백색 두
가지로 한다.

– [산자밥풀]은 좋은 찹쌀 깨끗이 찧어 지에밥을
진 다음, 고루고루 뜯어 바싹 말려 절구에 찧고,
싸라기는 (체에) 치고,

– 큰 냄비에 기름을 부어 끓어오르면, 베 보자기
에 밥풀을 넣고 마주 붙들고 수저로 저어~,

– 다 일거든 쓰고, 기름에 지치를 넣고 일어 홍
색을 만든다.

– [잔치에 쓰는 색 강정]에는 흰깨를 실(물에 불
려 껍질을 벗겨)하여 볶고, ○ 승검초가루 ○ 송
홧가루 ○ 검은깨 가루 ○ 홍색 계피, 잣가루(을
쓴다).

藥果 약과 ᄒ난 볍

-약과 ᄒ라면 진말 ᄒ 말에 쓸 ᄒ 보아 기롬 ᄒ 보아 조흔 양쥬나 소쥬나 ᄒ 보아식 너허 물 쌜쌜 끌혀 ᄒ 보아만 ᄒ야

-증슈 유청 ᄒ듸 타셔 져허 가로에 타셔 고로 셕기게 부븨여 가며 다소를 맛초아 반쥭ᄒ되

-질면 못 쓰니 쥐여 보아 쌔득쌔득ᄒ여 뭉치기 어렵게 ᄒ여

-ᄆ오 씨여 도마에 노코 맛치로 사방 모(화) 두다려 반반ᄒ거든 듯게난 닷 분으로 ᄒ고 사방 ᄒ 치 팔 분 너븨 되게 버혀

-지지되 기름 만히 붓고 불을 싸기 ᄒ여 거문 빗 ᄂ거든 건져 즙청ᄒ여 잣가로 게피가로 쌕려 쓰라

-다식과난 반쥭을 다식판에 박아 지지되

-맛치로 두다려 우흘 칼노 싹아야 븨가 부르지 아이ᄒ고 반반ᄒ여 담기 조흐니라

-만두과는 반쥭을 만두 빗듯 파고 소난 듸초 곱게 다져 쪄셔 쓸 게피 너허 자여

-듸쵸만치 쥐여 너코 잔살 잡아 지져 쓰라

---

40) 약과 하는 법 藥果

- 약과 하려면 밀가루 1 말에 꿀 1 보아*, 좋은 양주나 소주나 1보아씩 넣고, 팔팔 끓인 물 1 보아만 하여,

- 증류수, 유자청 한데 타서 저어 밀가루에 타서 골고루 섞이게 비벼가며 다소를 맞추어 반죽하되,

- 질면 못 쓰니, 쥐어 봐서 빠득빠득하여 뭉치기 어렵게 하여,

- 매우 쪄서, 도마에 놓고 망치로 사방을 모아 두드려 반반하거든 두께는 5푼(손가락 반 마디)으로 하고 사방 1치(손가락 1마디; 3.03cm) 8푼 너비 되도록 베어서~,

- 지지되, 기름 많이 붓고 불을 세게 하여, 검은 빛이 나면 건져, 꿀을 타고 잣가루, 계핏가루 뿌려 쓴다.

* 김치나 깍두기 따위를 담는 반찬 그릇의 하나. 모양은 사발 같으나 높이가 낮고 크기가 작다.

- [다식과]는 반죽을 다식판에 박았다가 지지되,

- 망치로 두드려 위를 칼로 깎아야 배가 불룩하지 않고, 반반하여 담기 좋다.

- [만두과]는 반죽을 만두 빚듯 파고, 소는 대추 곱게 다져 쪄서, 꿀과 계피 넣어 재워~,

- 대추만큼 쥐어 넣고, 잔 살 잡고 지져서 쓴다.

-약과 반죽은 쇼쥬가 연ᄒ여 조
코 만두과 다식과도 다 즙쳥ᄒ
여 잣가로 게피가로 ᄲ려 쓰난
니라

- 약과 반죽은 소주가 (들어가면) 연하여 좋고,
만두과, 다식과도 다 꿀을 타고 잣가루, 계핏가루
뿌려 쓴다.

中桂 즁계
-반죽을 ᄭᅮᆯ물 타셔 약과 반죽보
다 조곰 질게 ᄒ여 도마에 노
코
-너비난 구 푼 기ᄅᆡ난 두 치 셔
푼 둣게난 너 푼으로 버혀 지지
되 거쥭이 누러케 잠간 지져 건
져 쓰라

41) 중계 中桂
- 반죽은 꿀물을 타서 약과 반죽보다 조금 질게
하여, 도마에 놓고,
- 너비는 9푼, 길이는 2치 3푼, 두께는 4푼으로
베어 지지되, 거죽이 누렇게 잠깐 (기름에) 지졌
다가 건져 쓴다.

ᄆᆡ젹과
-진말 ᄂᆡᆼ슈에 반죽ᄒ여 얇게 미
러 너비 구 푼 기ᄅᆡ 두 치 ᄒ
여 버혀
-가온ᄃᆡ로 간ᄃᆡ이 고르게 셰 줄
노 쎠되
-그즁 가온ᄃᆡ 줄 길게 버혀 한
ᄭᅳᆺ츨 가온ᄃᆡ 구멍으로 뒤집어
반드시 만져 지져 ᄂᆡ여 즙쳥ᄒ
고 계피 잣가로 ᄲ려 쓰라

42) 매작과 (梅雀菓)
- 밀가루를 냉수에 반죽하여 얇게 밀어, 너비 9
푼, 길이 2치로 하여 잘라 ~ ,
- 가운데를 간격이 고르게 3줄(3등분 천)로 가르
되,
- 갈라 낸 3줄 중 가운데 줄을 더 길게 잘라,
(긴)한쪽 끝을 가운데 구멍으로 뒤집어 (나비 모
양으로) 반듯하게 만들어 튀겨내어~, 꿀 타고
계피, 잣가루 뿌려 쓴다.

빈사과
-버무려 목판에 고루게 펴 노아 닷가 솔거든 쓸허 쓰나니라
-강정 반죽 써흔 데셔 네모 반든반든 버혀
-황식은 기름에 치즛 너허 지지고 홍식은 기름에 지치 너허 지져 닉여
-흰 엿 녹여 발나 여러 알을 흔듸 붓쳐셔
-장광과 고를 다 흔 치 너 푼 되게 칼노 버혀 쓰난니라
-산즛 강졍 빈사과을 다 더운 방에 덥혀 두고 쓰나니 한데 두면 눅어 못 쓰나니라

茶食 다식
-흑임즛 다식은 흑임즛 쏙까 씌여 체로 쳐셔
-된 조청 셕거 보즛에 솟쑥에 다러 쪄셔
-절구에 짓허 손으로 쥐여 기름을 싸 닉고
-쏘 조청 조곰 너코 꿀 너허 쏘 쪄셔
-씌여 쏘 기름 짜고
-다시 꿀 조청 조곰 셕거 쪄셔 씌허 다식판에 박으되
-잣가로을 다식판에 쌕려고 박

43) 빈사과
- (반죽을) 버무려 목판에 고르게 펴 놓았다가 솔거든 씻어 쓴다.
- 강정 반죽 써는 데서 네모 반듯반듯 잘라,
- 황색은 기름에 치자 넣어 튀기고, 홍색은 기름에 지치 넣고 지져내어,
- 흰 엿을 녹여 발라 여러 알을 한데 붙여서,
- 길이, 너비와 높이를 모두 1치 4푼 되게 하여~, 칼집을 넣어 쓴다.
- 산자, 강정, 빈사과를 다 더운 방에 따듯하게 두고 쓰나니, 찬데 두면 눅어서 못 쓴다.

45) 다식 茶食
- [흑임자 다식]은 검은깨 볶아 찧고 체로 쳐서~,
- 된 조청을 섞어, 보자기를 솥뚜껑에 매달아 쪄서~,
- 절구에 찧고, 손으로 쥐어 기름을 짜내고,
- 또 조청 조금 넣고, 꿀을 넣고 또 쪄서,
- 찧고~, 또 기름을 짜내고,
- 다시 꿀, 조청 조금 섞고 쪄서~ 찧은 다음 다식판에 박아 넣되,
- 잣가루를 다식판에 뿌리고 박아야 잘 박히고,

아야 잘 박히고 셰 번을 쪄아
윤틱ᄒ고 죠흔이라

-송화다식은 쑬 반쥭ᄒ여 박으
라

-황율다식은 황률 씨어 체로 쳐
셔 쑬 반쥭ᄒ여 박으라

-갈분다식은 강즙 진 ᄂᆡ여 타셔
쑬 반쥭ᄒ여 박으되 반쥭이 질
면 흘너 못 쓰니 맛초아 ᄒ라

-녹말다식은 오미자국 진히 ᄒ
여 여분홍 죠곰 타셔 쑬에 반
쥭ᄒ되

-질면 못 쓰니 마초아 ᄒ라

-강분다식은 쑬 반쥭ᄒ여 박으
라

싱실과

-싱뉼 ᄃᆡ초 [쪄셔 실ᄇᆡᆨ 박고 즙
쳥ᄒ여 잣가로 뭇치래 싱니 연
시 유ᄌᆞ 감ᄌᆞ 셕뉴 참외 슈박
외얏 살구 잉도 복분ᄌᆞ ᄌᆞ도
당속

-ᄉᆞ탕 옥츈당 오화당 룡안 려지
귤병 당ᄃᆡ초 호도 실ᄇᆡᆨ 은힝
황뉼 건시 [졉어 실ᄇᆡᆨᄌᆞ 박나니
래 사과 능금 포도

3번을 쪄야 윤택하고 좋다.

- [**송화다식**]은 꿀 반죽해서 박는다..

- [**황율다식**]은 황률(말려서 껍질과 보늬를 벗긴 밤)
을 찧고,

체에 쳐서 꿀에 반죽해서 박는다.

- [**갈분다식**]은 생강즙 진을 내어 타고, 꿀 반죽
해서 박되, 반죽이 질면 흘러서 못 쓰니 맞춤하
게 반죽한다.

- [**녹말다식**]은 오미자국 진하게 타고, 연분홍
조금 타서 꿀에 반죽하되,

- 질면 못 쓰니 맞춤하게 한다.

- [**강분다식**]은 꿀 반죽해서 박는다.

46) 생실과

- 생밤, 대추 [쪄서 잣을 박고 꿀을 타고 잣가루
를 묻힌다.]

배(생니)*, 연시, 유자, 감자, 석류, 참외, 수박,
오얏, 살구, 앵두, 복분자, 자두 [등]

[**당속(糖屬)**]=당류(糖類)

- 사탕, 옥춘당, 오화당, 용안*, 여지, 귤병(橘餠),
당대추, 호도, 잣, 은행, 황율, 건시 [접어 잣을
박는다] 사과, 능금, 포도 [등]

*생니(生梨): 배나무 열매

*용안(龍眼): 〔식물〕 무환자과의 상록 교목.

소국쥬 별방

-정월 첫 히일에 빅미 닷 되 작
말ᄒ여 쓸힌 물 셔 말에 쥭 쑤
어 퍼셔 노핫다가

-더운 김 업게든 곡말 닷 홉 진
말 닷 홉 너허 져어 두엇다가

-잇튼날 졈미 셔 말 닉게 쪄 덩
이덩이 뭉쳐 너허 한ᄃᆡ 두면

-얼락 녹으락 ᄒ여 삼사월이 되
면 물 퍼 쓰듯 ᄒ나니

-오릭도록 밉고 향긔로으니라

과하쥬 별방

-졈미 두 말 빅셰ᄒ야 익게 쪄
쓸힌 물 셰 병 골나 가장 ᄎ거
든

-곡말 진말 닷 홉식 너허

-칠 일 만에 가오ᄃᆡ를 헛치면
만난 마시 가득ᄒ여 쓴맛시 업
고 단맛시 만흐니 삼칠일 지너
야 조흐니라

-오월에 비져 구시월까지 두어
도 변치 안이ᄒ나니 쳐음 치오
기를 만히 치오면 의심 업나니
라

[조주 별방]

47) 소국주 별방

- (음력) 정월 첫 해일(亥日)에 멥쌀 5되 가루
내어~, 끓인 물 3말을 넣고 죽을 쑤어 퍼서 놓
았다가 ~,

- 더운 김이 식으면 곡식 가루 5홉, 밀가루 5홉
넣고 저어 두었다가 ~,

- 이튿날 찹쌀 3 말 푹 익게 쪄~, 덩이덩이 뭉
쳐 넣고 찬데 두면,

- 얼락 녹을락 하여 삼사월이 되면 (술이 괴어)
물 퍼서 쓰듯 할 수 있어서,

- 오래도록 맵고 향기롭다.

48) 과하주 별방

- 찹쌀 2 말 깨끗이 씻어 푹 익게 쪄서~, 끓인
물 3병을 고르게 섞은 다음 매우 식으면~,

- 누룩가루, 밀가루 5홉씩을 더 넣고서~,

- 7일 만에 가운데를 헛치면 맛있는 맛이 가득
하여 쓴맛이 없고 단맛이 많으니 3×7일 (3주)
지나야 좋다.

- 5월에 빚어 9~10월까지 두어도 변치 않으니,
처음 채울 때

많이 채워두면 (맛이 변할지) 의심하지 않아도
된다.

방문쥬 별방

-셔 말 비즈랴면 빅미 아홉 되을 빅셰ᄒ야 담가다가 잇튼날 쌔아 칠곱 되 드리로 셋만 부어 범벅 ᄀ이여 츠거

-업난 항에 날물 업시ᄒ고 칩녀 쏘여

-가로누룩 두 되만 너허 고로고로 쳐 항에 너허 괴거든 빅미 셔 말 빅셰ᄒ여 가장 익게 쪄셔 담고 비 달

-더운 기음에 닝슈 아홉 사발 셧거 물이 들어든 헤쳐 셔늘ᄒ게 츠거든

-슐밋 셕거 비즈되 진말 ᄒ 되 너허 비져 만이 ᄲᆡ 괸 후 드리우라

-슐을 아이에 덥게 ᄒ고 괸 후 즉시 츠게 ᄒ다

碧香酒 벽힝쥬

-빅미 말가옷 빅셰 작말ᄒ야 물 말ᄀ옷셰 ᄀ이여 닉거든 만히 츠와 가로누룩 두 되 셕거 두엇다가

-칠 일 만에 빅미 두 말 빅셰ᄒ여 물 두 말에 ᄀ로누룩 두 되 셕거 젼 슐밋과 덧(쳬) 칠 일 만에 드리우라

49) 방문주 별방

- 3 말 빚으려면, 멥쌀 9되를 깨끗하게 씻어 담가 불리고, 이튿날 빻아, 7곱 되 들이로 3되만 부어~, 범벅으로 개어 식거든,

- 항아리에 다른 물은 없이 하고, 짚불을 내 쏘여,

- 누룩가루 2되만 넣고 골고루 쳐서 항아리에 넣고~, (술이) 고이거든, 멥쌀 3말을 깨끗이 씻어 푹 익게 쪄서 (항아리에) 담고~,

- 더운 김에 냉수 9사발 섞어 물이 들거든, 헤쳐서 서늘하게 식으면,

- 술밑 섞어 빚되, 밀가루 1되 넣고 빚어, 많이 빼 고인 다음, 따라낸다.

- 술을 아예 덥게 하고, (술) 고인 다음엔 즉시 차갑게 한다.

50) 벽향주　碧香酒

- 멥쌀 1말 반가량을 깨끗이 씻어 가루 내고~, 물 1말 반가량에 개어 (죽을 쑤고), (술이) 익으면 많이 채운 다음~, 가루 누룩 3되 섞어 두었다가,

- 7일 만에 멥쌀 2말 깨끗이 씻어서, 물 2말에 가루 누룩 2되 섞어~, 앞서 술밑에 덧술을 치고서, 7일 만에 따라낸다.

綠波酒 녹파쥬

-빅미 ᄒ 말 빅셰 작말ᄒ여 물셔 말노 ᄭ여 만히 ᄎ거든 ᄀ로누록 ᄒ 되 진말 칠 홉 너허 두엇다가

-오 일 만에 졈미 두 말 빅셰ᄒ여 닉게 쪄 만히 차거든 밋술과 덧쳐 이칠 만에 드리우라

聖嘆香 셩탄힝

-빅미 이 승 빅셰 작말ᄒ여 물 ᄒ 말노 쥭 쑤어 ᄎ거든 가로누록 ᄒ 되 셕거 너허

-동절은 칠 일 하졀은 삼 일 츈츄은 오 일 만에 졈미 일 두 빅셰ᄒ여 무르게 쪄 식거든 밋술 셕거 칠 일 만에 쓰나니라

-달고 가장 조흐니 입의 먹음어 슴키기 앗가오니라

51) 녹파주 綠波酒

- 멥쌀 1말 가루 내서~, 물 3말로 개어놓고, 많이 시거든 가루누룩 1되, 밀가루 7홉을 넣어 두었다가 ~,

- 5일 만에 찹쌀 2말 깨끗이 씻어 푹 익게 쪄~, 많이 식거든 밑술에 덧술을 치고서 2×7=14일 만에 따라낸다.

52) 성탄향   聖嘆香

- 멥쌀 2되 깨끗이 씻어 가루 내서~ , 물 1말로 죽을 쑤어서~ , 식으면 가루 누룩 1되 섞어 넣은 다음~.

- 겨울철은 7일, 여름철은 3일, 봄가을엔 5일 만에 찹쌀 1말 깨끗이 씻어 무르게 쪄서, 식거든 밑술을 섞고, 7일 만에 쓴다.

- 달고 가장 좋아, 입으로 마실 때 삼키기 아까울 정도다.

黃柑酒 황감쥬

-졈미 흔 말 빅셰ᄒ여 담갓닷가 작말ᄒ여 썩 비져 익게 살마

-조흔 곡말 흔 되 셧거 너헛다가 이튼날 물 쌕리지 말고 쪄

-술밋슬 닝슈 흔 사발에 걸너 가난 슈건에 밧타 그 밥을 작작 그릇식 쪄 노하가면 고로 뭇쳐 식혀 항에 너허 두면

-이칠일 삼칠일 후ᄂᆞᆫ 달고 밉고 죠흐니라

-말그니도 먹고 그져도 죠흐니라

신상쥬

-빅미 두 되 빅셰ᄒ야 담갓다가 작말ᄒ야 물 흔 말에 쥭 쑤어

-식혀 셤누룩 흔 되 버믈여

-겨을이면 칠 일 츈츄 오 일 하졀은 삼 일 만에 졈미 일 두만 쓸어 담갓다가 ᄒ로밤 지와

-익게익게 쪄 밋술 셕거 너헛다가 칠 일 만에 쓰라

53) 황감주　黃柑酒

- 찹쌀 1말 깨끗이 씻어 담갔다가, 가루 내서 떡을 빚어, 푹 익게 삶은 다음 ~,

- 좋은 누룩가루 1되를 섞어 넣었다가, 이튿날 물 뿌리지 말고 쪄서~,

- 술밑을 냉수 1사발에 걸러 가는 수건에 받쳐, 그 (찐)밥을 적당히 그릇에 떠 놓아가면서 (수건에 받친 것을) 골고루 무쳐서, 식혀~, 항아리에 넣어 두면,

- 14일이나 21일 후에는 달고 알싸하고 좋다.

- 맑은 술로도 먹고 그대로 탁하게 먹기도 좋다.

54) 신상주

- 찹쌀 2되 깨끗이 씻어 담갔다가 가루 내서~, 물 1말에 죽을 쑤어~,

- 식혀~, 섬누룩 1되 버무린 다음,

- 겨울이면 7일, 봄가을 5일, 여름에는 3일 만에 찹쌀 1말만 씻어 담갔다가 하룻밤 재워~ ,

- 푹 익게 쪄, 밑술 섞어 넣었다가 7일 만에 쓴다.

杜鵑酒 두견쥬

-정월에 빅미 이 승 빅셰 작말
ᄒ야 물 ᄭᅳᆯ혀 가로에 부어 골
나 식거든

-곡말 진말 각 일 승식 너허 두
엇다가

-두견 막 픠거든 빅미 졈미 각
삼 두을 빅셰 담가 밤 ᄌᆡ와 쪄

-ᄂᆡᆼ슈 오 두 삼 승 ᄭᅳᆯ혀 ᄎᆞ거든
밥에 골나 두엇다가 식거든

-두견곳 두 되를 슐 발고 먼
져 독 밋히 너코 지에를 젼 밋
히 셕거 식거든 드리오되

-슐 그릇슬 찬 ᄃᆡ 두라

-도화 너흐면 도화쥬라

55) 두견주   杜鵑酒

- (음력) 정월에 멥쌀 2되 깨끗이 씻어 담갔다가 가루 내서,

물을 끓여 가루에 부어, 고르게 식으면~,

- 누룩가루, 밀가루 각 1되씩 넣어 두었다가 ~,

- 진달래꽃 막 피거든 멥쌀, 찹쌀 각 3말을 깨끗이 씻어 담갔다가 하룻밤을 재웠다가 쪄~,

- 냉수 5말 3되를 끓여서 식으면, 밥에 섞어 두었다가 식거든,

- 진달래꽃 2되에 수술을 떼고, 먼저 독 밑에 넣고 지에밥을 이전 밑술에 섞어 식으면 따라내되,

- 술 그릇을 찬 곳에 둔다.

- (이 방법대로 하되) 복숭아꽃을 넣으면 '도화주'다.

松荀酒 송슌쥬

-졈미 팔 승 희게 쓸어 하로밤 담갓다가 작말ᄒ여 된 의이만치 쑤어

-식은 후 곡말 네칠 홉을 버므려 마루에 노핫다가

-맛시 달고 쓴맛 들거든 졈미 너 말 희게 쓸어 ᄒ로 담갓다가 닉게 쪄

-송슌 막 필 씩 만히 ᄯ 다듬어 숨 죽을 만치 살마 셔늘케 치와

-다른 물 말고 그 술밋 체에 밧쳐 버므려 너헛다가 달고 쓴 맛 들거든 소쥬 고아 근근ᄒ게 부엇다가 맛 아올거든 먹으라

-달고 ᄆᆡ와 맛치 긔졀ᄒ니라

-술국이 진ᄒ거든 소쥬 ᄯ 고아 부어도 죠흐니라

-밥에 송슌을 나물 부빔만치 셧거 ᄒ면 죠흐니라

-술밋슨 이 방문이 좀 부죡ᄒ이 ᄒᆞᆯ 졔 쌀과 누룩을 더 ᄒ여 넉넉히 ᄒ고

-송슌 피기 젼 밋 ᄒᆞᆺ다가 덧치 송슌 길게 ᄂ오거든 ᄒᆞᆺ다가

-쓴맛 들고 쏠알 다 삭거든 소쥬 붓고 용슈 말고 살살 헤치고 써셔 쓰라

56) 송순주　松荀酒

- 찹쌀 8되 깨끗이 씻어 하룻밤 담갔다가 가루 내어, 된 응이만큼 쑤어,

- 식은 후, 누룩가루 4~7홉을 버무려 마루에 놓았다가,

- 맛이 달고 쓴맛이 들면, 찹쌀 4말 깨끗이 씻어 하루 담갔다가, 푹 익게 쪄~ ,

- 솔 순 막 필 때 많이 따서 다듬고, 숨 죽을 만큼 삶아~ ,서늘해지면 채워~ ,

- 다른 물 말고 그 밑술 체에 밭쳐 버무려 넣었다가, 달고 쓴 맛이 들거든, 소주 고아서 근근하게 부었다가, 맛 어울리거든 먹는다.

- 달고 매워 맛이 기절(奇絶)하다.

- 술국이 진하거든 소주 또 고아 부어도 좋다.

- 밥에 솔 순을 나물 비빔만큼 섞어 하면 좋다.

- 술밑은 이 방문이 좀 부족하다 할 때, 쌀과 누룩을 더하여 넉넉히 하고,

- 솔 순 피기 전 밑술 하였다가, 덧 솔 순 길게 나오거든 하였다가,

- 쓴맛 들고 쌀알 다 삭거든, 소주 붓고 용수 말고 살살 헤치고 떠서 쓴다.

杜康酒 두강쥬

-뵉미 ᄒ 되 담갓다가 쥭말ᄒ여 쥭 쑤어 ᄎ거든

-누룩가로 가늘게 ᄒ여 닷 홉과 진말 닷 홉을 쥭에 너허 더운 ᄃᆡ 무덧다가

-잇틀 만에 찰쌀 ᄒ 말 담갓다가 익게 ᄶᅥ ᄎ거든 뵉비탕 ᄒ 말 식혀 밋슐과 셕거 너허 사오 일 후 드리우라

-엿시 만에 먹ᄂᆫ 약쥬가 이 법이 조흐리라

-ᄯᅩ 일 방은 졈미 ᄒ 되 물 아 홉 사발 쥭 쑤어 ᄎ거든 누룩가로 ᄒ 되 너허 더운 ᄃᆡ 뭇엇 다가

-이틀 만에 졈미 ᄒ 말 담갓다 가 익게 ᄶᅥ 식거든 밋슐과 셕 거 너흐라

三日酒 삼일쥬

-졈미 ᄒ 말 뵉셰ᄒ여 익게 ᄶᅥ

-물 아홉 사발을 ᄯᅳᆯ혀 식혀 셤 누룩 두 되를 그 물에 담갓다가

-그 물 챡챡 ᄶᅧ 가며 죄 걸너셔 그 밥이 식은 후 셕거 버무려 너허 두면 삼 일이라 ᄒ여도 삼 일 남ᄭᅥ니와

-날물 조심ᄒ며 맛시 번치 아이 ᄒ나니라

57) 두강주　杜康酒

- 멥쌀 1되 담갔다가 가루 내어, 죽 쑤어서~, 차게 식거든,

- 누룩가루 가늘게 하여 5홉과 밀가루 5홉을 죽에 넣고 더운 데 묻어두었다가,

- 이틀 만에 찹쌀 1말 담갔다가 푹 익게 쪄, 차게 식거든, 맹물 1말 끓이고 식혀, 밑술과 섞어 넣고 4~5일 후 따라낸다.

- 엿새(6일) 만에 먹는 약주가 이 방법에 좋다.

- 또, 다른 방법은 찹쌀 1되를 물 9사발에 죽을 쑤어, 차게 식거든 누룩가루 1되 넣고, 더운 데 묻었다가,

- 이틀 만에 찹쌀 1말 담갔다가 푹 익게 쪄서, 차게 식거든 밑술과 섞어 넣는다.

58) 삼일주　三日酒

- 찹쌀 1말 깨끗이 씻어 푹 익게 쪄~,

- 물 9사발을 끓이고 식혀, 섬누룩 2되를 그 물에 담갔다가,

- 그 물에 착착 쳐가며 죄다 걸러서, 그 (찐)밥이 식은 후 섞어 버무려 넣어 두면 3일이라 하여도 3일 남거니와,

- 날(맹)물을 조심해야 맛이 변치 않는다.

- 멥쌀로도 한다.

-메쌀노도 ᄒ나니라
-일 방은 겨을은 졍화슈요 녀름은 ᄭᆯ힌 믈 치와 ᄒ 말에 가로누룩 두 되 믈에 타 항 속에 너코 빅미 일 두 빅셰ᄒ여 쥭 쑤어
-다른 누룩 셕지 말고 그 누룩 탄 믈에 셧거 삼 일 만에 쳥쥬가 되나이라

三亥酒 삼ᄒᆡ쥬
-졍일 ᄒᆡ일에 졈미 셔 되 담갓다가 이튼날 쟉말ᄒ여 의이 쑤어
-식은 후 가로누룩 셔 되 진말 두 되 너허 군ᄂᆡ 업난 항에 담아 찬 ᄃᆡ 두엇다가
-이월 ᄒᆡ일에 빅미 말 두 되 담갓다가 잇튼날 ᄴᅡ아 범벅갓치 익게 ᄭᆯ혀 식은 후 젼 밋과 ᄒ ᄃᆡ 버무려 두엇다가
-삼월 ᄒᆡ일에 너 말 빅셰ᄒ여 담갓다가 익게 ᄶᅥ 미오 식은 후 그 밋과 버므려 두엇다가 오월에 ᄶᅥ 두면 녀름 나도 죠코
-날믈 아이ᄒ면 변치 아이ᄒ고
-전국은 두고 믈 둘넛다 ᄡᅳᄂᆞᆫ 거슨 몬져 ᄡᅳ라

- 다른 방법은 겨울은 정화수고, 여름엔 끓인 물(채워) 1 말에 가루 누룩 2되를 물에 타, 항아리 속에 넣고, 멥쌀 1말 깨끗이 씻어 죽 쒀서~,
- 다른 누룩 섞지 말고, 그 가루 누룩 탄 물에 섞으면~, 3일 만에 청주가 된다.

59) 삼해주 三亥酒

- 정월 해일(亥日)에 찹쌀 3되 담갔다가 이튿날 가루 내어 응이(된죽)를 쑤어서~,
- 식은 후, 가루 누룩 3되, 밀가루 2되 넣어 군내(쾌쾌함) 없는 항아리에 담아 찬 데 두었다가~,
- 2월 해일에 멥쌀 1말 2되 담갔다가 이튿날 빻아, 범벅같이 푹 익게 끓여~, 식은 후, 전 밑술과 한데 버무려 두었다가~,
- 3월 해일에 쌀 4말 깨끗이 씻어 담갔다가 익게 쪄~, 아주 식은 후, 그 밑술과 버무려 두었다가~, 5월에 떠 두면 여름을 나도 좋다.
- 맹물이 들어가지 않으면 변치 않고,
- 전국은 그대로 두고, 물을 둘렀다가 떠낸 것을 먼저 쓴다.

回山春 회산춘

-두 제 비즈라면 뵉미 두 말 경
히 쓸어 담갓다가 작말ᄒ야 썩
을 쪄셔
-물 삼십 식긔 고붓지게 긇혀
미오 식켜
-ᄎ거든 가로 누룩 찻되로 엿
되 너허 ᄒ엿다가
-밋 다 되거든 찰쌀 너 말 졍히
쓸어 지에밥 쪄
-ᄯᅩ 물 삼십 식긔 미오 긇혀 지
에밥에 한듸 부엇다가미오 차
거든 밋과 한듸 버므려 너헛다
가
-된 후 웃국 ᄯᅳ고 쥬다에 ᄶᆞ면
조흐니라

年酒 일연쥬

-초밋슨 셧웃달에 ᄒ야
-찰쌀 ᄒᆞᆫ 되를 범벅 긔여 밀가
로 ᄒᆞᆫ 되 분곡 ᄒᆞᆫ 되 너허 버
무려 항에 너허 한데 두엇다가
-즁밋슨 졍월 묘일에 메살 두
말가옷 ᄲᅢ아 도돔이로 쳐셔 함
지에 담고 펄펄 ᄭᅳᆯ난 물에 긔
여 식혀셔 쵸밋세 한듸 범무려
두엇다가
-이삼월에 괴이면 너물 거시니
복사나모 가지로 져혀

60) 회산춘　回山春

- 2 제(동)를 빚으려면 멥쌀 2말 깨끗이 씻어 담갔다가 가루 내어 떡을 쪄서 ~,
- 물 30그릇 팔팔 끓여 아주 식히고,
- 차가워지면 가루 누룩 찻되로 6되 넣어 술밑을 하였다가,
- 술밑이 다 되거든, 찹쌀 4말 깨끗이 씻어 지에밥을 쪄~,
- 또 물 30그릇 펄펄 끓여 지에밥에 한데 부었다가, 아주 차가워지면, 밑술과 한데 버무려 넣었다가 ~,
- 다된 후, 웃국을 뜨고 주대에 짜면 좋다.

61) 일년주　一年酒

- 초(初) 밑은 섣달(12월)에 하되~,
- 찹쌀 1되를 범벅으로 개어 밀가루 1되, 누룩가루 1되를 넣고 버무려 항아리에 넣어 한데 두었다가~,
- 중(中) 밑은 정월 묘일(卯日)에 멥쌀 2말 반을 빻아 도드미로 쳐서 함지박에 담고, 펄펄 끓는 물에 개어 식혀서 초 밑과 한데 버무려 두었다가 ~,
- 2~3월에 (술이) 고이면 넘을 것이니, 복사나

-다 괴거든 삼월 초싱에 덧 찰
쌀 일곱 말을 ᄒ여 찔 제 물
쥬지 말고 쎠셔 진말 닷 홉과
물 ᄭᆯᄒ여 식혀 버물일 제 짐작
ᄒ여 부으라
-술독을 ᄯᅡ히 뭇고 꼭 봉ᄒ여
두엇다가 뉵월 초싱 쎠셔 쓰라

過夏酒 과하쥬
-찰쌀 ᄒᆞᆫ 말 빅셰ᄒ여 담갓다가
밥 쎠되
-ᄭᆯ힌 물 일여듧 복ᄌᆞ을 찔 제
골나 쎠셔 누룩가로 닷 홉을
셧거
-식은 물 반병에 담가 밤 진 후
그 물을 항에 너코 싸미여 두
엇다가
-스흘 만에 소쥬 열 복ᄌᆞ을 부
어 ᄯᅩ 봉ᄒ여 두엇다가 사흘
만에 또 세 복ᄌᆞ를 골나 두면
-칠 일 만에 보면 밥이 ᄯᅳ고 말
그리라

무 가지로 저어~,
- (술이) 다 고이면, 3월 초순에 찹쌀 7말을 더
찔 때, 물을 주지 말고 쪄서, 밀가루 5홉과 물
끓여 식힌 물을 버무릴 때 헤아려 붓는다.
- 술독을 땅에 묻고 꼭 봉하여 두었다가 6월 초
순에 떠서 쓴다.

62) 과하주 過夏酒 (여름나기 술)
- 찹쌀 1말 깨끗이 씻어 담갔다가 밥을 찌되~,
- 끓인 물 18 복자*를 (찔 때), 고루 뿌려 쪄서,
누룩가루 5홉을 섞어~,
- 식힌 물 반병에 담가 밤새 재운 후, 그 물을
항아리에 넣고 싸매어 두었다가,
- 사흘(4일) 만에 소주 10 복자를 부어, 또 봉하
여 두었다가, 사흘 만에 또 3 복자를 넣고 잘 저
어서 두면~,
- 7일 만에 보면 밥알이 뜨고 (술이) 맑을 것이
다.
 * 기름의 량을 헤아리는 데 쓰는 그릇. 모양이 접시와 비
슷하고 한쪽에 귀때가 붙어 있다.

청감쥬

-찰쌀 흔 말 밥 지어 누룩가로 닷 홉을 물은 말고 젼술 병 반에 고로고로 비즈면 맛시 쑬 갓트니라

-술 빗ᄂᆡᄃᆡ 무ᄌ 갑진 멸몰일 수흔일 뎡유일 두강이 죽은 날 술 빗기 긔ᄒᆞᄂᆞᆫ 고로 핑조빅긔일에 유불회긱이라

- 싀거든 붉근 팟 두 되 복가 줌치에 너허 더운 김에 술 가온ᄃᆡ 잠그면 쉰 맛 업ᄂᆞ니라

63) 청감주

- 찹쌀 1말 밥을 지어, 누룩가루 5홉을 (물은 넣시말고) 선술 병 반에 끌고루 섞어 빚으면 맛이 꿀 같다.

-O 술 빚는데, 무자(戊子)일, 갑진(甲辰)일, 멸몰(滅沒)일, 수흔일, 정유(丁酉)일은 두강(杜康:술의 시조)이 죽은 날이라 술 빚기를 꺼리는 까닭이다. *팽조백기일에 유불회객이라~했기 때문에 꺼리는 날을 피한다)

- 술이 시어지면 붉은 팥 2되 볶아 줌치에 넣어 더운 김에 술 가운데 잠기면 쉰 맛이 없어진다.

* 彭祖百忌日 酉不會客 : 팽조가 죽은 날 등 여러 가지 기일(忌日)을 피하고, 일진이 유(酉)일이면 손님을 맞아들이지 말고 잔치를 하지 말라.

마른안쥬

젼복쌈

-죠흔 젼복 흠신 불녀 건져 뵈보ᄌᆞ에 ᄊᆞ셔 물긔 업신 후 얇게 졈혀 실ᄇᆡᆨᄌᆞ ᄊᆞ셔

-자근 송편만치 ᄒᆞ여 가을 염졈ᄒᆞ야 쓰ᄂᆞᆫ니라

문어오림

-ᄯᅥᆨ가로 속에 뭇어 눅여 ᄂᆡ여 칼노 오리라

-광어 ᄃᆡ구 강요쥬 홍합 ᄃᆡ하 오증어포 게포 약포 어포 산포 ᄭᅩᆯ둑이 ᄇᆡᆼ어포

豆腐煎骨 두부젼골

-두부 얇게 졈혀 계란 씨와 잠간 붓치고

-도라지 고사리 미나리 파 다 각 ᄶᅵ셔 붓치고 계란 황ᄇᆡᆨ 각각 붓치고

-표고 늣타리 셕이 황 ᄇᆡᆨ 계란 붓친 것과 파 ᄎᆡ 쳐셔 계란 두부 각ᄉᆡᆨ 나물 붓친 거슬 잡탕 건지쳐로 써흘고 다사마 살마 써흘러 남비 담으되

-졍육 다져 잘 ᄌᆡ여 남비 밋히

[마른안주]

64) 전복쌈

- 좋은 전복 흠씬 물에 불려 건져, 베보자기에 싸서 물기를 없앤 후 얇게 저며 잣을 싸서~,
- 작은 송편만큼 만들어 가장자리를 다듬어 쓴다.

65) 문어오림

- 떡가루 속에 묻어서 눅여지면 칼로 오린다.
- 광어, 대구, 강요주, 홍합, 대하, 오징어포, 게포, 약포, 어포, 산포, 꼴뚜기, 뱅어포(도 문어오림과 마찬가지로 한다.)

66) 두부전골 豆腐煎骨

- 두부 얇게 저며 달걀을 씌워 잠깐 부치고~,
- 도라지, 고사리, 미나리, 파 모두 각각 째서 부치고, 계란 노른자 흰자를 각각 부치고~,
- 표고, 느타리, 석이, 계란 노른자 흰자 부친 것과 파 채 쳐서,

계란, 두부, 각색 나물 부친 것을 잡탕 건더기처럼 썰고, 다시마 삶아 썰어서 냄비에 담되,
- 쇠고기 다지고 잘 재워 냄비 밑에 좀 넣고, 각색 나물과 두부 부친 것을 줄로 돌아가며 색깔

좀 너코 각식 나물과 두부 부친 것슬 줄노 도라가며 식 마초아 흔계 담고 치 친 고명을 자옥히 흔 벌 쌕리고

-고기 진 거슬 약간 흔 케 노하 시루쩍 안치듯ᄒ여 담은

-우히 각식 고명 실고초 셕거 쌕리고 실빅ᄌ 흣터 물 좀 부어 함담 마초아 쓸여 쓰라

-전복 흠셕 축여 속가지 다 무른 후 가늘게 두다려 가로 민다라 슈건에 싸 곳쳐 축여 다식판에 박아 노인 찬흡에 쓰라

맞추어 함께 담고, 채 친 고명을 자욱이 1벌 뿌리고 ~,

- 고기 잰 것을 약간 1켜 놓아 시루떡 안치듯 담고~,

- 그 위에 각색 고명, 실고추를 섞어서 뿌리고, 잣 흩고 물 좀 부어, 간을 맞추어 끓여 쓴다.

- [**전복**(다식)] 물에 흠뻑 축여 속까지 다 무르게 한 후, 가늘게 두드려 가루로 만들고, 수건에 싸서 다시 물을 축여 다식판에 박아, 노인 찬합에 쓴다.

편 담난 법
-제사에만 틀에 담고 잔치에 딕
합이나 큰 대접시에 담나니 일
절 굽 놉흔 졉시난 쓰지 말나
-편틀에 괴이되 쳠딕로 편틀과
갓치 견양을 닉여 팟편을 먼저
담으되
-팟츨 살살 굵고 견양 딕여 아
릭우 잘고 염졈ᄒ여 담고
-녹두편 팟찰편 녹두찰편 쑬찰
편 흰쑬편 승검초 쑬편을 ᄎ례
로 담고 그 우에 각식 쥬악 싱
산승을 가흐로 돌녀 담고
-가온딕난 쑬쩍 흔 조각 버혀
노아야 속이 굳지 아이ᄒ여 다
른 웃기 노키 조흐니
-그 우히 듯텁쩍 돌녀 노코 셕
이단ᄌ 귤병단ᄌ 잡과편 엽엽
히 언고
-그 우히 률란 조란 싱강편 언
고 잣ᄀ로 쑉려 쓰라
-송편은 합이나 딕졉시에 담고
웃기난 각식 화젼과 혹 밤단ᄌ
쑤구리 언난이라
-증편도 송편과 갓치 담으되 웃
기난 ᄺᅵ인절미 쓰나라
-무우실우쩍도 합과 졉시에 담
으되 웃기난 밤단ᄌ 화젼이라
-기피쩍도 송편과 흔가지 담으

67) O 편 담는 법

- 제사에만 틀에 담고, 잔치에는 대합이나 큰 대접에 담으니, 일절 굽 높은 접시는 쓰지 말라.

- 편 틀에 괴이되 첨대로 편 틀과 같이 견양(見樣)*을 내여 팥떡을 먼저 담되,

  * 어떤 물건에 겨누어 정한 치수와 양식.

- 팥을 살살 굵고 견양대로 아래위를 자르고 가장자리를 정돈하여 담고,

- 녹두편, 팥찰편, 녹두찰편, 꿀찰편, 흰꿀편, 승검초 꿀편을 차례로 담고, 그 위에 각색 주악(웃기떡류), '생산승'을 가장자리로 돌려 담고,

- 가운데는 꿀떡 1조각 베어 놓아야 속이 굽지 않아, 다른 웃기 를 놓기 좋다.

- 그 위에 두텁떡을 돌려놓고, 석이단자, 귤병단자, 잡과편을 각각 꼼꼼하게 얹고,

- 그 위에 '율란', '조란', '생강편'을 얹고 잣가루 뿌려 쓴다.

- [송편]은 합(合)이나 대접에 담고, 웃기는 각색 화전과 또는 밤단자, 수구리를 얹는다.

- [증편]도 송편과 같이 담되, 웃기는 '깨인절미'를 쓴다.

- [무시루떡]도 합과 접시에 담되, 웃기는 밤단자, 화전이다.

- [개피떡]도 송편과 한가지로 담되, 웃기는 '곱

되 웃기는 쑵쟝썩 쓰난이라

-편 치는 시식디로 ᄒ되 접시에
싸여 쓰나이라

-편청은 종ᄌ 노흐라

-면은 사리로 합에 담고 우히
계란치 색려 쓰라

-제사에 싱으로 쓰고 장국 쓰지
아이 ᄒ눈이라

-탕은 육탕 어탕 소탕 삼 종으
로 여러 가지 변ᄒ여 쓰난니

-양탕은 양 틔ᄒ여 살마 탕긔에
담으되

-무우나 외나 가지나 박이나 살
마 먼저 섯흐려 만히 담고

-고기 언고 양 조각으로 덥고
가흘 돌녀 염졈ᄒ고

-계란 부쳐 귀지게 써흐려 언져
쓰라

-갈이탕은 잘게 잘나 흠신 고아
건져 담고 계란을 양탕갓치 언
져 쓰라

-족탕은 므르게 고아 건져 담고
계란 언지라

-싱치탕과 닭탕은 각 써혀 살마
건져 담고 계란 언즈라

-어탕은 토막 길게 지어 계란
씨워 지져서 탕긔에 밧침 너코
언져 계란 언져 쓰라

장떡'을 쓴다.

- [편 채]는 식성대로 하되, 접시에 깔아 쓴다.

- [편청]은 종지에 놓는디.

- [면]은 사리로 합에 담고 위에 계란 채를 뿌
려 쓴다.

- 제사에는 생으로 쓰고 장국은 쓰지 않는다.

- [탕]은 육탕, 어탕, 소탕, 3종으로 여러 가지로
변하여 쓴다.

- [양탕]은 양을 깨끗이 손질하여 삶아 탕기에
담되,

- 무나 오이나 가지나 박이나 삶아 먼저 흩으려
많이 담고~,

- (양)고기 없고 양 조각으로 덮고 가장자리를
돌려 정돈하고

- 계란을 부쳐 귀나게 썰어 얹어 쓴다.

- [갈비탕]은 잘게 잘라 흠씬 고아 건져 담고,
계란을 양탕처럼 얹어 쓴다.

- [족탕]은 무르게 고아 건져 담고 계란 없는다.

- [생치탕]과 [닭탕]은 각을 떠서 삶아 건져 담
고 달걀을 얹는다.

- [어탕]은 길게 토막 지어. 달걀을 씌워 지져서
탕기에 받침을 놓고 얹고, 계란을 얹어 쓴다.

-홍합탕은 홍합 초ᄒ여 담고 계란 언저 쓰라
-믜탕은 믜쌈갓치 ᄒ여 담고 계란 언저 쓰라
-게탕은 갈납갓치 ᄒ여 담고 계란 언저 쓰라
-소탕은 두부 부쳐 담고 다시마 살마 반드시 잘나 우희 덥허 쓰라
-탕 슈효 더 ᄒ려면 골 갈납 부쳐 담아도 쓰고 어만두도 쓰고 찜도 담아 쓰난니라
-포난 어육 각식으로 ᄒ난니
-혼인과 슈연 큰상에ᄂ 포을 이갓치 쓰난니라
-졍육을 넓고 길게 쩌서 소곰에 쥐믈너 말녀
-녹녹할 제 보에 싸서 돌을 눌너 반반ᄒ거든 포 틀에 견양ᄒ여 염졈ᄒ고
-광어 ᄃ구 상어 등속을 물에 잠간 적셔 보자 축여 싸 두엇다가
-흠씬 녹어야 겁질 잘 버시니 벗겨서 육포와 갓치 염졈ᄒ여 담으되 밋ᄒ 상어 담고 그 우ᄒ ᄃ구 광어 육포 언고
-그 우희 문어오림 가로로 두세번 둘너 언고 가온ᄃ 전복 졈혀 노코 전복 우희 ᄇᆡ지로 목

- [**홍합탕**]은 홍합에 초를 치고 담고 계란을 얹어 쓴다.
- [**해삼탕**]은 해삼쌈 같이 담고 계란을 얹어 쓴다.
- [**게탕**]은 갈납처럼 담고 계란을 얹어 쓴다.
- [**소탕**]은 두부 부쳐 담고, 다시마 삶아 반듯이 잘라 위에 덮어쓴다.
- 탕 수효를 더 하려면 골 갈랍을 부쳐 담아도 쓰고, 어만두도 쓰고, 찜도 담아 쓴다.
- [**포**]는 어육 각색으로 하되,
- 혼인과 수연 큰 상에는 포를 이와 같이 해서 쓴다.
- 쇠고기를 넓고 길게 떠서 소금에 주물렀다 말려~,
- 눅눅해질 때, 보자기에 싸서 돌을 눌러 반반해지면 포 틀에 견양하여 가장자리를 정돈하고,
- 광어, 대구, 상어 등속을 물에 잠깐 적셔 보자기에 축여 싸 두었다가~,
- 흠씬 눅어야 껍질 잘 벗겨지니, 벗겨서 육포와 같이 가장자리를 정리하여 담되, 밑에 상어 담고, 그 위에 대구, 광어 육포 얹고,
- 그 위에 문어오림을 가장자리로 2~3번 둘러 얹고, 가운데 전복 저며 놓고, 전복 위에 백지로 목판 모양을 만들어 잣을 담아 쓴다.

판 모양 민다라 실빅 담어 쓰
난니라

-혼인 수연 큰샹에도 이와 갓타
니라

-젹은 어젹으로 삼 젹 ᄒ나니

-혼인 슈연 큰샹에도 이와 갓치
쓰나니라

-육젹은 졍육을 손둣게갓치 셰
오리을 졈여 견양듸로 염졈ᄒ
고 양념에 ᄌ여

-도마에 셰 조각을 연히 노코
싸리 꽃이 둘노 좌우을 질너
쒸이고 산젹갓치 잔칼질 잠간
ᄒ야 ᄭ소금 ᄲ려 셕쇠에 언져
반슉 못 되게 구어 쓰듸

-사지 둘 감ᄂ니라

-가리젹은 큰 가리 셰 듸 한테
븟쳐 오려 기리는 젹틀에 건양
ᄒ여 잘고

-어여 ᄌ여 육젹갓치 구어 쓰듸
사지 ᄒ나 감ᄂ니라

-죡젹은 살마 건져 긴 쎼ᄂ ᄇ
리고 굽통 ᄉ이만 갈너 ᄌ여
구어 쓰듸

-두 긔 ᄒ면 쏘지 좌우로 질너
ᄉ지 둘 감고 ᄒ나 ᄒ면 ᄉ지
ᄒ나 감나니라

-어젹은 큰 싱션 쥬둥이 부리만
잘고 쏭이 버혀 어여 양념ᄒ
여 잠간구어 쓰듸

- 혼인과 수연 큰 상차림도 (포는) 이와 같이 한
다.

- [적(炙)]은 어적(魚炙)으로 3가지 적을 하는
데,

- 혼인, 수연(壽宴) 큰 상차림도 이와 같이 해서
쓴다.

- [육적(肉炙)]은 쇠고기를 손바닥 두께만큼 3
오리를 저며, 견양대로 모양을 정돈하고 양념에
재워~,

- 도마에 3조각을 연달아 놓고, 싸리 꼬치 2개로
좌우를 질러 꿰고, 산적(散炙)같이 잔 칼집 살짝
내어, 깨소금 뿌려 석쇠에 얹어, 반숙 못 되게 구
어 쓰되~,

- 사지를 둘로 감는다.

- [갈비적]은 큰 갈비 3대를 한데 붙여 오려, 길
이는 적 틀에 견양하여 자르고,

- 칼집을 넣어 재워, 육적과 같이 구어 쓰되, 사
지를 하나로 감는다.

- [족적]은 삶아 건져 긴 뼈는 버리고, 발굽 통
사이만 갈라 재워 구어 쓰되,

- 2개 하면 꼬치를 좌우로 질러 사지를 둘로 감
고, 하나 하면 사지를 하나로 감는다.

- [어적]은 큰 생선 주둥이 부리만 자르고, 꼬리

-ᄉᆞ지 하나 감ᄂᆞ니라
-ᄉᆡᆼ치ᄂᆞᆫ 닭적은 거두 절미ᄒᆞ고 ᄇᆡ 갈너 전체로 어여 ᄌᆡ여 구어 쓰되
-ᄉᆞ지 둘을 다리 마ᄃᆡ에 감ᄂᆞ니라
-적 담ᄂᆞᆫ 절ᄎᆞ은 적틀에 육적 담고 그 우ᄒᆡ 어적 그 우ᄒᆡ ᄉᆡᆼ치나 닭적이라
-적 슈효 만히 ᄒᆞ라면 간적 두부적 부화 길여 노ᄒᆞ라

젓갈 담ᄂᆞᆫ 법
-조긔젓슨 비ᄂᆞᆯ 긁거 씨셔 얇게 졈혀 졉시에 담은 되 면지 깔고 깔아 담아 쓰ᄂᆞ니라
-ᄉᆡ오젓도 쓰고 명난이나 알젓슨 반듯반듯 버혀 쓰라

간랍
-잡히는 콩팟 쳔엽 간 반드시 써흐려 녑녑희 담고 가온ᄃᆡ 조희을 ᄭᅩᆺ젼갓치 오려
-소곰 호초ᄀᆞ로 녑녑희 언져 노ᄒᆞ 쓰난니라
-단 쳔엽회만 ᄒᆞ랴면 갸름ᄒᆞ게 버혀가로로 실빅ᄌᆞ ᄒᆞ난식 물녀 말려 담아 쓰난이라

자르고 어여 양념하여 살짝 구어 쓰되,

– 사지를 하나 감는다.

– 꿩이나 닭적은 머리와 꼬리는 자르고, 배 갈라 전체로 어여 재워 구어 쓰되,

– 사지 둘을 다리 마디에 감는다.

– 적을 담는 절차는 적 틀에 육적 담고, 그 위에 어적, 그 위에 생치적이나 닭적 순이다.

– 적의 수효를 많이 하려면, 간적, 두부적, 부화를 길게 놓는다.

68) 젓갈 담는 법

– 조기젓은 비늘을 긁고 씻어 얇게 저며서 접시에 담되, 면지를 깔고 접시에 담아 쓴다.

– (젓갈로) 새우젓도 쓰고, 명란이나 알젓은 반듯반듯 베어 슨다.

69) 간랍

– 잡회는 콩팥, 천엽, 간을 반듯하게 썰어 하나하나 꼼꼼히 담고, 가운데에 종이를 꽃전같이 오려~,

– 소금, 후춧가루 꼼꼼히 얹어 놓아 쓴다.

– 단, 천엽회만 하려면, (천엽을) 갸름하게 베어, 가장자리로 잣 하나씩 물리고 말아서 담아 쓴다.

제수 김치

-무우를 골픽 모양으로 얄게 쓰
흐려 나빅김치 담아 쓰되 파
고초 마늘 싱강 다 쳐 너허 닉
히라

-츈ᄒᆞ난 미나리와 가지김치도
쓰ᄂᆞ니라

좌반 담난 법

-민어을 과어 포 츅이 듯ᄒᆞ여
겁절 벗겨 포갓치 잘나 담고 어
란 (갓튼 거슨 우희 언져 쓰ᄂᆞ
니라

-좌반 업거든 튀각으로 디신ᄒᆞ라

-무론 졔스 잔ᄎᆞ ᄒᆞ고 간납 곗
드려 담ᄂᆞ 법은 전유어 족편
슉육 녑녑히 곗드리고 쓰나티
졔스와 큰상에ᄂᆞ 믜삼을 전유
어 우희 언ᄂᆞ니라

-실과 곗드려 담ᄂᆞ 법은 싱실과와
조과는 흔딕 곗드리지 아니ᄒᆞᄂᆞ니

70) 제사 김치

- 무를 골패(건빵) 모양으로 얇게 썰어 나박김치
담아 쓰되, 파 고추, 마늘, 생강을 다져 넣어 익
힌다.

- 봄여름에는 미나리와 가지김치도 쓴다.

71) 자반 담는 법

- 민어를 광어 포 추기듯 하여 껍질 벗겨 포같
이 잘라 담고, 어란 같은 것은 위에 얹어 쓴다.

- 자반 없거든 튀각으로 대신한다.

- 물론, 제사나 잔치하고 간납 곁들여 담는 법은
전유어, 족편 수육, 하나하나 꼼꼼히 곁들여 쓰는
데, 제사와 큰 상에는 해삼을 전유어 위에 얹는
다.

- 실과를 곁들여 담는 법은 생 실과(實果)와 조
과(造菓)는 한데 곁들이지 않는다.

두부법

-거품 일 졔 들기름씩기 좀 치
면 삭느니라

-쉬여도 안이 되고 담비와 쯔물
이 셕기면 아조 버리니 조심ᄒ
라

-콩을 타셔 담가 부른 후 씨셔
일어

-다른 물에 담가 갈되 곱게 갈
라 솟테 물을 조곰 부어 쓸히
여

-콩 간 거슬 부어 쥬걱으로 살
살 져허 글커든 물을 쳐 가며
ᄆ오 솟고쳐 쓸은 후

-뵈자루에 퍼부어 함지에 되고
쓰되 이벌 다 쓰고

-쏘 자루을 버리고 물을 쳐 가
며 죄 다 쌜아 쓰셔 체에 ᄒ
번 밧쳐

-솟츨 부시고 부어 슌 드릴 졔
식거든 불을 조곰 너허 간슈를
치되

-만히 치면 틤너나고 쌕쌕ᄒ니
맛초와 드려

-쏘 보ᄌ에 퍼 부쌰셔 누르되
오릭 누르면 쎡쎡ᄒ니 맛초와
버허 물에 담으라

72) 두부법

- 거품이 일 때 들기름 찌꺼기 좀 치면 삭는다.

- 쉬어도 아니 되고, 담배와 뜨물이 섞이면 아주 버려버리니 조심한다.

- 콩을 타서 담가 불린 후 씻어 일어(불순물 제거) ~,

- 다른 물에 담갔다가 곱게 갈아~, 솥에 물을 조금 부어 끓여~,

- 콩 간 것을 부어 주걱으로 살살 저어~, 끓거든 물을 쳐 가면서 매우 솟구쳐 끓인 후~,

- 베자루에 퍼부어 함지박에 대고 애벌까지 다 짜고~,

- 또 베자루을 벌리고 물을 쳐 가며 죄 다 빨아 짜서, 체에 1 번 밭쳐~,

- 솥을 부신 물을 부어 숨죽일 때, 식거든 불을 조금 넣고 간수를 치되~,

- 많이 치면 쓴맛 나고 딱딱하니 알맞게 넣고~,

- 또 보자기에 퍼붓고 (순두부를)싸서 누르되, 오래 누르면 딱딱하니, 알맞게 잘라 물에 담가 놓는다.

제물묵법

-청포ᄂᆫ 녹말노 눅고 되기를 맛
초아 ᄡᅮ어 쓰되

-치ᄌ물 (드)려 ᄡᅮ면 노랑물 고
흐리라

-녹말 간 것 가난 체로 밧쳐 가
라안진 후 물을 담고 ᄡᅮ되

-되면 ᄯᅡᆨᄯᅡᆨᄒ고 불이면 누르니
만화로 맛초아 ᄡᅮ어

-소곰 기름 ᄭᅢ소곰 고초가로 너
허 무쳐 담고 김 쉬 언지라

73) 제물 묵법

- [청포(묵)]는 녹말로 눅고 되기(점도)를 맞추
어 쑤어 쓰되,

- 치자 물을 들여 쑤면 노랑물로 곱다.

- 녹말 간 것을 가는 체로 밭쳐 가라앉은 후, 물
을 담아 쑤되,

- 되면 딱딱하고 묽으면 누르니 뭉근히 약불로
맞추어 쑤어~,

- 소금, 기름, 깨소금, 고춧가루 넣고 무쳐 담고,
김 부숴 얹는다.

엿길금 길으 법

-보리을 졀구에 슬금슬금ᄒ여 킈에 ᄭ불너 물에 담가 ᄒ참만에 건져

-동의에 담아 콩 싹 틔듯 물을 쳐 ᄭ블너

-트거든 물에 씨셔 시루에 안치고 물 쥬여 하로 건너식 물에 씨셔 안쳐 길으디

-다리면 썩ᄂᆞᆫ니

-다 길은 후 말입히 반건되거든 손으로 부븨여 도 된 싹을 부쉬 ᄭ불너 밧삭 말녀 두고 쓰라

-ᄯᅩ 길으ᄂᆞᆫ 보리를 싹 틔워 광 바닥을 졍히 쓸고 펴 노코 거젹을 축여 덥허닷가 자로 쓰러 담아 물에 씨셔

-ᄯᅩ 여러 날 ᄒ여 길으면 길금이 달고 조흐니라

-밀도 길으난니라

모밀묵 법

-모밀을 쓸어 킈로 ᄭ불너 물에 데여 담가 일 건져 쌔셔 체로 걸너 쓔되

-눅고 되기을 마초아 쓔되 만화로 ᄶᅵ이라

74) 엿기름 기르는 법

- 보리를 절구에 슬금슬금 찧어 키에 까불러 물에 담갔다가~, 한참 만에 건져~,

- 동이에 담아 콩 싹 틔우듯 물을 쳐 까불러~,

- (싹이) 틔거든 물에 씻어 시루에 안치고, 물을 주고 하루 건너씩 물에 씻어 안쳐 기르되,

- (싹이 다 튼 동이를) 달이면 썩으니,

- 다 기른 후, (엿기름 싹) 말 잎이 반쯤 건조되거든, 손으로 비벼, 다 된 싹을 부숴~ 까불러, 바싹 말려두었다가 쓴다.

- 또 기르는 보리를 싹 틔운 뒤, 광 바닥을 깨끗이 쓸고~, 펴 놓고 거적을 물로 축어 덮었다가, 자주 쓸어 담아, 물에 씻어~,

- 또 여러 날 (앞 단계와 같이) 하여 기르면 엿기름이 달고 좋다.

- 밀(소맥)도 (엿기름으로) 기른다.

75) 메밀묵 법

- 메밀을 깨끗이 씻어 찧고 키에 까불러 물에 담갔다가, 일어 건져 빻아서 체로 걸러 쑤되,

- 눅고 되기(점도)를 맞추어 쑤되, 뭉근히 약한 불로 한다.

녹말 슈비법

-녹말 타서 물에 담갓다가 붓거든 거피ᄒ야 졍히 씨셔
-믜에 가라 굴근 체에 걸너 무명 견ᄃᆡ에 너허 짜고 물체 죄 ᄲᅡᆯ라 큰 ᄌᆞᆨ박이에 담고
-가라안거든 누른 물을 죄 ᄯᆞ르면 묵물쥭도 쓔고 알국도 ᄭᅵ라 난니라
-ᄉᆡ로 물 부어 손으로 져허 두엇다가 그 잇튼날 ᄯᅩ ᄯᅳ르고 부어 여러 날 ᄒᆞ여
-물이 ᄂᆡᆼ슈갓치 맑거든 물을 ᄯᆞ르고 볏히 노ᄒᆞ 물긔 거든 후 유지에 슐노 ᄯᅥ셔 널어 밧삭 말리여 쓰라
-동부예 팟도 다 슈비 되난니라
-송화와 갈분과 슈슈와 률무 여러 의이ᄀᆞ로을 다 슈비 ᄂᆡ여 쓰ᄂᆞᆫ니라
-호박젼은 어린 호박 얇게 졈혀 소곰 ᄲᅵ려 잠간 져려 가로 약간셕거 변쳘에 기름 두우고 노릇노릇ᄒᆞ게 붓쳐 초쟝에 쓰되
-호박을 가로 쓰지 말고 민젼으로 기름에 ᄯᅴ워 지지면 맛시 ᄌᆞ별
-초나물은 어린 호박 ᄶᅡᆨ기셔 살작 ᄶᅧ셔 ᄯᅩ 반에 ᄶᅡᆨ기여 착착 얇게 써흐러

76) 녹말 수비법

- 녹말을 타서 물에 담갔다가 불면 껍질 벗겨 깨끗이 씻어~,

- 맷돌에 갈고 굵은 체에 걸러, 무명 견대(肩帶: 자루)에 넣어 짜고~, 물에 넣고 죄다 빨아 큰 자배기에 담고~,

- 가라앉거든 누른 물을 죄다 따라 내면~, 묵물 죽도 쑤고 알국도 끓인다.

- 새로 물 붓고 손으로 저어 두었다가 그 이튿날 또 따라 내고, 붓기를 여러 날 반복한 다음~,

- 물이 냉수같이 맑거든 물을 따라 내고, 볕에 놓아 물기를 걷어낸 후, (앙금을) 숟가락으로 떠서 기름종이에 넣고 바싹 말려 쓴다.

- 동부와 팥, 모두 수비가 된다.

- 송화와 칡가루와 수수와 율무, 여러 이의 가루를 다 수비로 만들어 쓴다.

- [호박전]은 어린 호박 얇게 저며, 소금 뿌려 잠깐 절여~, 밀가루 약간 섞어 팬에 기름을 두르고 노릇노릇하게 부쳐 초장에 곁들여 쓰는데,

- 또 호박은 가루를 쓰지 않고, 그냥 전으로 기름에 띠워 지지면 맛이 자별하다.

- [초나물]은 어린 호박 쪼개서 살짝 쪄서 또 반으로 쪼개어 착착 얇게 썰어서~,

-파 싱강 다져 너코 고초ᄀ로
씨소금 지령 초 기름 너혀 함
담 마조아 무치라
-가지나물은 어린 가지 폭 쪄셔
겁질 벗기고 가늘게 ᄶ셔 물은
살짝 ᄶ고
-파 다져 너코 고초ᄀ로 씨소금
기름 지령 초 함담 맛초 무치라
-쑥갓나물은 쑥갓 졍히 다듬어
ᄶ셔 살작 무르게 살마 건져
ᄶ셔
-쥴기 조흔 것 갸름ᄒ게 잘너
고초신로 기름 지령 초 너허
함담 마초아 무치라
-박나물은 굿지 안은 어린 박을
겁절 벗게 속 ᄂ고 두 손가락
너비만치 오려 얇게 써흐려
-황육 다져 너코 표고버섯 셕이
실고초 파 ᄎ 쳐셔 진장에 함
담 마초아 북가 기름 씨소금
너허 무쳐 쓰라
-여물나물은 미ᄂ리 쇤 ᄃ 다듬
어 ᄶ셔 잘게 송송 써흐려 소금
져려 ᄲ라 탈ᄶ셔
-옹에ᄂ 남비에ᄂ 지령 둘너 달
우다가 살작 복가 씨소금 기름
고초가로 너허 쓰라

- 파, 생강 다져 넣고 고춧가루, 깨소금, 지령(청장), 식초, 기름 넣고 간을 맞추어 무친다.
- [가지나물]은 어린 가지 푹 익게 쪄서, 껍질 벗기고 가늘게 째서 물은 살짝 짜고~,
- 파 다져 넣고 고춧가루, 깨소금, 기름, 지령, 식초 간을 맞추어 무친다.
- [쑥갓나물]은 쑥갓 깨끗이 다듬어 씻어 살짝 무르게 삶아 건져 짜서~,
- 줄기 좋은 것을 갸름하게 잘라, 고춧가루, 기름, 지령, 식초 넣어 간을 맞추어 무친다.
- [박나물]은 굳지 않은 어린 박을 껍질 벗겨 속을 내고, 두 손가락 너비만큼 오려 얇게 썰어~,
- 소고기 다져 넣고 표고버섯, 석이, 실고추, 파 채 쳐서, 진간장에 간을 맞추고 볶아, 기름, 깨소금 넣고 무쳐 쓴다.
- [여물나물]은 미나리 쇤 대를 다듬어 씻고 잘게 송송 썰어 소금 절여 빨아 짜내고서~,
- 새옹이나 냄비에 지령을 둘러 달구다가 살짝 볶아 깨소금, 기름, 고춧가루 넣어 쓴다.

미ᄂ리장앗지

-미ᄂ리 ᄒ 치 기ᄅ식 잘나 지령에 져려

-파 마ᄂ 고초ᄀ로 기름 ᄭ소금 너허 무치되 혹 초두 너코

-익키ᄂ 거산 초 기름 ᄭ소금 너치 말ᄂ

-셰파장앗지은 셰파 졍히 ᄊ셔 미ᄂ리장앗지갓치 ᄒ라

속ᄃ짠지

-조흔 ᄇ초속ᄃ 써흐지 말고 지령에 져려 고초 파 ᅀᆼ강 마ᄂ 다 치 치고 ᄭ소금 기름 너허 무쳐 쓰라

고초닙장앗지

-고초닙 졍히 ᄯ셔 데쳐 말녓다가 ᄒ 졔 ᄯ 데쳐 담가 여러 번 물 가라 우려셔 건져 말녀

-ᄲ득ᄒ거든 말닌 무우도 셕고 파 마ᄂ 다져 고초ᄀ로 지령에 버무려 항에 너퇴 ᄯᆨᄯᆨ 눌너 너허 두라

77) 미나리 장아찌

- 미나리 1치 길이씩 잘라 지령에 절여~,

- 피, 마늘, 고춧가루, 기름, 깨소금 넣어 무치되~, 더러 식초를를 넣는데,

- 익히는 것에는 식초, 기름, 깨소금을 넣지 않는다.

- [실파 장아찌]는 실파를 깨끗이 씻어 미나리 장아찌와 똑같이 한다.

78) 속대 짠지

- 좋은 배추 속대를 썰지 말고 지령에 절여~, 고추, 파, 생강, 마늘 다 채 치고, 깨소금, 기름 넣어 무쳐 쓴다.

79) 고춧잎 장아찌

- 고춧잎 깨끗이 따서 데쳐 말렸다가, (장아찌) 할 때 또 데쳐 담가, 여러 번 물 갈아 우려서 건져 말려~,

- (고춧잎이) 뽀득뽀득해지면 말린 무도 섞고, 파, 마늘 다지고 고춧가루, 지령에 버무려 항아리에 넣되, 꾹꾹 눌러 둔다.

가지짠지

-가지 쯔기셔 반드시 잘나 어여 잠간 데쳐 졍육 다져 지셔
-어인 식로 소 너허 지령 좀 쳐셔 기름 둘너 복가 씨소금 기름 버무려 쓰라

풋고초조림

-두부 붓치고 북어 토막 지어 석거 조려
-막우 먹는반찬 ᄒ나니라
-가을 고초 어린 걸노 골나 혼 번 살마 바이오 조이되
-양직머리쎄ᄂ 기름게 인ᄂ 고기를 만히 너허 조리면 겨울과 봄 식 쫀 반찬 조흐니라
-풋고초 잠간 데쳐 쩌셔 씨 발으고
-졍육 지여 소 너허 녹말을 씬 혼솔에만 뭇쳐 진장 쓸을 제 고이 너허 조리면 조코
-그져 조리랴면 쏙지 ᄯᆞ고 씨셔 황육 조기살 멸치 문어 잘고 연게을 합ᄒ여 조리ᄂ니라

---

80) 가지짠지

- 가지를 쪼개서 반듯이 잘라 칼집을 주고 살짝 데쳐~, 쇠고기 다져 재워서~,
- 칼집 사이로 소를 넣고, 지령 좀 쳐서 기름 둘러 볶아, 깨소금, 기름 버무려 쓴다.

81) 풋고추 조림

- [두부조림] 두부를 부치고, 북어 토막 지어 섞어 조려~,
- 마구 먹는 반찬으로 쓴다.

법1)- 가을 고추 어린 걸로 골라, 1번 삶아 물은 버리고 졸이되,
- 양지머리뼈는 기름기 있는 고기를 많이 넣어 조리면, 겨울과 봄 새 짠 반찬으로 좋다.

법2)- 풋고추 잠간 데치고 쪄서 씨 발라내고~,
- 쇠고기 재웠다가 소를 넣고, 소를 꿴 한쪽에만 녹말을 묻혀 진장 끓을 때 고이 넣고 조리면 좋고,
- 그냥 조리려면 꼭지 따고 씻어 쇠고기, 조갯살, 멸치, 문어를 자르고 연계(軟鷄)를 합하여 조린다.

북어뭇침

-북어 잘게 쓰더 손으로 싹싹 부븨여 가위로 써흐려 기름 씨 소금 고초ㄱ로 쑬 신상 너허 무치라

둘흡장앗지

-둘흡 살마 벗게 갸름하게 잘나
-황육 다지고 파 좀 너코 지령 쳐 복가 씨소금 기름 고초ㄱ로 셕거 무쳐 쓰라

상취쏨

-김쏨은 기챵을 손으로 문질너 답틔 쓰고
-반 우히 펴 노코 발기깃로 기름을 발며 소곰 솔솔 쌕려 재여 구어 네모반듯시 버허 담고 복판에 쏘지 질너야 허여지
-상취 졍히 씨셔 다른 물에 담고 기름 쳐 져흐면 기름이 흠삭 상취에 다 빅느니
-닙흘 펴셔 긔여 담고 고초장에 황육 다져 너코 위어ᄂᆞᆫ 씨나리ᄂᆞ 다른 싱션이ᄂᆞ 너허 파 갸름 갸름하게 써흘고 기름 쳐셔 쪄 너여 물에 쓸에 쏨 먹으라
-쏨에ᄂᆞ 셰파와 쑥갓과 향갓 겻드려 담으라

82) 북어무침

- 북어 잘게 뜯어 손으로 싹싹 비벼, 가위로 썰어, 기름, 깨소금, 고춧가루, 꿀, 진상 넣어 무친다.

83) 두릅 장아찌

- 두릅을 삶아 껍질 벗겨 갸름하게 잘라~,
- 쇠고기 다지고 파 좀 넣고, 지령 쳐서 볶아 깨소금, 기름, 고춧가루 섞어서 무쳐 쓴다.

84) 상추쌈

- [김쌈]은 김을 손으로 문질러 잡티를 뜯어내고,
- 소반 위에 펴 놓고 발개 깃으로 기름을 바르며 소금을 솔솔 뿌려 재웠다가 구워 네모 반듯이 잘라 담고, 복판에 꼬치 질러야 풀어지지 않는다.
- 상추 깨끗이 씻어 다른 물에 담그고, 기름을 치고 저으면 기름이 상추에 흠씬 다 배니~,
- 상추잎을 펴서 개어 담고~, 고추장에 쇠고기 다져 넣고, 위어나 까나리나 다른 생선을 넣고, 파 갸름갸름하게 썰고, 기름 치고 쪄내어 물에 끓여 쌈으로 먹는다.
- 쌈에는 실파와 쑥갓과 겨자채를 곁들여 담는다.

낭화

-밀ᄀᆞ로 반죽ᄒᆞ여 풀닙갓치 밀어 탕 고명갓치 귀지게 써흐려 살마 건져 장국에 말고
-황육 다지고 표고 셕이버섯 파 다 ᄎᆡ 쳐 고기에 합히 ᄌᆡ여 북가 우희 언고 계란치와 호초가로 ᄲᆞ려 쓰라

엿 고는 볍

-고명은 복근 ᄭᅢ 강반 잣 호도 호초 계피 건강 ᄃᆡ초 다짓 것
-ᄒᆞᆫ 말 고랴면 엿기름가로 얼어미에 쳐서 ᄎᆞ되 한 되 너허 ᄒᆞ되
-출밥 되게 지어 된 김 나고 ᄯᆞᆺ 듯ᄒᆞ거든 엿기름을 물에 타 ᄲᆡ라 부어 죽걱으로 져허 ᄯᅮ에 덥허 두엇다가
-자조 여려 보고 밥풀을 건져 부븨 보아 잘 삭어거든 자루에 ᄶᆞ셔 고을 졔 불이 ᄉᆞ면 누르니 ᄊᆞ리 ᄀᆞ지로 드리워 보아 가며 조리라
-쳐음은 쓰기 ᄶᆡ고 ᄎᆞᄎᆞ 만화로 ᄶᆡ이라
-식힐 ᄃᆡ 손을 ᄌᆞ조 너허 보고 ᄎᆞ지 안니케
-겨을은 아궁이에 겻불을 만으로 피우고 놋그릇 너허 두면 ᄲᅢ 삭ᄂᆞ니라

85) 낭화

- 밀가루 반죽하여 풀잎같이 밀어서 탕(湯) 고명처럼 어슷하게 썰고 삶아 건져 장국에 말고~,
- 쇠고기를 다지고 표고, 석이버섯, 파 모두 채쳐, 고기에 합해
재웠다가 볶아서 (장국) 위에 얹고, 계란 채와 후춧가루 뿌려 쓴다.

86) 엿 고는 법

- 고명은 볶은 깨, 강반(마른 밥), 잣, 호두, 후추, 계피, 말린 생강, 대추 다진 것을 (쓴다).
- 1말을 고려면, 엿기름가루 어레미에 쳐서 채우되, (엿기름가루) 찻되로 1되 넣어서 하되,
- 찰밥 되게 지어 된 김이 나고 따뜻하거든, 엿기름을 물에 타서 빨아 부어, 주걱으로 저어 뚜껑을 덮어 두었다가~,
- 자주 (뚜껑을) 열어 보고 밥풀을 건져 비벼 보아, 잘 삭았으면 자루에 짜서 고되~, 골 때 불이 세면 누르니, 싸리나무 가지로 드리워, 보아 가며 조린다.
- 처음엔 불을 세게 하고, 차츰 뭉근하게 약불로 하라.
- 식힐 때 손을 자주 넣어 보고, 차갑지 않게,
- 겨울엔 아궁이에 겻불을 약불로 피우고, 놋그

-너모 더우면 아조 ᄇ리고 ᄤ가
지ᄂ면 싀여 못 쓰고 엿기름이
만히 들면 쥴이 조치 못ᄒ니
극히조심ᄒ라
-만히 고ᄂ 거슨 쥴 지어 ᄤ듯
시루에 ᄤ 방 안에 항아리ᄂ
독을 노코 삭(히)되
-엿기름 믈을 항에 먼져 붓고
밥을 너허 져어 덥고 ᄡ셔 두되
-ᄤ을 맛초아 ᄶ 졔 ᄂᆯ믈은 일
졀 치지 말고
-솟테 부어 조일 졔 시루 걸고
ᄤ리다가 거진 졸거든 시루 ᄤ
이라
-엿 골 졔 부졍ᄃᆡ기 ᄒᄂ 거슨
경도ᄒᄂ ᄉ람 피 무든 옷 입
은 사람 일졀 긔ᄒ라
-슈슈엿슨 슈슈 곱게 닥거 밥
지어 엿기름 셕거 미에 가라
위와 갓치 삭히라

릇에 넣어 두면 쉽게 삭는다.

- 너무 더우면 아주 버리고, 때가 지나면 쉬어
못 쓰고, 엿기름이 많이 들어가면 줄이 조치 못
하니 극히 조심한다.

- 많이 고는 것은 줄지어 찌듯, 시루에 쪄 방 안
에 항아리나 독을 놓고 삭히되,

- 엿기름 물을 항아리에 먼저 붓고 밥을 넣고
저어서 덮고 싸매서 두되,

- 때를 맞추어 짤 때, 맹물은 일절 치지 말고,

- 솥에 부어 조릴 때 시루를 걸고 (불을) 때다가
거의 졸여지면 시루를 떼어낸다.

- 엿 골 때 부정타게 하는 것은 몹시 놀란 넘어
진(경도:驚倒) 사람, 피 묻은 옷 입은 사람을 일
체 꺼린다.

- 수수엿은 수수 곱게 닦아 밥을 지어 엿기름
섞어 맷돌에 갈아 위와 같이 삭힌다.

감쥬 ᄒ난 법
-조흔 찰쌀 졍히 쓸어 밥을 지
으되 물을 먼져 부어 끄리며
안쳐 되게 지어
-엿기름ᄀ로 물에 너코 무거리
ᄂ 물에 담가 섇라
-엿물보다 만히 부어 엿과 갓치
삭혀 폭폭 오릭 다려 퍼셔 식
혀 먹으라
-ᄒ 말 ᄒ라면 엿기름ᄀ로 체에
쳐셔 찬되 셔 되 너ᄂ니라

87) 감주 하는 법

- 좋은 찹쌀을 깨끗이 씻고 찧어 밥을 짓되, 물
을 먼저 부어 끓이고 안쳐서 되게 밥을 지어~,

- 엿기름가루 물에 넣고 무거리는 물에 담가서
빨아~,

- 엿물보다 많이 부어 엿과 같이 삭혀, 푹푹 오
래 달여 퍼내고 식혀 먹는다.

- 1 말 하려면, 엿기름가루 체에 쳐서 찻되로 3
되 넣는다.

찬합 너는 법

-마른 것 진 것 실과을 슈삼 층 너허 쓰나니

-원힝 츌입힝 즁에 긴용

-실과는 약과 다식 잣박산 황률 쥰시 되초 호도 잣과 가진 당쇽 셕거 너코 유지 졉어 쓰고

-마른 것슨 광어 되구 산포 어포 강요쥬 오증어포 쏠둑이젼복 쑴 문어오림 되하 게포 등쇽을 찬합 속에 유지을 열십즈로 페고

-각죵을 녑히 찬합 고되로 치담고 유지를 사방 졉어 너허

-다진 거슨 장복기 북어뭇침 좌반 어란 굴비 약포 쳔니찬 만느지 등쇽을 다 엽엽히 너코 우히 잣그로 쌔리고 유지 졉어 쓰는니라

-찬합 아이 ㅎ고 힝찬에 경편ㅎ기는 좌반 굴비 어란 장육을 덩이 크게 졸여 말여 유지 쎠셔 짐에 너흐라

88) 찬합 넣는 법 (찬합에 채워 넣는 방법)

- 마른 것과 진 것, 실과를 수 3층에 넣어 쓰는데,

- 장거리를 출입하는 여행 중에 긴요하게 쓰인다.

- 실과는 약과, 다식, 잣박산, 황률(밤다식), 준시 (납작하게 말린 감), 대추, 호두, 잣과 같은 당류 섞어 넣고 기름종이 접어서 싸서 쓴다.

- 마른 것은 광어, 대구, 산포, 어포, 강요주, 오징어포, 꼴뚜기전, 전복쌈, 문어오림, 대하, 게포 종류를 찬합 속에 기름종이를 열십자로 펴고~,

- 각 종류를 차곡차곡 찬합 높이대로 치 담고, 기름종이를 사방 에 접어 넣는다.

- 다진 것은 장볶이, 북어무침, 자반, 어란, 굴비, 약포, 천리찬, 만나지 등속을 모두 차곡차곡 넣고 위에 잣가루 뿌리고 기름종이 접어 쓴다.

- 찬합으로 하지 않고, 여행(旅行)할 때 먹거리로 매우 편하기는 자반, 굴비, 어란, 장육을 덩이 덩이 크게 조리고 말려서 기름종이에 싸서 짐에 넣는 방법이 있다.

각식 졋갈

조긔졋

-기름과 고초ᄀ로 치고 ᄭᅮ미 다져 ᄢᅵ기도 ᄒᆞ고 기름 발나 구어도 먹고 살노 졈혀 초 치고 고초ᄀ로 너허 먹기도 ᄒᆞᄂᆞ니라

낫졋

-조긔졋과 갓ᄒᆞ리라

명난

-조긔 갓고

-조기졋

-초 치고 고초 너허 쓰ᄂᆞ니라

---

89) [각색 젓갈]

ㅇ 조기젓

– 기름과 고춧가루를 치고 꾸미 다져 찌기도 하고, 기름을 발라 구워서도 먹고, 살만 저며 식초를 치고 고춧가루를 넣어 먹기도 한다.

ㅇ 낫젓

– 조기젓과 (방식이) 같다.

ㅇ 명난

– 조기젓과 (방식이) 똑같다.

ㅇ 조개젓

– 식초를 치고 고추 넣어 쓴다.

[각식 좌반과 건어뉴]

-자반민어
 -불녀 건져 기름 불나 굽기도
ᄒᆞᄂ니라

-자반조긔
굽고 씨ᄂ니라

-굴비
-어란
-자반비웃
굽고 씨ᄂ니라

-자반쥰치
쩌 먹고 구어 먹ᄂ니라

90) [각색 자반과 건어류]

ㅇ 자반민어
– 물에 불려 건져서 기름을 발라 굽기도 한다.

ㅇ 자반조기
– 굽거나 쪄서 쓴다.

ㅇ 굴비
ㅇ 어란
ㅇ 자반비웃
– 굽거나 쪄서 쓴다.
ㅇ 자반준치
– 쪄 먹고나 구워 먹는다.

각식 싱션	## 91) [각색 생선]
-쳥어	ㅇ 청어
-일이 골나 계란 씨워 부쳐 국 싀리면 조흐니라	– 이리를 골라 계란 씌워 부쳐, 국 끓으면 좋다.
-조긔	ㅇ 조기
-도미	ㅇ 도미
-쥰치	ㅇ 준치
비늘 글고 잘 드는 칼노 머리 털가치 잘게 어여 구으면 가시 업나니라	– 비늘 긁어내고 잘 드는 칼로 머리털같이 잘게 칼집을 주어 구우면 가시가 없다.
-민어	ㅇ 민어
-굴젓	ㅇ 굴젓
-홍쥬장 굴젓 고초가로 너허 담은 거시 제일 진품이니라	– 홍주장, 굴젓, 고춧가루를 넣고 담은 것이 제일 진품이다.
-어리굴젓법은 싱굴 져려 속쓰 물 소곰 타셔 간 마초아 고초가 로 너허 먹으되 혹 초도 치느 니라	– 어리굴젓 법은 생굴 절여, 속뜨물에 소금 타서 간을 맞추어 고춧가루 넣어 먹는데, 혹은 식초도 친다.
-어리조긔젓도 니 갓치 담느니 라	– '어리조개젓'도 어리굴젓같이 담는다.
-청어젓	ㅇ 청어젓
-조긔 갓고	– 조기젓과 (방식이) 같다.
-소라젓	ㅇ 소라젓
-젼복젓	ㅇ 전복젓
-쥰치젓	ㅇ 준치젓
조긔 갓고	– 조기젓과 (방식이) 같다.

-싀오젓

쎠 쓰고 초 쳐 쓰고 기름에 고

초ㄱ로 셕거 쓰라

-민어젓

조긔와 갓고

-황셕이젓

초 치고 고초 너허 쓰라

-아감젓

-반당이젓

-오증어젓

-자반반당이

구어 쓰고

-자반갈치

굽고 씨되 국물 자질자질 하라

-고등어

굽고 씨라

-념미어

-건도미

물에 담가 기름 발ᄂ 굽ᄂ니라

-자반병어

굽고 씨라

-방어

젓국 어리고 조긔 씨듯 ᄒ고

굽기도 ᄒ고 싱방어 국 그리ᄂ

니라

o 새우젓

- 쪄서 쓰고, 초 쳐 쓰고, 기름에 고춧가루 섞어

쓴다.

o 민어젓

- 조기젓과 (방식이) 같다.

o 황석어젓

- 식초를 치고 고추 넣어 쓴다.

o 아감젓

o 밴댕이젓

o 오징어젓

o 자반 밴댕이

- 구워서 쓴다.

o 자반갈치

- 굽고 찌되, 국물은 자잘하게 한다.

o 고등어

- 굽고 찐다.

o 염미어

o 건도미

- 물에 담갔다가 기름 발라 굽는다.

o 자반 병어

- 굽고 찐다.

o 방어

- 젓국에 어울려 조기 찌듯 하고, 굽기도 하고,

생방어 국도 끓인다.

-젼어	ㅇ 전어
굽기만 ᄒᆞᆫ니라	- 굽기만 한다.
-송어	ㅇ 송어
굽고	- 굽는다.
-마른 멸치	ㅇ 마른 멸치
물 붓고 쟝 타셔 가진 양념에 조리다가 엿 조곰 너허 밧삭 조리고	- 물 붓고 장국 타서 갖은양념에 조리다가, 엿 조금 넣고 바싹 조리고,
풋고초조리임에도 너코 쪄셔도 쓰난듸 혹 무우도 너흐라	- 풋고추조림에도 넣고, 쪄서도 쓰는데, 혹은 무도 넣는다.
-병어	ㅇ 병어
-부어	ㅇ 부어
-방어	ㅇ 방어
-광어	ㅇ 광어
-듸구	ㅇ 대구
굽고 지지고 가납 겨울에 얼녀 얄게 졈어 눈집에 쓰면 술안쥬 진품	- 굽고 지져 쓰고, (가납) 겨울에 얼려 얇게 저며 눈 집에 쓰면 술안주로 진품이다.
-오증어	ㅇ 오징어
-가오리	ㅇ 가오리
-가자미	ㅇ 가자미
-슈어	ㅇ 숭어
-위어	ㅇ 위어
-빙어	ㅇ 뱅어
-ᄭᅵ나리	ㅇ 까나리
-쏠둑졋	ㅇ 꼴뚜기젓

-곤장이젓	ㅇ 곤쟁이젓
-써 먹고 젓무에 좀 너면 맛시 진품	- 쪄서 먹고, ～젓무에 좀 넣으면 맛이 진품
-일명은 감동젓	- 일명 감동젓.
-낙지젓	ㅇ 낙지젓
-교침젓	ㅇ 교침젓
-셋하젓	ㅇ 샛하(鰕)젓
-난셰어젓	ㅇ 난세어젓
-교하 소산	- 교하지역에서 난다.
-하란젓	ㅇ 하란(蝦卵)젓
-듸합젓	ㅇ 대합젓
-게젓	ㅇ 게젓
-도미젓	ㅇ 도미젓
-조긔와 갓고	- 조기와 (방식이) 같다.
-방게젓	ㅇ 방게젓
-가리맛젓	ㅇ 가리맛(蟶)젓
-마른 가잠이	ㅇ 마른 가자미
불녀 양념에 굽느니라	- 불려 양념에 굽는다.
-마른 가오리	ㅇ 마른 가오리
흠젹 불녀 푹 써서 먹으라	- 물에 흠뻑 불려 푹 쪄서 먹는다.

술안쥬

-마른 연어
-마른 상어
포 ᄒ난라
-오증어포
버리시오
-양념에 씨고 고초장에 기름 타
너허 씨고 혹 무치라
-쏠둑이
쎠도 먹고 불녀 굽고
-빙어포
파 고초ᄀ로 씨소곰 지령 기름
발나 굽고 혹 고초장 발나 굽으
라
-문어
-오림
-조씨살
쎠셔도 먹고 풋고초조림에 너흐
라
-홍합
-젼복
-쏠둑이
굽고 복가 먹는다
-도로목
-톳명틱
-롱어
-은어

92) [술안주]

○ 마른 연어

○ 마른 상어

- 포로 한다.

○ 오징어포

- 보리새우,

- 양념에 찌고 고추장에 기름 타 넣어 찌고, 혹
은 무친다.

○ 꼴뚜기

- 쪄서도 먹고, 물에 불려 구워서도 먹는다.

○ 뱅어포

-파, 고춧가루, 깨소금, 지령, 기름을 발라 굽고,
혹은 고추장을 발라 굽는다.

○ 문어 [오림]

○ 조갯살

- 쪄서도 먹고 풋고추조림에 넣는다.

○ 홍합

○ 전복

○ 꼴뚜기

- 굽고 볶아 먹는다.

○ 도루묵

○ 톳 명태

○ 롱어

○ 은어

-이어
국이나 지지는 듸는 된장 긔운
좀 ᄒ야 비리지 안코 맛시 죠
흐니라
-누치
-쏘가리
-녀멕기
-동누리
-곳게
-방게

o 잉어
- 국이나 지져서 먹는 데는 된장 기운을 좀 넣
어야 비리지 않고, 맛이 좋다.

o 누치
o 쏘가리
o 여메기(큰 메기)
o 동누리
o 꽃게
o 방게

각식히치뉴

-다시마
-곤포
-머육
-감틱
-쳥각
-히의
-파릭
-광틱김
-시루밋
-가사리
-말
-히삼
-틱하
-관합
-광어
-틱구
-강요쥬/
-게포
-관목이
-건낙지
-건도로목

93) [각색 해체류]

ㅇ 다시마
ㅇ 곤포(다시마 류)
ㅇ 머육
ㅇ 감태
ㅇ 쳥각
ㅇ 해의
ㅇ 파래
ㅇ 광대김
ㅇ 시루밋
ㅇ 가사리
ㅇ 말
ㅇ 해삼
ㅇ 대하
ㅇ 관합
ㅇ 광어
ㅇ 대구
ㅇ 강요주
ㅇ 게포
ㅇ 관목이
ㅇ 건낙지
ㅇ 건도루묵

-북어	ㅇ 북어
-디합	ㅇ 대합
-모시조기	ㅇ 모시조개
물에 지령 치고 쓸여 숨짇날 탕으로 쓰면 일 왜각탕니라	-물에 지령 치고 끓여 삼짇날(음력 3월 3일) 탕으로 쓰면, 일 명 '와각탕'이다.
-굴	ㅇ 굴
-게알	ㅇ 게알
토장국에 너코 두부찌ᄀᆞ나 우거지찌ᄀᆞ에 너허 찌면 맛이 자별	- 토장국에 넣고 두부찌개나 우거지찌개에 넣어 찌면 맛이 자별하다.
-곳게	ㅇ 꽃게
-게	ㅇ 게
-싱복	ㅇ 생전복
-홍합	ㅇ 홍합
-히숨	ㅇ 해삼
-문어	ㅇ 문어
-낙지	ㅇ 낙지
-소라	ㅇ 소라
-강요쥬	ㅇ 강요주
-디ᄒᆞ	ㅇ 대하

천어 잔성선 조리법

-물과 진장 반식 타셔 고초ᄀ로 ᄭᆡ소곰 기름 꿀 총 강 마날 다져 너허

-팔팔 ᄭᅳᆯ을 ᄊᆡ에 생선을 제 길노 착착 모라 너코 만화로 조리면 ᄭᅩᆺᄭᅩᆺᄒᆞ고

-초 좀 치면 ᄲᅨ가 흠시 물얼 거시니 거짓 졸거든 고초ᄀ로 ᄭᆡ소곰 기름 ᄒᆞᆸᄒᆞ여 자욱히 언고 조리되

-국물 잣잘잣질ᄒᆞ여 업거든 푸라

-고초장에 지령 좀 치고 물 타셔 위와 갓치 양념ᄒᆞ여 조리기도 ᄒᆞ니

-반즘 조리다가 쑥갓 상초 마늘 닙 녑녑 언져 숨 죽은 후 ᄭᆡ소곰 기름 쳐 바삭 조려 나물 싱션 각각 푸라

굴김치법

-초가을에 조흔 ᄇᆡᄎᆞ 졍히 씨셔 반듯반듯 잘나 소곰에 살작 져려 실고초 미ᄂᆞ리 총 강 마날 다 치 쳐 너허 굴젹 가려 ᄒᆞᆫ듸 버무리고 국물을 심심ᄒᆞ여 닉히라

-쑥갓 향갓 ᄇᆡᄎᆞ 합ᄒᆞ야 양념ᄒᆞ여 익히면 조흐니라

-외도 혹 젹ᄂᆞ니라

94) [천어 잔 생선 조리법]

- 물과 진간장 반씩 타서 고춧가루, 깨소금, 기름, 꿀, 파, 생강, 마늘 다져 넣은 다음~,

- 팔팔 끓을 때, 생선을 제 길로 착착 몰아넣고 뭉근히 약불로 조리면 꼿꼿하고,

-식초 좀 치면 뼈가 흠씬 무를 것이니, 거의 졸여지면 고춧가루, 깨소금, 기름을 섞어 자욱이 얹고 졸이되,

- 국물 자작자작하게 줄어들면 퍼낸다.

- 고추장에 지령 좀 치고 물 타서 위와 같이 양념하여 졸이기도 하니,

- 반쯤 졸이다가 쑥갓, 상추, 마늘잎, 차곡차곡 얹어, 숨 죽은 후 깨소금, 기름을 쳐서 바싹 졸이고서, 나물과 생선은 각각 푼다.

95) 굴김치볍

- 초가을에 좋은 배추 깨끗이 씻어 반듯반듯 잘라 소금에 살짝

저려 실고추, 미나리, 파, 생강. 마늘 다 채 쳐서 넣고 굴젓을 가려 한데 버무리고 국물을 심심하게 익힌다.

- 쑥갓, 겨자채, 배추를 배합하여 양념하여 익히면 좋다.

- 오이도 더러 섞는다.

96) [각종 채소]

각종 치소

-콩나물
-숙쥬
-미느리
-무우
 -봄무우 븩일무우 즁기리 게울
무
-븨츠
-외
-조외
-호박
-고초
-가지
-박
-슛무우
-밋갓
-갓
-아욱
국에 시오ᄀ로 외 황육 넛ᄂ니
라
-상취
-쑥갓
-향갓
-식은취
국도 씰히고 살마 나물ᄒ여 고
초장에 무치라

o 콩나물

o 숙주

o 미나리

o 무

– 봄 무, 백일 무, 중기리, 게울 무

o 배추

o 오이

o 참외

o 호박

o 고추

o 가지

o 박

o 순무

o 밋 갓

o 갓

o 아욱

– 국에 새우 가루, 오이, 쇠고기를 넣는다.

o 상추

o 쑥갓

o 향갓(겨자채)

o 시금치

– 국도 끓이고 삶아 나물하여 고추장에 무친다.

-근딕

-당근

-도라지

-고비

-고사리

-두흡

-춤나물

-삽쥬싹

-셕이

-늣타리

-표고

-능이

-픽

-당의 주총이

-마날

-토란

-동아

-곰취

-더덕

-송이

【원문】下篇

o 근대

o 당근

o 도라지

o 고비

o 고사리

o 두릅

o 참나물

o 삽주싹

o 석이

o 느타리

o 표고

o 능이

o 픽(蒲;부들?)

o **당의, 자총이**(紫蔥이: 파의 일종; 속껍질 자주색)

o 마늘

o 토란

o 동아

o 곰취

o 더덕

o 송이

【풀이】下篇   끝.

허인선
- 한국교원대학교 윤리교육과 졸업 및 교육대학원 수료
- 2003년부터 현재까지 도덕·윤리 교사로 재직
- 학생들과 함께 꿈꾸고 성장하길 바라며,
  현재 진로진학상담 대학원 재학 중

조설아
- 한국교원대학교 윤리교육과 졸업 및 교육대학원 수료
- 2003년~2018년 도덕·윤리교사로 재직
- 2019년부터 진로진학상담교사로 근무하면서,
  미래지향적이며 실용적인 진로교육을 연구 중
- 저서: '이렇게 생생한 도덕수업' '중하위권을 위한 이런학과 요런직업'

KB075586

누구나 할 수 있는 진로수업 38

발　행 | 2024년 2월 26일
저　자 | 허인선.조설아
펴낸이 | 한건희
펴낸곳 | 주식회사 부크크
출판사등록 | 2014.07.15.(제2014-16호)
주　소 | 서울특별시 금천구 가산디지털1로 119 SK트윈타워 A동 305호
전　화 | 1670-8316
이메일 | info@bookk.co.kr

ISBN | 979-11-410-7307-7

누구나 할 수 있는
진로수업 38

허인선.조설아 지음

차 례

1. 이번 학년, 나의 목표 세우기   8
2. DISC검사를 통한 나의 기질 파악   11
3. MBTI검사를 통한 나의 기질 파악   14
4. 그림책으로 여는 경계선 넘기 활동**   18
5. 나는 좌뇌형? 우뇌형?   21
6. 문장완성 검사를 통한 나를 찾는 여행   27
7. 인생가치관 검사   30
8. 가치 경매를 통한 가치 탐색   34
9. 직업 가치관 탐색 실천 보고서   38
10. 나의 좌우명 만들기   43
11. 좋아하는 과목으로 진로 탐색   47
12. 나를 채용해주세요   51
13. 두 마음 토론**   56
14. 빠르게 실패하기   59
15. 나의 꿈과 사회적 기여   63
16. 신직업 탐색 보고서   67
17. '읽고 싶은 책'을 통한 진로 탐색   70
18. '원격영상진로멘토링'을 통한 진로직업 탐색활동   76
19. '지식채널'로 탐색하는 나의 진로   79
20. 관심있는 직업에 필요한 역량   81
21. 동명이인의 삶 추적하기   84
22. 30년 후, 내가 '유퀴즈 온 더 블록'에 나온다면?   87
23. 꿈을 이루는 만다라트 기법*   90
24. 생성형 AI와 함께하는 미래소설 쓰기   95
25. AI로 그려보는 비전보드*   100
26. 동사형 꿈 탐색 보고서   107
27. 우리 사회 다양한 직업들의 급여   110
28. 유명인의 삶을 통한 진로탐색   119
29. 이야기 속 당신의 롤모델은 누구인가요?   122
30. NIE 활용 진로활동: 의사 겸 변호사 박성민을 만나다   127
31. NIE 활용 진로활동: 진로갈등 사례   135
32. NIE 활용 진로활동: 대학간판이 중요한가   141
33. NIE 진로활동: 수능 이대로 괜찮은가   145
34. 매체 연계 진로활동 보고서   153
35. 교과융합주제 독서 탐구활동   155
36. 영화감상을 통한 진로와 인생 고찰*   158
37. 노래를 통한 진로와 인생 고찰*   161
38. 미래 사회에 필수 능력! 감정조절력!!**   169
<참고 자료> 유익한 진로 관련 동영상 안내   172

머리말

　진로 전담교사로서 창의적체험활동 수업을 맡은 일반 교과교사-진로전담교사가 아닌 타 교과 교사-분들을 지원할 때 고민이 많습니다. 본인 주전공이 아닌 수업을 하는 것은, 교사 입장에서 보면 인풋 대비 아웃풋이 잘 나오지 않기 때문에(?) 고충이 많습니다. 진로 전담교사가 있다는 것은 진로교육도 전공자가 필요하다는 방증이지만 학교에 진로 교사는 1명이기에(1교 1진로교사가 배치가 안 된 지역도 있습니다) 창의적체험활동 진로수업을 일정 부분 타 교과교사분이 맡아주실 수밖에 없는 현실입니다. 물론 진로교육에 관심이 많은 분들은 다양한 수업안들을 직접 찾아 학생들과 여러 활동을 꾸리시기도 합니다. 그러나 진로교육을 처음 접해보시거나 다학년 걸치기 및 여러 과목을 가르치는 분들은 창체 진로수업까지 열의를 내기는 좀 어려운 형편입니다.

　시중에는 위와 같은 고충을 해소하기 위한 수업 자료나 교재들이 개발되어 있고, 저 역시 학교 예산으로 이런 교재들을 구입하여 선생님들과 학생들에게 나눠주며 수업을 독려하였습니다. 또 나름 여러 수업안을 모아 재구성하여 전달하기도 했으나 시간이 흐른 뒤 살펴보면 선생님들께서는 시중의 수업안들을 잘 활용하지 않으시더라구요. 고찰해 본 결과, 아주 훌륭하고 멋진 수업안들이지만, 진로교육에 대해 처음 접하거나 잘 모르는 분들이 그대로 활용하기에는 무리가 있는 경우도 있다는 생각이 들었습니다. 특히 고등학교에서는 2015개정교육과정 이후 과목 선택이 활성화되면서 많은 선생님들이 여러 과목 교재연구를 해야만 하는데 창체 진로수업은, 그 누군가에게는 부담이 될 수 있다는 생각도 들더군요.

　그래서 '그 어떤 교사든 누구나 쉽게' 접근가능한 진로수업안 제작 필요성을 느껐고, 뜻을 같이하는 허인선선생님과 함께 다양한 형식과 관점의 수업안들을 구상하게 되었습니다. 이 결과물들이 매해 학교에서 프린트로 휘발되기보다 책으로 엮여진다면 단 한 분에게라도 도움이 될 수 있지 않을까 하는 마음이 들었기에 이렇게 출간하게 되었습니다.

이 책에 나온 수업안들 대부분은 **중학교 3학년~고등학교 학생들 대상**(내용을 줄이거나 단어를 조금 쉽게 바꾸거나 난이도를 조절한다면 중학교 1~2학년도 가능한 활동이 있습니다)입니다. **교사가 별다른 준비없이 바로** 수업을 할 수 있으며, 대부분 태블릿이나 스마트폰, 노트북을 활용한 수업들입니다. 그러므로 이 책의 수업을 활용하려면 **학생 개인별로 교육용 스마트 기기가 구비되어야 합니다.**

제목에 교사 개입이 약간 필요한 수업은 *로 표시를 해두었습니다. 교사가 미리 준비할 것이 있거나, 수업 진행 처음부터 끝까지 개입이 많이 들어가는 수업은 ** 표시가 있습니다. 아예 *표시가 없는 제목의 활동은 학생들이 읽고 스스로 할 수 있습니다. 1개의 *표시가 있는 활동조차도 교사의 개입은 최소화입니다. 이러한 의미에서 여기 제시된 수업안들은 학교 진로수업 뿐만 아니라, **가정에서 학생 스스로 진로에 대해 고민하면서 활동지를 채워나갈 수 있기 때문에 가정에서 자녀 진로 탐색활동 교육용으로도 활용 가능합니다.**

학교 상황, 학생 특성, 교사 교육관 등에 따라 수업 내용과 형식은 얼마든지 가감하셔도 됩니다. 모쪼록 이 수업 활동들을 통해 교사와 학생 모두 유익하고 즐거운 진로 탐색활동을 해나가기를 기원합니다.

-조설아 올림

모든 교사가 담당할 수 있는 진로교육은 미래 사회를 살아나갈 학생들에게 긍정적 영향을 미치는 중요한 교육 활동입니다. 하지만 현실적으로 바쁜 업무와 학생 지도에 밀려 진로교육이 소홀히 여겨지는 경우가 많습니다.

본 활동지들은 일반 교과교사로서 진로수업을 하면서 몸소 체험한 현장 경험을 바탕으로 제작되었습니다. 바쁜 현장 교사들의 어려움을 덜어주고 학생들에게 꿈을 심어줄 수 있는 활동지를 만들겠다는 목표로, 진로교육을 효과적으로 수행할 수 있도록 돕는 다양한 자료와 활동을 제공하기 위해 노력하였습니다.

특히 활동의 결과물과 예시안들을 실어서 학생들이 예시안을 보고 활동을 자기주도적으로 할 수 있게 가이드하였습니다. 이를 통해 학생들은 자기주도성 역량을 함양함과 동시에 자신의 진로를 다양한 방식과 관점에서 생각할 수 있습니다. **무엇보다 진로 교과 전공자가 아닌 일반 교과 선생님들도 진로교육에 쉽게 접근할 수 있는 방향성을 가진 다양한 활동들이라는 점**이 이 책에 제시된 활동들의 가장 큰 장점입니다.

여러 선생님들께서 이 책을 활용하면서 진로교육을 효과적으로 수행하시기를 빕니다. 그리고 학생들은 미래를 향한 꿈과 희망을 심을 수 있는 계기를 마련하였으면 합니다.

-허인선 올림

1. 이번 학년, 나의 목표 세우기[1]

1. 작년에 내가 잘했다고 생각하는 일들을 많이 써보세요. 아주 작은 일이라도 적어봅시다.

학습	
친구 관계	
생활 태도	
선생님 과 관계	
가족 관계	

<예시안>

학습	매일 영어단어 3개씩 꾸준히 외웠다, 쉬는 시간에 다음 시간 수업 책을 펴고 3분 정도 읽었다, 매일 EBS를 보며 수학학습을 1시간씩 하고 문제를 풀었다
친구 관계	친구의 흉을 보지 않았다, 새로 전학온 친구에게 말을 걸고 급식실에 같이 갔다
생활 태도	엄마가 깨우기 전에 7시에 스스로 일어났다, 자기 전에 독서 30분씩 했다, 저녁 식사 후 스쿼트 15개씩 했다
선생님 과 관계	갈등을 일으키지 않았다, 선생님께 지적당했을 때 반성했다, 서운한 일이 있었을 때 공손하게 대화를 시도해서 오해를 풀었다
가족 관계	할머니에게 일주일에 한 번씩 안부전화를 했다, 엄마가 식사 차릴 때 도와드렸다, 아버지에게 사랑한다고 말했다

---

[1] '1001가지 해결중심 질문들'(Fredrike Bannik, 학지사)를 참고하여 활동지를 구성하였음을 밝힙니다.

2. 지금 현재 나의 점수는 몇 점 정도라고 생각하는지 써보세요.(1~100점). 위와
   같이 점수를 준 이유를 적어보세요.

        *80점 이상: A(우수)   *60점~79점: B(보통)

        *41점~60점: C(조금 더 노력하면 좋음)*40점 이하: D(많은 노력 필요)

	점수	이유
학습		
친구 관계		
생활 태도		
선생님과 관계		
가족 관계		

3. 올해 새로운 학년이 되어서 무엇을 조금 다르게 해보고 싶나요? 구체적으로
   2~3가지씩만 써보세요.

학습	
친구 관계	
생활 태도	
선생님과 관계	
가족 관계	

<예시안>

학습	쉬는 시간에 5분만 쉬고 나머지 5분에 다음 시간 수업 교과서를 펴고 읽어보겠다 학원을 끊고 EBS를 들으며 매일 수학 2시간씩 공부하겠다 영어단어 매일 3개씩 외우겠다
친구 관계	그 사람이 없는 데서는 그 사람 이야기를 하지 않겠다 카톡 메신저로 불필요한 이야기를 하지 않겠다 나의 에너지를 빼앗는 친구는 멀리하겠다
생활 태도	매일 7시에 혼자 일어나서 사과를 먹고 등교하겠다 하교 후 근력운동 30분씩 하겠다 스마트폰 하는 시간을 줄이기 위해 밤 9시부터 아침까지는 부모님께 스마트폰을 맡기겠다
선생님 과 관계	부당한 일이 아니면 선생님이 부탁한 일은 빨리 처리하겠다 선생님이 충고하면 한 번 깊이 생각해본 뒤 고칠 부분을 고치겠다
가족 관계	주말에 부모님과 걷기 운동을 하며 대화하겠다. 부모님께 감사하다는 말을 자주하겠다

4. 기록이 끝나면 한 번 읽어보고 집에 가서 A4용지에 기록한 뒤 책상에 붙여두고 올해 실천할 수 있게 노력합시다.

* 목표를 쉽게 달성할 수 있게 포스트잇을 활용하여 목표를 쓰고 실천하는 방법이 있다고 합니다. '더보기 영상'을 통해 알아봅시다. 잘 보이는 곳에 두고 눈으로 확인하는 게 중요합니다. 또 나쁜 습관을 끊는 방법도 알아봅시다.

<더보기 영상>

구정부터가 진짜 새해다 아직 늦지 않은 2024 무조건 이뤄지는 신년 계획 세우는 법 -13분 50초 (유튜브: 나살이 - 나답게 살아가는 이야기) https://www.youtube.com/watch?v=OetMev4PHJI	
당신의 의지력은 잘못이 없다 | 습관의 알고리즘 -7분 59초(유튜브: 책그림) https://www.youtube.com/watch?v=iVqvX90ucxI	

2. DISC[2]검사를 통한 나의 기질 파악

1. DISC에 대한 설명 영상

[뇌를 잘 쓰는 방법] 4가지 행동유형 DISC │ 주도형 │ 사교형 │ 안정형 │ 신중형 │ 김완수 체인지마인드상담센터 대표-10분 32초 (유튜브:브레인 셀럽) https://www.youtube.com/watch?v=iYJZn4Uwios	

2. 나의 행동유형을 알기위해 DISC검사[3]를 해봅시다.

– https://testharo.com/disc/ko

→ 검사 결과 정리[4]

행동유형: (　　　　), 강점유형: (　　　　)

<최종결과 예시화면>

행동 유형 : 개척가

개척가는 업무중심의 사고를 바탕으로 효율과 원리원칙을 중요시하며 명확한 근거로 쪽부러지는 행동 경향을 보입니다.

개척가는 주도형(Dominance)의 감정에 신중하고 원리원칙을 중요시하는 사고가 더해진 성향을 가집니다. 따라서 논리적이고 과학적이어야하며, 무엇이든 납득이 되어야만 하고, 그렇지 못할 경우 비판적인 행동 경향을 보입니다.

개척가는 타인에게 걸모습과 말투가 굉장히 차갑다는 인상을 남깁니다. 이는 타인에게 냉정한 행동을 보인다는 의미이기도 하지만, 반대로 말하자면 뒤끝이 없고 시원시원하게 행동한다는 의미이기도 합니다. 때문에 어느정도 대화를 나눠본 상대는 당신을 '카리스마있고 멋지다' 라고 표현하기도 합니다.

개척가는 굉장히 강력한 승부욕을 지니고 있습니다. 따라서 업무중심적이며 위커홀릭 경향을 보이기도 합니다. 목표 달성을 중요하게 여기며 보상이 확실한 경우 업무를 더욱 잘 해내는 편입니다. 대중적인 강사 또는 사업가, CEO, 전문가 기질을 타고난 마이스터와 같은 이미지를 가지고 있습니다.

강점 유형 : 주도성(Dominance)

타고난 리더. 주도적으로 듣고 말하며 성취 욕구를 통해 성장하는 자. 도전 정신을 통해 권위와 권력을 쟁취하는 자.

주도형(Dominance)을 강점으로 지닌 사람들은 주도적이면서 성취욕구가 높습니다. 삶의 페이스가 빠른 편에 속하며, 이러한 성향 때문에 의사소통 상황에서 빠르고 간단명료하게 말하는 특성이 있습니다. 지금 당장 해야하는 것에 집중하기에 생각보다 몸이 먼저 나가는 경향을 보이며, 듣는 상황에서 답답함을 느끼면 개입하여 상황 및 내용을 정리해주곤 합니다. 업무 상황에 놓일 땐 '그래서 너는 뭐 해?' 와 같은 말을 외우며 자신이 할 일을 찾아 나섭니다.

업무에 대한 본인의 결정권이 극대화되는 환경을 선호합니다. 업무 과정보닷 결과를 지향하고, 빠른 결과를 보기 위해 속도내어 업무를 봅니다. 또한 결과에 대한 보상을 중요시하기 때문에 직장을 고를 때 워라밸보단 연봉 그 자체에 대한 중요도를 더욱 높게 평가합니다. 반대로 통제권이 없거나 타인의 감독을 받는 환경을 회피하고자 합니다. 또한 본인에 대한 평가가 부드럽거나 약하다는 인식이 드는 것을 싫어합니다. 반복적이고 예측이 가능한 업무를 보는 환경을 꺼려합니다.

---

2) 인간의 행동유형을 D, I, S, C유형으로 나누는 방식입니다.
3) 포털사이트에 'DISC온라인검사'라고 치면 비슷한 유형의 무료 온라인 검사들이 많이 나옵니다.
4) 검사결과가 나오면 공유가 가능하며, 캡처해서 저장해두어도 됩니다.

3. DISC검사 및 유형별 특징[5)]

DISC란 무엇인가?

미국의 심리학자 윌리엄 몰튼 마스톤(William Moulton Maston)은 인간 행동 유형을 기반으로 4가지 행동 유형으로 분류했습니다. 주도형, 사교형, 안정형, 신중형 이 4가지 유형을 가지고 사람들의 행동 유형을 알 수 있는 것입니다.

> ▲ D - 주도형 ▲ I - 사교형   ▲ S - 안정형 ▲ C - 신중형

이를 DISC라고 부르며 각각의 유형들은 어떤 특징을 가지고 있는지 알아보겠습니다.

DISC 행동별 유형 특징

DISC 행동별 유형 특징

1. D (주도형) "이건 내가 무조건 해내고야 말겠어"
- 지배적이고 행동과 결정이 빠르고 독단적이며 결단력이 있다.
- 결과가 빨리 나오고 가시적인 성과가 있는 일을 선호한다.

2. I (사교형) "나는 다양한 사람을 만나는 게 좋아"
- 행동이 빠르며 자신이 생각하는 것을 바로 표현한다.
- 예술적인 성향이 강하고 언변이 뛰어나며 즉흥적인 일을 좋아한다.
- 주변 사람들에게 에너지를 불어넣고 칭찬과 격려를 잘한다.

3. S (안정형) "모든 사람이 좋아하면 나도 좋아"
- 감성적이며 안정적인 상황과 편안함을 중요시한다.
- 수줍음이 많고 예민한 편이다.
- 사람 중심의 따뜻한 마음을 가지고 있어 봉사활동을 좋아한다.
- 가까운 사람들과 좁고 깊은 관계를 맺는다.

4. C (신중형) " 이건 왜 이런 것인지 분석하는 것이 좋아"
- 논리적이고 신중하며 정확성을 요구하는 일을 잘한다.
- 조용하고 부드러운 성격이 특징이다.
- 조직을 이끌어나가는 능력이 있다.
- 완벽하게 이해하고 분석한 후 일을 시작한다.

여기서 주도적인 D, 사교적인 I 유형은 외향적, 안정적인 S, 신중한 C는 내향적으로 분류할 수 있고, 다시 주도적인 D와 신중한C는 과업중심, 사교적인 I와 안정적인 S는 사람중심으로 나눌 수 있습니다.

각 행동유형별로 좋은 점도 있고, 부족한 점도 물론 있을 것입니다. 여기서 중요한 건 누군가의 행동이 틀렸다기보다는 사람들은 누구나 각자 다른 방식으로 살아가며 세상을 바라본다는 것입니다. 서로의 부족한 면은 채워주고, 좋은 면은 본받으면서 살아가는 것이 우리가 원하는 조화로운 삶이 아닐까 싶습니다.

---

5) https://url.kr/qzd9kt(라이프실험실:DISC 행동유형검사 유형별 특징 정리)

4. DISC유형별 학습 스타일[6)]

자녀의 성격 유형에 맞는 공부법

성격유형	특 징	학습동기 유발법과 공부법
주도형	리더십이 있고 도전적임. 모험을 좋아함.	-미래의 큰 그림을 보여 줘라. 자녀가 관심을 둔 분야에서 크게 성공한 모델을 제시하고 성공의 결과를 확인케 하라. 예를 들어 링컨 같은 인물의 전기를 읽히는 게 좋다.
사교형	낙천적·사교적임. 교사에 대한 선호도가 성적에 영향 끼침.	-공부 잘하는 친구를 만나게 하라. -공부를 열심히 하면 나중에 자신이 어떤 모습으로 다른 사람들 앞에 서게 될지 상상하게 한다. -발표하거나 토론할 기회를 많이 만들어 줘라. -예능·체능 재능이나 화술을 잘 발휘할 수 있는 길을 찾으라.
안정형	차분하고 변화를 싫어함. 교사에 대한 선호도가 성적에 영향 끼침.	-쉽게 달성할 수 있는 낮은 목표를 제시하라. -공부를 왜 해야 하는지 보다 어떻게 해야 잘할 수 있는지 알려 주자. -공부 실행계획을 부모가 함께 세우고 친밀하고 꼼꼼하게 관리해 준다.
신중형	완벽주의형이고 분석적임.	-왜 공부를 해야 하는지 아는 것이 중요하다. -무조건적 지시를 피하고 논리적으로 공부할 이유와 가치를 설명하라. -언제나 신뢰받는 것을 느끼게 하라.

자료: 아시아코치센터

[우리아이리더만들기] ② 성격 유형별 맞춤 공부법
중앙일보, 2008.01.15
https://www.joongang.co.kr/article/3011821#home

* DISC유형에 맞는 학습방법을 생각해봅시다.

* 자신의 DISC유형 잘 파악하고 장단점을 잘 분석해봅시다.
　그리고 이것을 학교생활이나 나중에 직업생활에서도 적용해봅시다.

<더보기 영상>

DISC 행동유형 몰아보기. 주도형, 사교형, 안정형, 신중형.
DISC 행동유형 검사 한방에 정리!
-25분 59초(유튜브: 하루연대기)
https://www.youtube.com/watch?v=hA46RLDANdY

---

6) https://www.joongang.co.kr/article/3011821#home
　(우리아이 리더만들기 성격유형별 맞춤공부법)

3. MBTI검사를 통한 나의 기질 파악

* 주의
정확한 검사는 공신력있는 심리검사기관에서 하는 것이 좋으며, 이것은 간이검사입니다. 성격은 살면서 얼마든지 변할 수 있으므로 오늘의 검사 결과는 현재 최근의 평균적인 상태라고 생각하시기 바랍니다.
검사결과에 집착하여 '나는 이런 사람이니까 이렇다'는 식의 한계를 짓지 말기를 바랍니다. 또 특정 유형에 특정 직업을 끼워 맞추기보다는 자신의 성향을 파악하고 내가 원하는 직업에서 내 성향이 어떻게 발휘될 수 있을지를 생각해보기 바랍니다.
온라인으로 할 수 있는 2가지 검사를 추천합니다. 1번 검사는 외국에서 만든 것이지만 한국어 번역이 가능하고 마지막에 본인의 이메일로 검사결과를 받아볼 수 있습니다. 2번은 한국 MBTI 연구소에서 제작한 검사합니다. 2번 검사가 문항 수가 조금 더 적고 결과보기가 수월합니다. 시간이 허락하면 2개 검사를 다 해도 좋습니다. 검사 2개를 다 한 후 비교한 뒤 인터넷으로 MBTI 유형 특성을 찾아봅시다.

1. 16가지 유형 성격검사[7)]
   www.16personalities.com

(접속 후 우측상단 삼선(三)누르고 언어(Language)를 한국어로 변경)

2. 한국 MBTI연구소 무료 MBTI검사
   https://kmbti.co.kr/MBTItest/index.html

---

7) 공식 MBTI검사는 아니나, 검사 결과가 MBTI 형식으로 나옵니다.
   (나무위키 설명: 16 Personalities는 Big5를 토대로 카를 융의 이론을 합쳐서 마이어스-브릭스 유형 지표(MBTI)식 명칭을 차용한 성격 유형 검사이다. 검사를 보기 전 주의해야 할 사항으로, 이 테스트는 MBTI 테스트가 아니다. MBTI식 성격 유형을 사용하긴 하지만, 정확한 명칭은 NERIS Type Explorer이다. 하지만 한국에서는 사실상 MBTI 테스트로 받아들여지고 대중적으로 통용되고 있는 테스트다.)

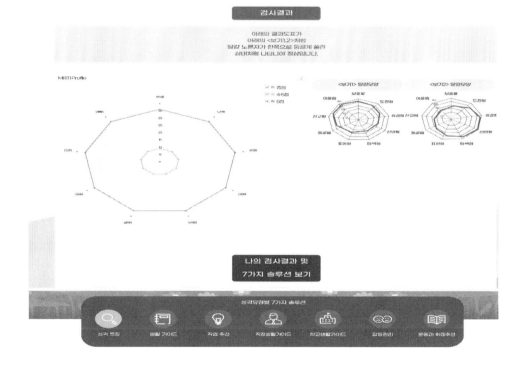

2. MBTI별 특징[8]

MBTI는 네 가지의 분리된 선호경향으로 구성되어 있습니다. 선호경향이란 Carl Jung의 심리유형론에 따르면, 교육이나 환경의 영향을 받기 이전에 이미 인간에게 잠재되어 있는 선천적 심리 경향을 말하며, 각 개인은 자신의 기질과 성향에 따라 아래의 4가지 이분척도에 따라 둘 중 하나의 범주에 속하게 됩니다.

E	외향형(Extraversion) 외부세계의 사람이나 사물에 대하여 에너지를 사용	I	내향형(Introversion) 내부세계의 개념이나 아이디어에 에너지를 사용
S	감각형(Sensing) 오감을 통한 사실이나 사건을 더 잘 인식함	N	직관형(iNtuition) 사실, 사건 이면의 관계, 가능성을 더 잘 인식함
T	사고형(Thinking) 사고를 통한 논리적 근거를 바탕으로 판단	F	감정형(Feeling) 개인적 사회적 가치를 바탕으로한 감정을 근거로 판단
J	판단형(Judging) 외부세계에 대하여 빨리 판단내리고 결정하려 함	P	인식형(Perceiving) 정보자체에 관심이 많고 새로운 변화에 적응적

선호지표	외향형(Extraversion) 외부세계의 사람이나 사물에 대하여 에너지를 사용	내향형(Introversion) 내부세계의 개념이나 아이디어에 에너지를 사용
설명	폭넓은 대인관계를 유지하며 사교적이며 정열적이고 활동적이다.	깊이 있는 대인관계를 유지하며 조용하고 신중하며 이해한 다음에 경험한다.
대표적 표현	· 자기외부에 주의집중 · 외부활동과 적극성 · 정열적, 활동적 · 말로 표현 · 경험한 다음에 이해 · 쉽게 알려짐	· 자기내부에 주의집중 · 내부활동과 집중력 · 조용하고 신중 · 글로 표현 · 이해한 다음에 경험 · 서서히 알려짐

선호지표	감각형(Sensing)	직관형(iNtuition)
설명	오감에 의존하여 실제의 경험을 중시하며 지금, 현재에 초점을 맞추고 정확하고 철저히 일처리한다.	육감 내지 영감에 의존하며 미래지향적이고 가능성과 의미를 추구하며 신속하고 비약적으로 일처리한다.
대표적 표현	· 지금, 현재에 초점 · 실제의 경험 · 정확, 철저한 일처리 · 사실적 사건묘사 · 나무를 보려는 경향 · 가꾸고 추수함	· 미래 가능성에 초점 · 아이디어 · 신속, 비약적인 일처리 · 비유적, 암시적 묘사 · 숲을 보려는 경향 · 씨뿌림

---

8) https://blog.naver.com/innpeoplecompany/222617204363
　(인앤피플 블로그-성격유형 16가지 총망라)

선호지표	사고형(Thinking)	감정형(Feeling)
설명	진실과 사실에 큰 관심을 갖고 논리적이고 분석적이며 객관적으로 판단한다.	사람과 관계에 큰관심을 갖고 상황적이며 정상을 참작한 설명을 한다.
대표적 표현	· 진실, 사실에 　큰 관심 · 원리와 원칙 · 논거, 분석적 · 맞다, 틀리다 · 규범, 기준중시 · 지적 논평	· 사람, 관계에 　큰 관심 · 의미와 영향 · 상황적, 포괄적 · 좋다, 나쁘다 · 나에게 주는 　의미중시 · 우호적 협조

선호지표	판단형(Judging)	인식형(Perceiving)
설명	분명한 목적과 방향이 있으며 기한을 엄수하고 철저히 사전계획하고 체계적이다.	목직과 방향은 변화 가능하고 상황에 따라 일정이 달라지며 자율적이고 융통성이 있다.
대표적 표현	· 정리 정돈과 계획 · 의지적 추진 · 신속한 결론 · 통제와 조정 · 분명한 목적의식과 방향감각 · 뚜렷한 기준과 　자기의사	· 상황에 맞추는 　개방성 · 이해로 수용 · 유유자적한 과정 · 융통과 적응 · 목적과 방향은 　변화할 수 있다는 　개방성 · 재량에 따라 처리될 수 있는 포용성

MBTI 16가지 유형 정리

ISTJ (세상의 소금형) 한 번 시작한 일은 끝까지 해내는 사람들	**ISFJ** (임금뒷편의 권력형) 한성실하고 온화하여 협조를 잘 하는 사람들	**INFJ** (예언자형) 사람과 관련된 뛰어난 통찰력을 가지고 있는 사람들	**INTJ** (과학자형) 전체적인 부분을 조합하여 비전을 제시하는 사람들
ISTP (백과사전형) 논리적이고 뛰어난 상황 적응력을 가지고 있는 사람들	**ISFP** (성인군자형) 따뜻한 감정을 가지고 있는 겸손한 사람들	**INFP** (잔다르크형) 이상적인 세상을 만들어가는 사람들	**INTP** (아이디어 뱅크형) 비전적인 관점을 가지고 있는 뛰어난 전략가들
ESTP (수완좋은 활동가형) 친구, 운동, 음식 등 다양한 활동을 선호하는 사람들	**ESFP** (사교적인 유형) 분위기를 고조시키는 우호적 사람들	**ENFP** (스파크형) 열적으로 새로운 관계를 만드는 사람들	**ENTP** (발명가형) 풍부한 상상력을 가지고 새로운 것에 도전하는 사람들
ESTJ (사업가형) 사무적, 실용적, 현실적으로 일을 많이 하는 사람들	**ESFJ** (친선도모형) 친절과 현실감을 바탕으로 타인에게 봉사하는사람들	**ENFJ** (언변 능숙형) 타인의 성장을 도모하고 협동하는 사람들	**ENTJ** (지도자형) 비전을 가지고 사람들을 활력적으로 이끌어가는 사람들

4. 그림책으로 여는 경계선 넘기 활동**
-단점과 약점을 강점으로!

도전! 내 마음의 경계선 넘기

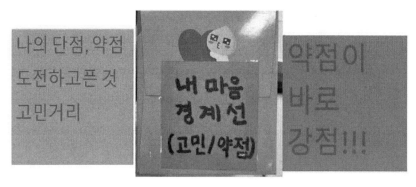

- 출처: 저자(허인선선생님) 실제 수업 자료 사진

1. 도전! 내 마음의 경계선 넘기

글자 읽는 그림책인 '파도야 놀자(이수지, 비룡소)'를 읽고 경계선 넘기 활동을 합니다.

단점과 장점은 다음처럼 한 끗 차이입니다.[9]

친구의 단점 또는 약점을 강점으로 바꿔보는 활동을 할 겁니다.

단점을 장점으로 어떻게 바꿔 표현할 수 있을까요? 우선 예시를 살펴봅니다.

* 단점을 장점으로 바꿔 표현하기 예시안

단점	장점
버릇이 없고 제멋대로다. ⇨	**리더십이 있다.**
타인의 의견에 자주 휩쓸린다. ⇨	**협조성이 있다.**
굉장히 까다롭다. ⇨	섬세하다.

---

9) '14살부터 시작하는 나의 첫 진로 수업'(학연플러스 편집부, 뜨인돌) 참고

쉽게 포기하지 못한다. ⇨	인내심이 있다.
참견을 잘한다. ⇨	배려를 잘한다.
우유부단한다. ⇨	신중하다.
성급하다. ⇨	추진력 있다.
집중력이 부족하여 한 가지 일만 하지 못한다. ⇨	여러 분야에 호기심과 흥미를 갖고 있다.

2. 활동순서

1) 그림책 읽기: 실사본을 읽어줘도 좋고 아래 동영상을 보여줘도 좋습니다.
   경우에 따라서는 생략해도 무방합니다.

바닷가에 놀러간 소녀가 파도를 바로봅니다. 몰아치는 파도를 보며 그곳에 들어갈까 말까 망설입니다. 파도가 조금 무섭기도 해서 망설이다가 용기를 내어 한 발 내딛습니다. 파도랑 신나게 놀다가 덮치는 파도에 온 몸이 홀딱 젖습니다. 막상 젖어보니 별것이 아닙니다. 다시 신나게 놀다가 엄마와 함께 집으로 돌아갑니다. -4분 16초(유튜브: 동화읽는 맑음꼬모) (https://www.youtube.com/watch?v=JIjbeUsG0WM&t=137s)	 파도야 놀자

2) 아래 표를 만들어 학생들에게 4개~8개 배부합니다.
   (작은 종이로 만들어 배부)

나의 단점 또는 약점	친구의 단점 또는 약점을 강점으로 바꾸기!

3) 학생들은 그 종이에 자신의 단점 또는 약점을 '익명으로' 적고 두 번 접은 후에 통에 넣습니다.(아무 통이나 무방하지만 사각 티슈박스가 활용도가 좋습니다)

4) 모든 학생들이 자신의 약점을 통에 넣은 후에, 학생들은 차례로 나와 통에서 종이를 한 장씩 꺼내게 합니다.

5) 본인이 꺼낸 친구의 단점 종이 아무 데나 본인 이름을 기록한 뒤, 친구의 단점 또는 약점을 '강점'으로 바꿔주는 작업을 합니다. (혹시 본인의 것을 선택했다면 교사에게 말하여 다른 친구와 바꿉니다.)

6) '강점'으로 바꿔쓴 종이를 다시 박스에 넣습니다.

7) 종이가 다 넣어지면 교사는 한 장씩 꺼내어 단점이 장점으로 어떻게 바뀌었는지 읽으면서 내용을 공유합니다. (혹은 한사람씩 나오게 하여 읽게 해도 됩니다. 읽고 싶은 사람이 있다면 그 학생이 읽어도 됩니다.)

8) 단점도 충분히 강점으로 승화될 수 있음을 인지합니다.

3. 영상 시청
- 활동이 끝나면 영상을 보면서 마무리합니다.

단점을 장점으로 바꾸는 방법, 말더듬이 슈퍼스타 #drew lynch, #드류린치, #gottalent, #성공스토리 [이러서라]-7분 50초 (유튜브:이러서라)
(https://www.youtube.com/watch?v=JxWwYNqMNGM&t=42s)

5. 나는 좌뇌형? 우뇌형?
나의 뇌유형으로 살펴보는 나의 강점[10]

1. 이번 시간에는 나의 뇌유형을 알아보고 이에 맞는 강점 및 적합한 직업을 살펴
   보도록 하겠습니다. 일반적으로 좌뇌형과 우뇌형의 특징은 다음과 같습니다.

기능	좌뇌형	우뇌형
사고 방식	논리적, 분석적, 이성적	직관적, 통합적, 감성적
언어 능력	뛰어난 언어 능력, 추상적인 개념 이해	비언어적 표현 능력, 이미지와 감정 이해
공간 인지	부족한 공간 인지 능력	뛰어난 공간 인지 능력, 시각적 이미지 처리
수학 능력	뛰어난 수학적 능력, 논리적 문제 해결 능력	부족한 수학적 능력, 패턴 인식 능력
창의성	규칙적인 창의성, 체계적인 아이디어	자유로운 창의성, 혁신적인 아이디어
학습 스타일	분석적 학습, 개념 이해	체험적 학습, 직관적 이해
성격	계획적, 조직적, 신중함	자유롭고, 유연함, 호기심
직업	과학자, 엔지니어, 분석가	예술가, 음악가, 디자이너

2. 다음 영상을 보고 물음에 답하세요.

좌뇌우뇌구별법

논리적이며 분석적인 좌뇌형, 직관적이며 통합적인 우뇌형,,
당신의 뇌유형을 알 수 있는 방법은? -채널A 좌뇌우뇌 구별법 명랑해결단
- 3분 54초 (https://www.youtube.com/watch?v=1sW_qqOVe_c&t=97s)

---

10) gemini.google.com에서 '좌뇌형 우뇌형 장단점 및 판별법' 등을 검색한 뒤 나온 결과물을 참고하
   여 수업 자료 제작했음을 밝힙니다.

<좌뇌 우뇌 판별법>

1단계: 손깍지를 꼈을 때 어떤 쪽 엄지가 위로 오나요? ☞ (   )

　　　　(오른손이 위로 오면 좌뇌형, 왼손이 위로 오면 우뇌형)

2단계: 팔짱을 꼈을 때 어느 팔이 위로 오나요? ☞ (   )

　　　　(오른팔이 위로 오면 좌뇌형, 왼팔이 위로 오면 우뇌형)

3단계: 손으로 삼각형을 만든 후에 삼각형 안에 사물을 넣고 왼쪽 눈과 오른쪽
　　　　눈을 번갈아 감은 후에 어떤 눈으로 사물이 보이는지 적어주세요. 가급적
　　　　삼각형을 작게 만들어 멀리 보이는 사물을 봅니다. (물건이 오른쪽 눈으
　　　　로 보이면 좌뇌형, 왼쪽 눈으로 보이면 우뇌형) ☞ (   )

4단계: 한 쪽 코를 막은 후에 숨을 쉬었을 때 어느 쪽이 더 편했나요? ☞ (   )

　　　　(오른쪽이 편하면 우뇌형, 왼쪽으로 숨쉬기 더 편하면 좌뇌형)

5단계: 빙글빙글 도는 사람을 보았을 때 어느 방향으로 가나요?[11] ☞ (   )

　　　　(시계 방향으로 돌면 좌뇌형, 반시계 방향으로 돌면 우뇌형)

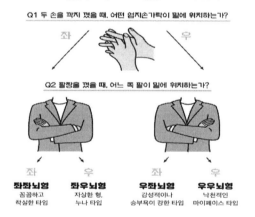

-비주얼다이브 포스트

(https://post.naver.com/viewer/postView.nhn?volumeNo=29771695&memberNo=22846622)

---

11) 23쪽 움직이는 그림테스트 참조

▷ 당신의 뇌유형을 그래도 잘 모르겠다고요? 다음 질문에 대한 답변을 통해 좀 더 확실하게 살펴봅시다.

1) 다음 중 어떤 활동을 더 선호하시나요?
        a) 논리 퍼즐 풀기, 수학 문제 풀기
        b) 그림 그리기, 음악 감상하기

2) 새로운 정보를 배우는 방식은?
        a) 책 읽기, 강의 듣기
        b) 직접 해보고 경험하기

3) 다음 중 어떤 환경에서 더 편안하게 느끼시나요?
        a) 조용하고 정돈된 환경
        b) 자유롭고 활기찬 환경

4) 다음 중 어떤 표현 방식을 더 선호하시나요?
        a) 말로 설명하기
        b) 이미지나 비유로 설명하기

5) 문제를 해결하는 방식은?
        a) 단계별로 계획을 세우고 해결하기
        b) 직관적으로 접근하여 해결하기

☞ 대부분의 답변이 a)라면 좌뇌형, b)라면 우뇌형일 가능성이 높습니다.

* 움직이는 그림을 보고 하는 좌뇌 우뇌 테스트[12)

---

12) https://drawtoday.tistory.com/810(발레리나 그림 좌뇌우뇌 테스트로서 일본의 웹디자이너 카라야하 노부유키가 제작한 그림테스트라고 합니다)

▷▷ 이제, 나의 최종적인 뇌유형을 적어보세요. 그렇게 생각하는 이유도 정리해서 생각해봅니다. (대부분 사람들은 좌뇌 우뇌가 고루 발달 돼 있습니다. 조금 더 가깝다고 생각되는 유형을 적으면 됩니다)

→ 나는 (좌뇌형, 우뇌형)이다.

3. 좌뇌형 vs 우뇌형: 나의 잠재력을 깨워라!

1) *뇌 유형, 나의 강점을 발견하다!*

일반적으로 좌뇌형과 우뇌형은 다음과 같은 강점이 있습니다.

좌뇌형	우뇌형
-논리적 사고와 분석력으로 문제를 정확하게 파악하고 해결하는 능력 -뛰어난 언어 능력으로 자신을 명확하게 표현하고 타인을 설득하는 능력 -꼼꼼하고 조직적인 성격으로 계획적인 목표 달성 -수치와 데이터를 기반으로 합리적인 판단을 내리는 능력	-창의적인 아이디어와 상상력으로 새로운 것을 창조하는 능력 -공간 인지 능력과 시각적 사고력으로 복잡한 문제를 해결하는 능력 -감성적 표현력으로 다른 사람과 공감하고 소통하는 능력 -유연하고 개방적인 사고방식으로 변화에 적응하고 새로운 기회를 포착하는 능력

▷ 내가 가진 뇌유형의 강점[13]을 적어보세요. 강점은 누구에게나 있습니다. 뭐든지 적어보세요.

```



```

---

13) 활동지에 제시된 좌뇌형 우뇌형 장점을 토대로 자신의 실제 장점을 생각해서 적어봅니다.

2) 나에게 맞는 학습 방법을 찾아라!

일반적으로 좌뇌형과 우뇌형의 학습방법은 각각 다음과 같습니다.

좌뇌형	우뇌형
개념 학습: 단어, 정의, 개념을 명확하게 이해하고 암기 분석 학습: 정보를 분석하고 분류하여 논리적 관계를 파악 논리적 사고 훈련: 수학 문제, 논리 퍼즐 등을 통해 논리적 사고력 향상	체험 학습: 직접 경험하고 참여하며 개념을 이해 상상력 훈련: 그림 그리기, 음악 감상 등을 통해 상상력과 창의성 발휘 감성 표현 훈련: 글쓰기, 연극 등을 통해 감정을 자유롭게 표현

▷ 나에게 적합한 학습방법은 무엇일까요?[14)]

3) 좌뇌형과 우뇌형, 나의 미래를 설계하다!

일반적으로 좌뇌형과 우뇌형의 학습방법은 각각 다음과 같습니다.

좌뇌형	우뇌형
과학: 과학적 사고와 분석력을 활용하여 새로운 발견과 연구 엔지니어링: 논리적 사고와 문제 해결 능력을 바탕으로 혁신적인 기술 개발 분석 분야: 데이터 분석, 시장 조사 등을 통해 전략적 의사 결정 지원	예술: 예술적 감각과 창의력으로 세상을 아름답게 표현 디자인: 시각적 사고와 공간 인지능력을 활용하여 기능적이고 아름다운 디자인 제작 창의 분야: 아이디어 개발, 콘텐츠 제작 등을 통해 새로운 가치 창출

---

14) 위 표에 제시된 좌뇌형 우뇌형 학습스타일을 참고하되 실제로 어떤 때 공부가 잘 되었는지 떠올려봅시다. 카페나 개방된 공간에서 백색소음이 들려야 공부가 잘 되는 사람도 있고, 아주 조용한 곳에서 공부하는 걸 즐기는 사람도 있습니다. 쓰면서 공부하는 걸 즐기는 사람도 있고 혼자 중얼거리는 걸 즐기는 사람도 있습니다. 친구에게 설명하면 공부가 더 잘된다는 사람도 있고, 혼자 백지학습법(백지에 암기한 것을 다 기록)이 최고라는 사람도 있습니다. 움직이고 걸으면서 암기가 잘 되는 사람도 있습니다. 자기 학습 스타일을 떠올려 보면서 좌뇌형 우뇌형 스타일에 맞춰 생각해봐요.

▷ 나에게 적합한 직업 분야에는 어떤 것이 있을까요?

　→ 인터넷 검색(좌뇌형 직업, 우뇌형 직업)을 통해 알아보고 추천 직업 중 맘에 드는 직업들을 적어봅시다.

4. 나의 뇌 유형을 활용한 성공 전략

뇌유형은 절대적인 것이 아닙니다. 다음을 꼭 기억하세요.

1) **강점을 활용하고!** 자신의 강점을 바탕으로 목표를 설정하고 계획을 세우세요.

2) **약점을 보완하면서!** 좌뇌형은 우뇌형 활동, 우뇌형은 좌뇌형 활동을 통해 약점을 보완하고 균형적인 발전을 추구하세요.

3) **다양한 경험을 통해!** 다양한 분야를 경험하며 자신의 잠재력을 발견하고 흥미를 찾아보세요.

4) **지속적으로 노력해요!** 좌뇌형과 우뇌형 모두 꾸준한 노력과 학습을 통해 자신의 능력을 발전시킬 수 있습니다.

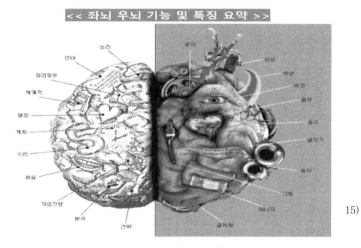

(그림으로 보는 각 영역의 담당 기능)

---

15) https://blog.naver.com/jjangcar2627/220336572816(두뇌테스트 나는 좌뇌형인가,우뇌형인가?)

6. 문장완성 검사를 통한 나를 찾는 여행[16]

1. 나의 현재 모습

◎ 내가 가진 강점은 _____이다.
◎ 내가 개선해야 할 부분은 _____이다.
◎ 내가 가장 자랑스럽게 생각하는 것은 _____이다.
◎ 내가 가장 속상한 점은 _____이다.

2. 나를 이루는 경험들

◎ 내 인생에서 큰 영향을 준 사건은 _____이다.
　이 사건을 통해 _____을 배우게 되었다.
◎ 내가 가장 기억에 남는 경험은 _____이다.
　이 경험을 통해 _____을 깨달았다.
◎ 내가 가장 후회하는 것은_____이다.
　하지만 이 경험을 통해 _____을 배우게 되었다.
◎ 내가 가장 기대하는 미래는 _____이다.
　이를 위해 _____ 노력하고 있다.

3. 내가 만난 사람들

◎ 내가 가장 존경하는 사람은 _____이다.
　그 이유는 _____이다.
◎ 내가 가장 감사하는 사람은 _____이다.
　그 이유는 _____이다.
◎ 내가 가장 기억에 남는 친구는 _____이다.
　그 이유는 _____이다.
◎ 내가 힘들 때 도움을 준 사람은 _____이다.
　그 이유는 _____이다.

---

16) gemini.google.com에서 문장완성검사 등을 검색한 후 나온 결과물들을 참고하여 수업안을 제작하였음을 밝힙니다.

4. 나의 가치와 목표

◎ 내게 가장 중요한 가치는 _____이다.
◎ 내가 살아가는 목표는 _____이다.
◎ 내가 다른 사람들에게 기억되고 싶은 모습은 _____이다.
◎ 내가 세상에 기여하고 싶은 것은 _____이다.

5. 나 자신에 대한 질문

◎ 내가 가장 좋아하는 나의 모습은 _____이다.
◎ 내가 가장 싫어하는 나의 모습은 _____이다.
◎ 내가 나 자신에게 하고 싶은 말은 _____이다.
◎ 내가 나 자신에게 해주고 싶은 것은 _____이다.

6. 나의 감정

◎ 내가 가장 행복할 때는 _____일 때이다.
◎ 내가 가장 슬플 때는 _____일 때이다.
◎ 내가 가장 화날 때는 _____일 때이다.
◎ 내가 가장 두려울 때는 _____일 때이다.

7. 나의 성장

◎ 지난 한 해 동안 내가 가장 성장한 부분은 _____이다.
◎ 내가 앞으로 성장해야 할 부분은 _____이다.
◎ 내가 나 자신을 발전시키기 위해 하고 싶은 것은 _____이다.
◎ 내가 나 자신을 더 잘 이해하기 위해 하고 싶은 것은 _____이다.

8. 나의 여행

◎ 내가 가고 싶은 여행지는 _____이다.
◎ 내가 여행을 통해 경험하고 싶은 것은 _____이다.
◎ 여행을 통해 내가 성장하고 싶은 부분은 _____이다.

9. 나의 자유

◎ 내가 자유롭다고 느끼는 순간은 _____일 때이다.

◎ 내가 제한받는다고 느끼는 순간은 _____일 때이다.

◎ 내가 자유를 위해 하고 싶은 것은 _____이다.

◎ 내가 자유를 누리기 위해 노력해야 할 점은 _____이다.

* 문장 완성을 모두 마무리한 후에 짝이나 모둠 친구들과 자신이 기록한 것을 공유하고 느낀 점을 적어봅시다.

〈더보기 영상〉

다시 나를 이해하는 방법-6분 45초 (유튜브:책그림) (https://www.youtube.com/watch?v=-uw6JLBnj8w)	
김창옥 교수 #06 ∣ 1년 365일, 하루 24시간 중 스스로와 대화한 시간은 얼마나 되시나요? ∣ #어쩌다어른 #사피엔스 ∣ CJ ENM 160915 방송-11분 29초 (유튜브: 사피엔스 스튜디오) (https://www.youtube.com/watch?v=PMJ4d7LY8Ao)	

7. 인생가치관 검사

* 직업가치관은 직업생활에서 중요하게 여기는 태도 및 생각을 의미합니다.
인생가치관은 직업생활을 포함한 인생전반에서 본인이 중요하게 생각하는 생각
및 이것이 반영된 태도입니다. 인생가치관과 직업가치관은 연관성이 있겠지요?

1. 인생가치관 관련 읽기자료[17]

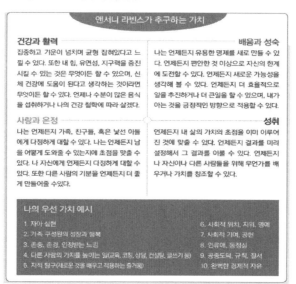

---

17) https://blog.naver.com/doshin38/222466802076(나침반 36.5 블로그)
   원본기사-http://www.edujin.co.kr/news/articleView.html?idxno=36653(에듀진,2021.08.21.)

2. 인생가치관검사[18]

-점수가 10점 이상인 경우 유의미한 가치관이라고 해석해주세요. 일단 **점수가 높은 가치관 3개가 무엇인지 알아보고** 이 가치관을 실현하기 위해 어떤 인생을 살아야 할지 생각해봅시다. 만약 인생가치관 검사에서 심미, 지식, 명예가 높게 나왔는데 장래희망이 헤어디자이너라고 가정해봅시다. **헤어디자인을 배우면서 지식을 높이고 명예도 챙길 수 있을까요?** 미용학과 대학원을 다니면서 박사논문을 쓰고 강사나 교수가 되면 어떨까요? 공무원이 꿈인데 창조, 권력, 독립성이 높게 **나왔다면 어떻게 해야할까요?** 공무원을 하면서 이 가치관을 실현하기 위해 노력하면 되고 도저히 공무원이란 직업을 통해서 가치관 실현이 불가능하다면 이런 가치관을 실현할 수 있는 다른 직업을 찾으면 됩니다.

문 항	그렇다 3	가끔 그렇다 2	확실치 않다 1	그렇지 않다 0
1. 나는 가족을 떠나서라도 모험을 찾아 살고 싶다.				
2. 나는 변화가 많고 도전적인 일을 하고 싶다.				
3. 나는 책을 읽기보다 직접 가보고 싶은 곳이 많다.				
4. 내 일이라도 따분한 일보다는 월급쟁이라도 재미있는 일을 하겠다.				
5. 나는 새로운 물건을 시험 삼아 써보는 것을 좋아한다.				
모 험			합계 (	)
6. 지식이 많은 사람보다는 힘 있는 사람과 사귀겠다.				
7. 권력이 있는 일이라면 대우가 나빠도 기꺼이 하겠다.				
8. 선출직 공무원으로 출마하는 기회가 왔으면 좋겠다.				
9. 남을 따르기보다는 리더가 되고 싶다.				
10. 영향력을 미칠 수 있는 일이 내게는 중요하다.				
권 력			합계 (	)
11. 부자보다는 유명인이 되고 싶다.				
12. 일을 통해서 인정받는 것이 중요하다.				
13. 나는 내 분야에서 '최고'라는 소리를 듣고 싶다.				
14. 상품보다는 상장 그 자체가 더 중요하다.				
15. 많은 월급보다는 인정받을 수 있는 일을 택하겠다.				
명 예			합계 (	)
16. 월급은 바로 그 사람의 가치를 뜻한다고 생각한다.				
17. 돈이 최고라고 생각한다.				
18. 직업 선택의 기준은 어느 정도의 돈을 받느냐이다.				
19. 안정된 직장보다는 돈 많이 주는 곳을 택하겠다.				
20. 돈이 많으면 행복하다고 생각한다.				
재 력			합계 (	)
21. 돈이 있다면 주식투자보다는 은행에 저축하겠다.				
22. 지금 돈을 쓰는 것보다는 장래에 대비하는 것이 중요하다.				
23. 안정적이고 책임 범위가 명확한 직장에서 일하겠다.				
24. 힘 있는 자리보다는 안정된 자리를 택하겠다.				
25. 조용히 다른 사람을 따르겠다.				
안 정			합계 (	)

---

18) https://blog.naver.com/lovedestiny8/221987440554

문 항	그렇다 3	가끔 그렇다 2	확실치 않다 1	그렇지 않다 0
26. 기술적인 보고서보다는 소설을 쓰겠다.				
27. 항상 같은 방법으로 일하기는 싫다.				
28. 문제 해결을 좋아한다.				
29. 나와는 다르게 일하는 사람을 만나면 즐겁다.				
30. 나는 무엇인가를 만드는 것을 잘한다.				
창 조 합계 ( )				
31. 사교 모임에 갈 돈이면 좋은 일에 기부를 하겠다.				
32. 보수가 적더라도 남을 돕는 일을 하겠다.				
33. 장애인들을 위해 봉사하겠다.				
34. 지역사회를 위해 자원봉사를 하면 좋겠다.				
35. 위급한 상황에서 내가 봉사할 수 있다면 좋겠다.				
봉 사 합계 ( )				
36. 정치인보다는 학자가 되고 싶다.				
37. 나는 모든 것에 '왜' 라는 질문을 던진다.				
38. 책과 독서는 내게 중요하다.				
39. 나는 매일 새로운 것을 배우기를 원한다.				
40. 상대의 기분을 상하게 하더라도 솔직하게 말하겠다.				
지 식 합계 ( )				
41. 운동 경기보다는 예술 행사에 참석하겠다.				
42. 주변 환경이 아름다워야 한다.				
43. 고급스런 물건보다는 예술 작품을 사겠다.				
44. 외모는 내게 중요하다.				
45. 색상에 대한 감각이 뛰어나다.				
심 미 합계 ( )				
46. 나는 시간 제약이 없는 직장을 택하겠다.				
47. 나는 언젠가 창업을 하고 싶다.				
48. 나는 돈보다는 개인 시간을 택하겠다.				
49. 친구들이 내게 의존하는 것이 싫다.				
50. 내게 맞지 않는 규율이라면 이의를 제기하겠다.				
독 립 성 합계 ( )				

→ 10점 이상 나온 가치관은 무엇입니까?

☞ (   )

→ 가장 점수가 높게 나온 가치관은 무엇입니까?

☞ (   )

→ 가장 점수가 낮게 나온 가치관은 무엇입니까?

☞ (   )

→ 자신이 관심있는 진로분야와 가치관이 서로 어울립니까? 어울리게 하
는 방법은 무엇이 있을까요? 생각해봅시다.

4. 짝꿍 혹은 친구들과 점수가 높게 나온 가치관과 낮게 나온 가치관이 각자 무엇
인지 비교해보고 이야기 나눠봅시다.

5. 가치관 관련 동영상 시청하고 생각해보기

-세바시 인생질문: 인생의 가치관이 없어서 고민하는 당신이 반드시 들어야 할 대답 | 장강명 성장문답 | 당선 합격 계급 한국이싫어서 댓글부대 인생상담 인생고민-7분 26초 (유튜브:세바시인생질문) 　https://www.youtube.com/watch?v=NkA0QrZVSt8	
-기자 조동찬 / 내가 의사 가운을 벗고 기자가 된 이유 -3분 27초 (유튜브:셀레브) https://www.youtube.com/watch?v=OSc9OdyHGkI ☞ 의사일 때 조동찬씨는 어떤 가치관을 갖고 있었기에 과감히 기자로 직업을 바꿀 수 있었는가? 그는 인생에서 어떤 가치관을 주용하게 여기고 있는가?	
[#유퀴즈온더블럭] 이태석 신부님을 보면서 타국에서 의사의 꿈을 이뤄낸 자기님　뭉클함을 자아내는 토마스 선생님의 열정 -24분 31초 (유튜브:tvN D ENT) https://www.youtube.com/watch?v=J-y2_5WmabM	

8. 가치 경매를 통한 가치 탐색
- 당신이 중요하게 생각하는 가치는 무엇인가요?[19]

1. 중요하게 생각하는 가치에 따른 여러분의 선택

당신이 중요하게 생각하는 가치에는 어떤 것들이 있나요? 여러분이 평소에 중요하게 생각해온 가치에 따라 여러분의 사소한 행동들을 비롯하여 직업 선택에 이르기까지 여러분 삶의 많은 것들이 결정됩니다. 여기에서는 여러분이 진정 소중하게 생각하는 것들이 무엇인지 살펴보도록 하겠습니다.

2. 나에게 10만원이 있다면 어디에 쓸까?

나에게 10만원이 있다면 어디에 쓸지 적어보세요. 10만원을 하나의 분야에 써도 되고 여러 분야로 나눠서 사용해도 됩니다. 바로 떠오르는 생각들을 적어주세요. 이렇게 소비한 이유도 간단히 기록합니다.

- 짝꿍과 답변을 비교해봅니다. 사람마다 돈을 쓰는 형식이나 내용이 다릅니다. 각자 중요하게 생각하는게 다릅니다. 인생에서 중요하게 생각하는 것도 다릅니다. 당신의 인생은 어느 곳에 가치를 두고있나요?

3. 가치목록 중에 나의 선택은?

1) 다음 가치 중에 내가 중요하다고 생각하는 가치 10가지를 골라 동그라미 치세요.

---

19) 참고: 이에렌, 해피메이커스 대표 칼럼-나에게 중요한 것 알아내기: 가치경매
(https://www.mirae.news/news/curationView.html?idxno=2784)

34

가치목록 예시

가족	도전	안전	자유	책임	예술성	용기
우정	배려	경제성	권력	헌신	성취	성장
공헌	완벽	명예	인정	즐거움	진실	호기심
다양성	여행	여가	관계	인맥	여유	안정
정의	기여	환경	소신	화합	아름다움	능력
나눔	봉사	절제	친절	공정성	신앙	소속감
양심	중도	능력	유명세	최고가 되는 것	혁신	유연성
사랑	문제해결	건강	청결	모험	교육	다양성

표:미래경제뉴스

2) 동그라미한 가치 중 가장 중요하다고 생각되는 것 4가지를 골라보세요. 상위 4 개의 목록에는 구체적으로 그 가치를 통해 어떤 것을 이루고 싶은지 적어봅니 다. 가치를 통해 얻고자 하는 것이 곧 목표가 됩니다. 1,000만원의 돈을 나눠서 **투자하세요. 1,000만원은 4가지 가치에 분배하되 액수가 달라야 합니다.**

단, 돈을 많이 투자할수록 소중한 가치인 것은 아닙니다. 가장 소중한 가치라도 0원을 투자할 수 있습니다. 상위 3개 안에 들지는 않지만 투자하고 싶은 가치목 록이 있으면 맨 마지막 1칸에 쓰도록 하세요.

<예시>

가치목록	투자금(합:1000만원)	가치를 통해 이루고 싶은 구체적인 것 기록
건강	180만원(건강식을 사고 개인 PT를 받겠다)	날씬하고 탄탄한 근육질 몸매를 갖겠다.
가족과의 시간	200만원(가족들과 함께 맛있는 것을 먹으며 대화를 나누고 기쁨과 슬픔을 나누며 살겠다)	정서적인 위안과 행복을 얻고 싶다.
성장	500만원 (~~~~~~~~~~~~~~~~~~~~~~~)	~~~~~~~~~~~~~~~~ ~~~~~~~~
경제성	120만원 (~~~~~~~~~~~~~~~~~~~~~~~)	~~~~~~~~~~~~~~~~ ~~~~~~~~~
절제	0원 (~~~~~~~~~~~~~~~~~~~~~~~)	~~~~~~~~~~~~~~~~ ~~~~~~~~

* 나의 분배

가치목록	투자금(합:1000만원)	가치를 통해 이루고 싶은 구체적인 것 기록

4. 가치분배한 것에 대해 친구들과 비교해보고 이야기를 잠시 나눠봅니다.
  - *다른 친구들은 가장 많은 돈을 어느 가치에 투자했을까*
  - *중요하지만 돈을 투자하지 않은 가치는 무엇인가*
  - *미래 나의 직업이나 하는 일이 내가 소중히 여기는 가치와 조화를 이루려면 어떻게 해야할까*

<더보기 영상>

스티브잡스 [스탠포드 연설] | 영한자막 -14분 33초 (유튜브: BeyondEnglish) https://www.youtube.com/watch?v=msJFZdU6rrI	

And yet death is the destination we all share. No one has ever escaped it. And that is as it should be, because Death is very likely the single best invention of Life. It is Life´s change agent. It clears out the old to make way for the new.

우리 모두는 언젠가는 다 죽을 것입니다. 아무도 피할 수 없죠. 삶이 만든 최고의 작품이 '죽음'이니까요. 죽음이란 삶의 또다른 모습입니다. 죽음은 새로운 것이 헌 것을 대체할 수 있도록 만들어줍니다.

Right now the new is you, but someday not too long from now, you will gradually become the old and be cleared away.

지금의 여러분들은 '새로움'이란 자리에 서 있습니다. 그러나 언젠가는 여러분들도 새로운 세대들에게 그 자리를 물려줘야할 것입니다.

Sorry to be so dramatic, but it is quite true.
너무 극단적으로 들렸다면 죄송하지만, 사실이 그렇습니다.

Your time is limited, so don't waste it living someone else's life.
여러분들의 삶은 제한되어 있습니다. 그러니 낭비하지 마십시오.

Don't be trapped by dogma - which is living with the results of other people's thinking.
도그마- 다른 사람들의 생각-에 얽매이지 마십시오.

Don't let the noise of other's opinions drown out your own inner voice.
타인의 잡음이 여러분들 내면의 진정한 목소리를 방해하지 못하게 하세요.

And most important, have the courage to follow your heart and intuition.
그리고 가장 중요한 것은 마음과 영감을 따르는 용기를 가지는 것입니다.

They somehow already know what you truly want to become. Everything else is secondary.

이미 마음과 영감은 당신이 진짜로 무엇을 원하는지 알고 있습니다. 나머지 것들은 부차적인 것이죠.

-스티브 잡스 '스탠포드 대학 졸업식' 연설 일부
(출처: https://t1.daumcdn.net/cfile/tistory/2661114A58DDFFE607?download)

9. 직업 가치관 탐색 실천 보고서

* 자신의 직업가치관이 무엇인지 생각해보고[20) 이것을 현재 실현할 수 있는 방안을 생각해보자

1. 자신의 희망 진로 (없으면 "탐색중" 이라고 기록)	
★2. 자신의 위의 가치관 중 희망 진로분야에서 꼭 있어야 할 가치관 이라고 생각한 것 (인생에서 중요하 게 생각하는 가치 관 제시)과 그 이유	가치관: (　　　　　　　　　　　　　　　　) 이유 →
★3. 위의 가치관 을 함양하고 실현 하기 위한 계획 및 실천방법 4~5가지 (주로 교내활동과 연관시켜 적으면 좋음)	

– 다음 페이지에 예시가 있으니 예시를 참고하시오.

---

20) 포털사이트에 '특정직업+가치관' (예시:의사 직업가치관) 검색하거나 생성형AI에게 물어봐도(의사에게 필요한 직업가치관 5개를 제시하고 이유를 설명해주세요) 됩니다. 이 결과들도 보고 다양하게 탐색한 뒤 꼭 필요한 하나의 가치관을 설정합니다.

<예시>

1. 자신의 희망 진로 (없으면"탐색중" 이라고 기록)	통일연구원
★2. 자신의 위의 가치관 중 희망 진로분야에서 꼭 있어야 할 가치관 이라고 생각한 것 (인생에서 중요하게 생각하는 가치관 제시)과 그 이유	*가치관: 인내심과 협동심* *이유* → *연구원은 많은 기존 선행 연구들을 끈기있게 읽고 연구에 임해야 한다. 남북통일이라는 문제는 한번에 한순간에 이뤄질 일이 아니고 국민 의견들의 통합도 필요한 지난한 작업이다.* *그러므로 인내심을 갖고 기다리며 국내외 다양한 연구들을 인내심을 갖고 읽으면서 동료 연구원들과 협업을 하여 연구 결과를 도출해야 할 것이다. 연구는 혼자 하는 것이 아니고 과거의 훌륭한 연구, 현재의 뛰어난 동료와 함께 하는 작업이므로 기본적으로 협동심이 필요하다. 또 나의 연구가 미래 세대에도 영향을 끼치므로 타인과 협업한다는 태도와 생각을 꼭 갖고있어야 하며 연구원에게는 매우 중요하다고 생각한다.*
★3. 위의 가치관을 함양하고 실현하기 위한 계획 및 실천방법 4~5가지 (주로 교내활동과 연관시켜 적으면 좋음)	*1. 수업시간: 지루한 수업시간이라도 한 가지라도 배워야겠다는 생각으로 인내심을 갖고 성실하게 임한다.* *2. 자습시간 및 점심시간: 300쪽 이상 되는 책을 선정하여 한 학기 동안 인내심을 갖고 읽는다.* *3. 자율시간: 학교 행사에서 일손이 필요할 때 자발적으로 가서 돕는다.* *4. 동아리시간: ~~~~~~~~~~~~~~~~~~~~~~~~~~~~~~~* *5. 야간자율학습: ~~~~~~~~~~~~~~~~~~~~~~~~~~~~~~~~*

* 직업 가치관 예시

- 워크넷 직업가치관

▶ 검사의 주요 내용

하위 요인	하위요인 설명
1. 성취	자신이 스스로 목표를 세우고 이를 달성함
2. 봉사	남을 위해 일함
3. 개별 활동	여러 사람과 어울려 일하기보다는 혼자 일하는 것을 중시함
4. 직업안정	직업에서 얼마나 오랫동안 안정적으로 종사할 수 있는지를 중시
5. 변화지향	업무가 고정되어 있지 않고 변화 가능함
6. 몸과 마음의 여유	마음과 신체적인 여유를 가질 수 있는 업무나 직업을 중시
7. 영향력 발휘	타인에 대해 영향력을 발휘하는 것을 중시
8. 지식추구	새로운 지식을 얻는 것을 중시
9. 애국	국가를 위해 도움이 되는 것을 중시
10. 자율성	자율적으로 업무를 해나가는 것을 중시
11. 금전적 보상	금전적 보상을 중시
12. 인정	타인으로부터 인정받는 것을 중시
13. 실내활동	신체 활동을 덜 요구하는 업무나 직업을 중시

- 커리어넷 직업가치관

안정성	특징	나는 매사가 계획한대로 안정적으로 유지되는 것을 좋아합니다.
	직업선택	나는 쉽게 해고되지 않고 오랫동안 일할 수 있는 직업을 선택할 것입니다.
	직업생활	안정적인 직업생활이 보장된다면 편안한 마음으로 더욱 열심히 일을 할 것입니다.

사회적인정	특징	나는 다른 사람들로부터 나의 능력과 성취를 충분히 인정받고 싶어합니다.
	직업선택	나는 많은 사람들로부터 주목받고 인정받을 수 있는 직업을 선택할 것입니다.
	직업생활	주변사람들이 나를 긍정적으로 평가하면 나의 능력발휘에 더욱 도움이 될 것입니다.

사회봉사	특징	나는 다른 사람을 돕고 더 나은 세상을 만들고 싶습니다.
	직업선택	나는 사람, 조직, 국가, 인류에 대한 봉사와 기여가 가능한 직업을 선택할 것입니다.
	직업생활	도움과 격려가 필요한 사람들에게 힘을 줄 수 있는 직업생활을 할 때 가치와 보람을 느낄 것입니다.

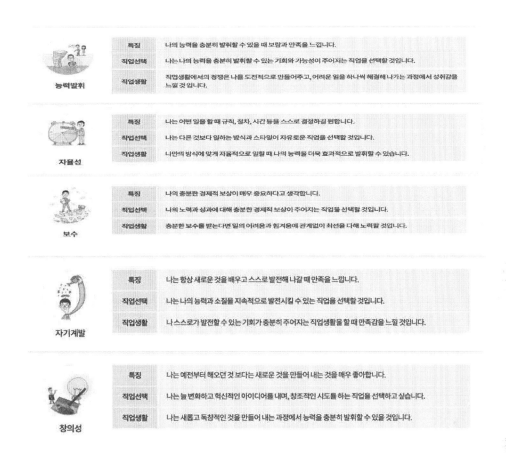

능력발휘	특징	나의 능력을 충분히 발휘할 수 있을 때 보람과 만족을 느낍니다.
	직업선택	나는 나의 능력을 충분히 발휘할 수 있는 기회와 가능성이 주어지는 직업을 선택할 것입니다.
	직업생활	직업생활에서의 경쟁은 나를 도전적으로 만들어주고, 어려운 일을 하나씩 해결해 나가는 과정에서 성취감을 느낄 것입니다.
자율성	특징	나는 어떤 일을 할 때 규칙, 절차, 시간 등을 스스로 결정하길 원합니다.
	직업선택	나는 다른 것보다 일하는 방식과 스타일이 자유로운 직업을 선택할 것입니다.
	직업생활	나만의 방식에 맞게 자율적으로 일할 때 나의 능력을 더욱 효과적으로 발휘할 수 있습니다.
보수	특징	나의 충분한 경제적 보상이 매우 중요하다고 생각합니다.
	직업선택	나의 노력과 성과에 대해 충분한 경제적 보상이 주어지는 직업을 선택할 것입니다.
	직업생활	충분한 보수를 받는다면 일의 어려움과 힘겨움에 관계없이 최선을 다해 노력할 것입니다.
자기계발	특징	나는 항상 새로운 것을 배우고 스스로 발전해 나갈 때 만족을 느낍니다.
	직업선택	나는 나의 능력과 소질을 지속적으로 발전시킬 수 있는 직업을 선택할 것입니다.
	직업생활	나 스스로가 발전할 수 있는 기회가 충분히 주어지는 직업생활을 할 때 만족감을 느낄 것입니다.
창의성	특징	나는 예전부터 해오던 것 보다는 새로운 것을 만들어 내는 것을 매우 좋아합니다.
	직업선택	나는 늘 변화하고 혁신적인 아이디어를 내며, 창조적인 시도를 하는 직업을 선택하고 싶습니다.
	직업생활	나는 새롭고 독창적인 것을 만들어 내는 과정에서 능력을 충분히 발휘할 수 있을 것입니다.

* 네이버 등 포털사이트에 '직업 가치관'이라고 쓰고 검색해도 다양한 가치관들을 찾을 수 있습니다.

(검색어예시: 가치관 종류/출처: https://blog.naver.com/biz_cc/222891816426)

01 감사	18 보살핌	35 자유
02 겸손	19 부지런	36 적극성
03 경청	20 사랑	37 절약
04 공감	21 생명 존중	38 절제
05 공부	22 성실	39 정리정돈
06 공평	23 솔선	40 정성
07 관심	24 실천	41 존중
08 관용	25 아름다움	42 질서
09 긍정	26 약속	43 착한 마음
10 나눔	27 양보	44 책임
11 노력	28 양심	45 친절
12 도전	29 용기	46 평화
13 믿음	30 우정	47 함께하기
14 반성	31 유머	48 행복
15 발전	32 인내	49 협동
16 배려	33 자신감	50 희망
17 보람	34 자연 사랑	

* 직업가치관에 대한 읽기자료

-기획재정부 블로그: MZ세대의 변화하는 직업가치관
(https://blog.naver.com/mosfnet/223086961970)

* <읽기자료> 공무원도 창의적일 수 있을까?

-김선태 충주시 홍보 주무관 특강 관련 기사
("유튜브 성공비결? 상사 눈치 보지 말 것"..충주맨 김선태의 '조언', 파이낸셜뉴스, 2024.2.8.)

이 자리에서 김 주무관은 '틀을 깬 것'이 SNS 성공의 비결이라고 설명했다. 그는 "**잘할 필요가 없다는 생각을 버리고** 개인도 조직을 바꿀 수 있다는 생각을 가질 때 조직이 변화될 수 있다"라고 말했다.
김 주무관은 또 일을 할 때 상위 주무부처나 상사, 선배를 고려 대상에서 완전히 배제하라고 조언했다. 시민과 제도 수요자 측면에서만 고민하라는 것이다.
그는 "금감원 상위기관인 금융위가 이것저것 요구하지 않나"라며 "보통 기관의 홍보는 상위기관이나 결재권자의 요구사항에만 맞추다가 별 반향이 없는 채로 묻히기 일쑤"라고 했다.
그러면서 "보고 개수를 채운다는 마음이면 사람들의 반응을 얻을 수 없다"라고 덧붙였다.
김 주무관은 이어 "금감원이 금융 관련 제도나 조치를 제대로 알리려면 일단 가장 해서는 안 되는 걸 해보면 된다"라며 "'보이스피싱, 제가 해봤습니다'하고 동료 직원에게 전화 거는 걸 유튜브에 올려보라"라고 조언했다.
이날 강의를 들은 금감원 직원들은 여러 질문을 쏟아냈다. 한 직원은 "**혁신적인 생각으로 업무를 수행하겠다고 다짐**하는 계기가 됐다"라고 소감을 전하기도 했다.

-파이낸셜뉴스, 2024.2.8. 중 일부

10. 나의 좌우명 만들기

1. 좌우명이란 무엇인가

- 좌우명(座右銘, motto)은 개인이나 단체에서 목표 또는 의의를 나타내거나, 특별한 동기를 부여하기 위해 만드는 표어의 일종이다.

  좌우명이라는 말은 후한(後漢)의 학자 최원(崔瑗)에서 시작되었다. 자리(座)의 왼쪽(左) 오른쪽(右)에 일생의 지침이 될 좋은 글을 '쇠붙이에 새겨 놓고(銘)' 생활의 거울로 삼은 데서 유래되었다.

  한편, 서양에서는 이러한 상징적 표어를 '모토'라고 부르는데, 이는 라틴어로 '말', '전언', '전설(傳說)'을 가리키는 'muttum(mutter)'에서 유래하였으미 직접적으로는 이탈리아어 'motto'에서 수입되었다. 전통적으로 서양의 모토는 중세 이래 공용어였던 라틴어로 작성되었으나, 근대부터는 프랑스어나 영어 등 다른 언어로도 작성되었으며, 개인이나 가문, 단체, 국가 등의 상징 중 하나로 자리매김했다.(출처: 나무위키 '좌우명'의 뜻)

2. 좌우명의 예

① 2024년 좌우명 추천모음 101가지[21]

② 유명인 좌우명 70가지[22]

---

21) https://url.kr/h63nxr
22) https://sanson.tistory.com/162

③ 메신저 프로필로 추천하는 한자/영어좌우명[23]

지금 나의 메신저 프로필은 무엇인가요??

CEO들의 카카오톡 대문글

유형	CEO	카톡 대문글
좌우명·명언	김광용 투바엔터테인먼트 대표	길이 없으면 찾으면 되고 찾아도 없으면 만들면 된다 -아산-
	김지만 쏘카 대표	나의 길은 언제나 새로운 길
	김종식 SK텔레시스 대표	Stay Hungry! Stay Foolish!
	이석우 다음카카오 공동대표	패배했을 때 끝나는 게 아니라 포기했을 때 끝난다
	이건호 전 KB국민은행장	人不知而不溫 不亦君子乎
	이성락 신한생명 대표	해현경장
	현병택 전 IBK캐피탈 대표	꽃향기는 천 리를, 사람향기는 만 리를 갑니다
경영이념·다짐	권동칠 트렉스타 대표	신발왕
	김승남 조은시스템 회장	늘 감사하며 겸손하게 자기 발전에 힘쓰는 우리들
	김정빈 전 코스틸 대표	이 세상이 바라는 것은 무엇일까?
	김진석 CJ헬로비전 대표	마음으로 경청하기
	김철준 한독 사장	일을 놀자
	조성식 SAS코리아 대표	그 날에…
	한재권 조인 회장	행복과 불행은 선택의 결과다…

-출처: [CEO LOUNGE]CEO들의 카카오톡 대문글 | 좌우명·경영이념·다짐 고루 담겨
(매일경제, 2015.02.09.)

3. 명언을 좌우명으로 삼을 수도 있지만 본인이 만들 수도 있습니다.
   나의 인생에 두고두고 중심을 잡아줄 좌우명을 만들기에 도전해봅시다.

<좌우명 만드는 방법>

① 기존의 좌우명을 약간 변형해서 만드는 방법
 - 포털사이트에 들어가서 본인의 가치관과 관련한 좌우명을 검색하여 찾습니다.
   예를 들면, 포기하지 않는 삶에 대한 좌우명-이라고 검색하고 찾아봅니다. 기

23) https://blog.naver.com/wlgh113/222548875629

존의 좌우명 중 몇 개를 골라 단어를 살짝 바꿔서 새로운 좌우명을 만들 수 있습니다. 혹은 기존의 좌우명 2개를 합쳐도 됩니다. 분해, 합성은 창조의 기본입니다. 마음대로 창작해보세요.

(예) 실패는 성공의 어머니다(기존명언) → 인내는 성공의 어머니다(내가 만든 명언)

② 챗GPT 등 생성형 AI프로그램에게 만들어 달라고 한 뒤 변형해보세요.

(예)

> **ⓢ You**
> 포기하지 않는 삶에 대한 좌우명을 만들고 싶어. 5개만 만들어줘.

> **ⓢ ChatGPT**
> 물론이죠, 포기하지 않는 삶을 위한 좌우명을 아래와 같이 제안드립니다:
>
> 1. "풍파를 견뎌내는 배처럼, 도전 앞에서 결코 굴복하지 않는다."
> 2. "끝까지 걷는 길이, 새로운 지평을 연다."
> 3. "실패는 종착점이 아닌, 성장의 발판이다."
> 4. "꿈을 향해 나아가는 길에는 끝이 없다. 오직 계속될 뿐."
> 5. "포기하는 순간이 실패의 시작이다. 계속 전진하라."
>
> 이 좌우명들이 여러분의 삶에 긍정적인 에너지를 불어넣어주길 바랍니다.

풍파를 견뎌내는 배처럼, 도전앞에서 결코 굴복하지 않는다.(챗GPT추천)
→ *파도를 헤쳐나가는 배처럼, 역경 앞에서 물러서지 않는다*
(내가 만든 명언)

4. 3개 정도의 명언을 만든 뒤 다음 표에 기록해봅시다.
   3개 중 가장 맘에 드는 명언에 표시를 해둡니다.

연번	명언이 나타내는 가치관[24)	완성한 명언	기존명언을 변형한 것이라면 기존명언을 기록
1			
2			
3			

---

24) 인내, 포기하지않음, 도전, 역경극복, 인격, 봉사, 부, 열정, 사랑, 성공, 지식 등등

5. 짝꿍과 자신이 만든 명언 중 가장 맘에 드는 것을 공유합니다.

6. 반 학생들이 차례대로 나와서 자신이 만든 명언을 칠판에 적어봅니다. 다 적어
   지면 교사가 눈에 띄는 명언을 읽어봅니다. (칠판에 적지 않고 한 사람씩 일어
   나서 지신의 명언을 큰소리로 읽어도 좋습니다.)

7. 최종 나의 좌우명을 아래 칸에 크게 다시 적어봅니다.

- 자신이 만든 좌우명을 잘 보이는 곳에 붙여두고 자주 읽어보며 꿈을 키워나갑
  시다.

<더보기 영상>

수백년 전부터 내려오는 인생을 바꾸는 7가지 명언 -8분 45초(유튜브: 책갈피) https://www.youtube.com/watch?v=WTABpZtu_7Y	
면접 좌우명 · 생활신조 질문 면접관이 뽑고싶은 답 변 준비 팁 2가지는? | 면접의 기술 | 해커스잡 김태형 -6분 17초(유튜브: 해커스잡) https://youtu.be/Nff7VTfqQ0w?si=Y7MxUWCMAA lQy4IJ	

11. 좋아하는 과목으로 진로 탐색
-메이저 맵 활용하기

1. 메이저 맵 접속

- www.majormap.net
- 회원 가입

2. 로그인 후 '학과정보 검색' 창에 자신이 좋아하는 과목 입력

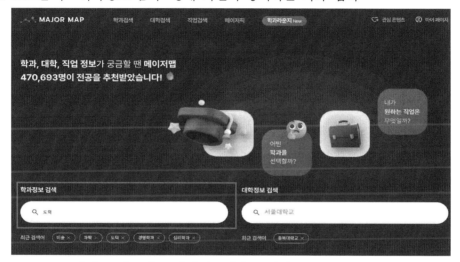

- 좋아하는 과목명을 입력 후 엔터를 치면 관련학과들이 제시됨
  (과학, 미술, 체육 등 좋아하는 과목명을 생각나는대로 입력하면 됨)
- 결과 예시

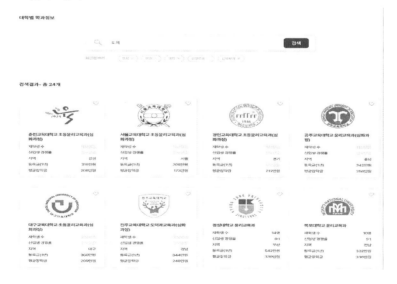

※ 주의: 훨씬 많은 학과가 있을 수 있으므로 여기 제시된 것이 전부가 아님을 기억하세요 → 우선 메이저 맵에 제시된 대학학과 중 관심있는 것을 클릭

3. 관심있는 대학 학과 아무거나 클릭

4. 정리해보기(최소 3개 과목을 입력해볼 것)

① 입력한 과목: (   )
  클릭한 대학 학과: (   )대학교 (   )학과
    - 정보 정리
    <1>1년 등록금: (   )원
    <2>경쟁율: (   )
    <3>취업율: (   )
    <4>선택교과

<5> 추천도서

<6> 관련직업

② 입력한 과목: (   )
  클릭한 대학 학과: (   )대학교 (   )학과
    - 정보 정리
    <1>1년 등록금: (   )원
    <2>경쟁율: (   )
    <3>취업율: (   )
    <4>선택교과

<5> 추천도서

<6> 관련직업

```

```

③ 입력한 과목: (   )
클릭한 대학 학과: (   )대학교 (   )학과
  - 정보 정리
  <1>1년 등록금: (   )원
  <2>경쟁율: (   )
  <3>취업율: (   )
  <4>선택교과

```

```

  <5> 추천도서

```

```

  <6> 관련직업

```

```

50

12. 나를 채용해주세요
-나를 홍보하면서 강점 찾기

1. 당신이 지금 관심있는 직업(진로)분야에 뽑힐 기회를 갖게 되었습니다. 최종 면접입니다. 면접관에게 채용지원서를 내고 면접을 본다고 가정해봅시다. 우선 자신에 대해 먼저 파악한 뒤 면접에 들어가야겠지요.

2. 자신이 어떤 분야에 잘 맞는지(직업흥미)를 파악하기 위한 간단한 검사를 해도 좋습니다.
   -로그인하지 않아도 검사 가능
   -방법:워크넷-직업진로-직업심리검사-청소년심리검사-직업흥미검사(간편형)실시

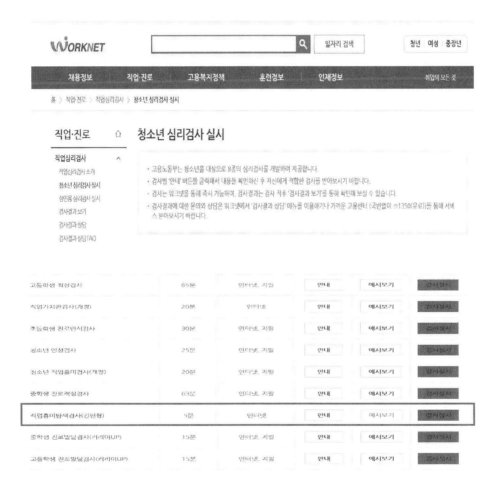

<'워크넷-직업흥미검사' 결과 예시>

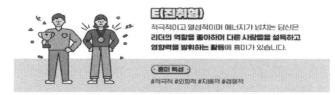

☞ 자신의 결과를 정리해보자.(그대로 적거나 요약해서 적어도 됨)

첫 번째 흥미유형	
두 번째 흥미유형	

* 무료 성격검사

https://together.kakao.com/big-five

- 각 성격별 테스트(개방성, 성실성, 외향성, 우호성, 신경증)
- '테스트 시작' 버튼 누르기
- 성격별 테스트가 끝나면 점수를 기록하고 big5진단 이라는 메뉴를 누르면 다른 검사가능

Big 5 성격검사

성격은 행동과 반응을 짚어보는 척분입니다.
검증된 Big 5 성격검사로 당신이 몰랐던 진짜 당신을 마주해보세요.
모든 테스트를 완료하면 종합분석을 확인할 수 있어요.

🔒 종합분석 0%

개방성 Openness to Experience 테스트 시작
━━━━━━━━━━━━━━━━━━ ?

성실성 Conscientiousness 테스트 시작
━━━━━━━━━━━━━━━━━━━━━ ?

외향성 Extraversion 테스트 시작
━━━━━━━━━━━━━━━━━ ?

우호성 Agreeableness 테스트 시작
━━━━━━━━━━━━━━━━━━━━━━━━ ?

신경증 Neuroticism 테스트 시작
━━━━━━━━━━━━━━━━━━━━ ?

낮음   높음

Big 5 진단문 서울대학교 행복연구센터와 함께 합니다.

<Big5 검사 결과 정리>

성격유형	점수	나의 판단
개방성(새로운 것에 열린 마음태도)		
성실성(계획을 세우고 실천하는 성향. 이 점수가 높으면 유혹을 견뎌내고 신중히 행동)		
외향성(활동적인 일을 선호하는 모습)		
우호성(다른 사람의 마음을 공감하는 모습)		
신경증 (스트레스에 얼마나 민감하게 반응하는가)		

<Big5 결과 정리 예시>

성격유형	점수	나의 판단
개방성(새로운 것에 열린 마음태도)	74점 (평균보다 9점 높음)	나는 보통사람들보다 성실한편이다.

53

♣ 위의 결과들과 평소 당신의 생각을 정리하여 당신이 관심있는 분야의 회사에 지원하고자 합니다. 현재 가진 능력을 최대한 어필하는 지원서를 써보세요.

– 채용 지원서 –

지원자 이름	
생년월일	.
성별	
지원분야 (관심있는 진로분야)	
좌우명 (신념으로 삼는 명언)	
감명깊게 읽은 책과 영화(혹은 드라마나 만화 등), 그 이유	
내가 가진 장점들 **(성격 등)**	
★위 장점들이 **회사에 어떻게** **도움을 줄 수있을지** **구체적으로 쓰시오**	
더 이야기하고 싶은 나의 모습	
면접이라고 상상하고 "마지막으로 하고 싶은 말" -면접관에게 하는 말을 상상해서 써보세요.	

<기록 예시안>

- 채용지원서 -

지원분야 (관심있는 진로분야)	항공승무원
좌우명	행복해서 웃는게 아니라 웃어서 행복해진다.
감명깊게 읽은 책과 영화(혹은 드라마나 만화 등), 그 이유	드라마 '미생', 신입사원이 일을 배워하는 과정이 인생을 사는 과정과 비슷하다고 생각했음
내가 가진 장점들 (성격 등)	잘 웃는다, 잘못을 지적당하면 바로 사과하고 고치려고 노력한다, 상상력이 풍부하다, 기분나쁜 일을 빨리 잊는다, 지각하지 않는다, 수업시간에 몰입한다, 규칙을 잘 지킨다. 성실성이 높다. 새로운 것을 잘 받아들인다 등
★위 장점들이 회사에 어떻게 도움을 줄 수있을지 구체적으로 쓰시오	고객을 대하는 직업이기 때문에 언제나 밝은 미소를 띄고 서비스를 할 수 있습니다. 규칙을 잘 지키므로 서비스 매뉴얼을 잘 이행할 수 있습니다. 동료들과 트러블이 생겨도 서로 양보하고 제 잘못을 되돌아보겠습니다.
더 이야기하고 싶은 나의 모습	비행기 안에서 고객이 편하게 시간을 보낼 수 있게 매뉴얼을 해치지 않는 한도내에서 이륙 후 안전해지면 웰컴 이벤트(로고송 부르기) 같은 것을 해보고 싶습니다.
면접이라고 상상하고 "마지막으로 하고 싶은 말"-면접관에게 하는 말을 상상해서 써보세요.	저를 항공승무원으로 뽑아주신다면 고객들이 이 항공사비행기를 다음에 또 선택할 수 있게끔 마음 따뜻한 이벤트를 하고 성심성의껏 고객의 불편사항을 해소하며 행복한 여행이 되게 서비스하도록 노력하겠습니다.

13. 두 마음 토론**

1. '두 마음 토론'을 통해 내가 중요하게 생각하는 가치를 생각해봅시다.
   다음 이야기에서 가치 갈등상황을 찾아봅시다.

1. 갑돌이의 고민

대학교 4학년 갑돌이가 대학원 입학 면접을 보는 날, 면접 준비를 위해 학교 학과 사무실에 나가 혼자 자료를 정리하고 있었다. 그때, 선배 을순이로부터 전화가 왔다. 을순이는 같은 과 누나로, 갑돌이가 항상 믿고 의지하는 선배이다.
전화를 받은 순간, 갑돌이는 뭔가 심상치 않은 느낌을 받았다. 을순이의 목소리는 떨렸고, 말투는 급박했다. 그녀는 오늘 기업체 대상 포트폴리오 발표를 앞두고 있었는데, 중요한 자료(파일이 아님)를 학과 사무실에 두고 왔다는 것이다.
갑돌이는 고민에 빠졌다. 지금 을순이에게 자료를 갖다주면 을순이는 발표를 성공적으로 마치고 취업에 성공할 수 있지만, 갑돌이는 대학원 면접에 늦을 것이다. 대학원 면접은 더 이상 미룰 수가 없었고 이번 기회를 놓치면 1년 이상을 허송세월을 보내야 할지도 모른다. 퀵 서비스 센터는 모두 불통이었고 학과 사무실 근처에 선후배가 아무도 없었다.

2. 두 가지 선택

갑돌이는 두 가지 선택지가 있다는 것을 깨달았다.
첫 번째 선택은 을순이에게 자료를 갖다주는 것이다. 을순이는 갑돌이 덕분에 발표를 성공적으로 마칠 수 있을 것이고, 갑돌이는 선배를 도왔다는 만족감을 얻을 수 있을 것이다. 그리고 선배와의 우정도 지킬 수 있다. 하지만 갑돌이 면접에 늦을 수도 있고, 면접에 늦는 것은 그에게 큰 불이익으로 작용할 수 있었다.
두 번째 선택은 을순이에게 자료를 갖다주지 않는 것이다. 갑돌이는 면접에 제때 참석하지만, 을순이는 기업체 대상 발표에 실패하고 소중한 취업기회를 잃을 수 있다. 갑돌이는 선배를 도와주지 못했다는 죄책감을 느끼고, 둘의 관계가 악화될 수 있었다.

3. 갑돌이의 결정

갑돌이는 잠시 고민한 후, 을순이에게 자료를 갖다주기로 결정했다. 갑돌이는 을순이와의 우정과 그녀의 발표 성공을 더 중요하게 생각했기 때문이다. 갑돌이는 택시를 타고 을순이가 있는 곳으로 가서 자료를 넘겨주었다. 그 후 갑돌이는...

1) 이야기 속 주인공에게 발생한 가치 갈등 문제는 무엇인가?

2) 이야기 속 주인공이 겪었던 갈등 상황을 정리해 보자.

을순이에게 자료를 _____	VS	을순이에게 자료를 _____

2. 이야기 속 주인공의 선택이 옳은 선택인지 '두 마음 토론'을 해 보자.

✿두 마음 토론이란 3인 1조로 진행하는 일대일 토론이다. 양측 입장이 다 일리가 있어서 선택이 어려운 문제 상황에 적합한 토론으로 토론자 2명은 각자 양측의 입장에 서서 자신의 의견을 이야기하고, 판결자는 양측의 의견을 들은 후 최대한 공정하게 판결하는 방식으로 진행한다.

1) 토론자 구성 및 역할 정하기

▶ 토론자가 나뉘어지지 않을 경우 자신의 견해와는 상관없는 역할을 맡아도 되므로 가위바위보 등 적절하게 무조건 토론자1과 토론자2로 나눠야한다.

구성	역할	담당자 이름
토론자 1	주인공의 선택을 옹호하는 입장 변론	
토론자 2	주인공의 선택을 비판하는 입장 변론	
판결자	양쪽의 입장을 모두 들은 후 공정하게 판결함	

▶ 토론자 1부터 자신의 의견을 1분간 이야기하고, 이어서 토론자 2가 1분간 이야기한다. 같은 방식으로 2~3회 정도 주장과 반론을 주고받는다.

2) 토론자의 핵심 변론 내용 작성 및 토론 진행하기

입장	변론 내용(4~5문장으로 정리)
토론자 1	
토론자 2	

3) 판결 및 결과 적어보기

▶ 판결자는 여러 측면을 모두 고려하여 최종 판결한다.

판결	토론자 ( )의 입장이 옳다. (3~4문장으로 정리)
판결 이유	

<더보기 영상>

영화 '초이스' 왜 인생은 선택의 연속이라고 하는지 보여주는 영화[영화 리뷰/결말포함]-15분55초 (유튜브:어쩌다영화한편) (https://www.youtube.com/watch?v=esHLrZg8Mkg)	
영화 '두 인생을 살아봐' 《시간순삭영화》 "내 선택을 후회했을 때" 봐야 하는 띵작 영화(유튜브:신기누설)-19분 38초 (https://www.youtube.com/watch?v=qReAI8EsN6c)	

14. 행복한 성장을 위한 첫걸음, 빠르게 실패하기[25]

1. 스탠퍼드대학교에서 20년간 진행된 <인생 성장 프로젝트>의 결론

> *행복하고 성공적인 사람들은 계획하는 시간을 줄이고 행동하는데 더 많은 시간을 할애한다.
> *그냥 시도 하라.(Just Do it)
> *전문가처럼 보이려고 하지 말고 모르는 것을 발견하려고 노력하라.
> *자신을 배움에 대한 열정으로 가득 찬 초보자로 여겨라.

2. 다음 물음에 예, 또는 아니오로 답해보세요.

> -이루고 싶은 성공이나 목표를 세운 후에... 너무 많은, 수없이 많은 해야 할 일의 목록을 보고 지레 포기한 경험이 있나요? (Y / N)
> -그 문제만 해결되면(예를 들어, 좀 더 준비가 되면, 확신이 서면, 지금보다 상황이 나아지면) 그것을 할 수 있을텐데, 라고 생각한 적이 있나요? (Y / N)
> -아직은 때가 아니라고 생각한 적이 있나요? (Y / N)

3. 당신에게 즐거움을 주는 일에는 어떤 것이 있나요? 아래 상자 안의 내용에 답을 하면서 나에게 즐거움을 주는 일을 써봅시다.

> -최근 일주일간 특히 즐거웠던 일은 무엇인가요?
> -요즘 배운 흥미로운 사실은 무엇인가요?
> -삶과 공부, 가족과 친구에 대해 감사함을 느낀 일이 없었나요?
> -호기심과 놀라움을 준 일은 무엇인가요?
> -아름다우며 영감을 불러일으키는 것을 보았나요?
> -새롭게 시도해 본 일이나 처음 가본 곳이 있었나요?
> -사람들과의 관계에서 보람찬 일이 있었나요?

☞ _____

<답변예시> 풍경사진찍기, 노래 부르기, 쿠키 구워서 가족들이 맛있게 먹는 거 볼 때,
감동적인 영화를 보고 난 후, 새벽 4시 기상의 고요함, 우리 반 배구경기 우승,
'마의 산' 완독, 친구들과 수다떨기, 산책 등

---

25) 이 부분 활동지는 '빠르게 실패하기'(존 크럼볼츠·라이언 바비노, 스노우폭스북스)를 참고하여 제작하였음을 밝힙니다.

4. 다음실험에서 '양'그룹과 '질'그룹 중 작품성이 훨씬 높았던 집단은 어디일까요?

> 대학 강사는 반 학생들을 두 그룹으로 나누고 채점 기준을 설명했다. 한 그룹에게는 이렇게 말했다. "채점 기준은 간단합니다. 도자기 50개를 만든 학생은 A를, 40개를 만든 학생은 B를 받게 될 것입니다."
> 그리고 또 다른 그룹의 학생들에게는 "한 학기 동안 만든 작품 중에 최고로 잘 만든 작품 한 점만으로 점수를 받게 될 것입니다"라고 설명했다.
> 한 그룹은 '양'으로만, 또 다른 그룹은 작품의 '질'로만 평가한다는 것이다. 드디어 한 학기가 끝났다. 그리고 실험을 주도한 강사는 매우 흥미로운 사실을 발견했다. 미적, 기술적, 섬세함 면에서 최고의 작품을 제출한 학생들이 모두 (   ) 그룹에 속해있다는 것이었다.

→실험의 결론은? 재빨리 행동에 뛰어드는 자가 성공한다. 미숙한 준비야말로 성장을 위한 최적의 조건이다.

5. '더 빨리 배우기 위해, 더 빨리 실패하라'가 적용된 사례들을 보고 다음 문장의 빈칸을 채워보세요.

> -하워드 슐츠의 스타벅스 창립: 슐츠의 초창기 컨셉과 지금의 스타벅스는 전혀 다름... 수천 가지의 실험과 개선을 통해 지금의 모습이 됨.
> -실리콘밸리의 여러 기업들
> -애니메이션 제작사인 픽사: 망치는 걸 피할 수 없으니 가능한 한 빨리 실패하자.

→ '내가 만약 _____하고 싶다면,
　　나는 먼저_____를 실패해야 한다.'

예)
　　　·훌륭한 뮤지션이 되고 싶다면, 먼저 엉망인 음악을 수없이 연주해 봐야 한다.
　　　·소설을 한 권 쓰고 싶다면, 먼저 하찮은 이야기들을 써 봐야 한다.
　　　·영어를 유창하게 하려면, 먼저 형편없는 콩글리시를 해야 한다.
　　　·에너지 효율이 좋고 세련된 건축가가 되려면, 먼저 허황되고 엉망인 건축물을 디자인해 봐야 한다.
　　　·수학을 아주 잘해서 어려운 분석 문제를 풀고 싶다면, 먼저 간단한 수학 문제와 씨름해야 한다.

·피구왕이 되려면, 일단 엉망이더라도 공을 잡고 던져봐야한다.
·발표를 엄청 잘 하고 싶다면, 더듬거리더라도 손들고 발표해봐야 한다.
·꽝클 강사가 되기 위해서는, 우주 최악의 강사란 소리를 처음에 들을 수 있다.

1) 늘 해보고 싶었지만 두려워 망설였던 일을 적어보세요. (예-사진 작가가 되고 싶은 꿈이 있어. 하지만 나는 아직 어리고 특별한 재능은 없는데..)	
2) 1)에 적은 일을 시도해서 빨리 실패할 수 있는 방법은 무엇인지 생각하고 적어봐요. 빠르면 빠를수록 좋습니다. (예- 이번 체육대회 때 내가 우리 반 포토그래퍼가 된다고 손들어서 학습 밴드나 단톡방에 올려봐야지, 아니면 이번 가족여행 때 내가 사진을 찍는다고 해야겠어.)	
3) 시도하고 실수 속에서도 그 일을 즐겨요. 주변인들에게 도움을 요청하고 피드백을 구해요. (예- 사진을 찍으면서 내가 초보라는 것을 알리겠어. 그리고 찍은 사진을 단톡방에 공유하면서 반응과 조언을 구해야지)	
4) 앞서 시도한 자신의 도전적인 행동을 통해 배울 점을 발견해요. (예-사진을 찍으면서 가장 즐거웠던 점은 뭐지? 사람들이 어떤 사진을 좋아하고 싫어했지? 지금 내 장점은 무엇이고 어떤 점을 더 노력해야 할까?)	
5) 다음 도전 과제를 찾는다. (예- 다음에는 '대한민국 청소년 사진 공모전'에 응모해봐야겠어.)	

6. 나의 행복한 성장을 위해 '지금 당장(Right Now)' 실천할 수 있는 일 5가지만
   적어봅시다.

· · · · ·

<더 보기 영상>

꿈을 찾고 끝내 이루는 100% 확실한 방법 | 빠르게 실패하기-10분 16초 (유튜브:북토크) https://www.youtube.com/watch?v=7pN_WbbrqYI	
성공을 간절히 원하는 당신이 해야할 단 한가지.... #빠르게실패하기 -7분 3초 (유튜브:터닝포인트) https://www.youtube.com/watch?v=qq1_BkLeruk	
베네딕트 컴버배치(Benedict Cumberbatch) - Just Do it (한영자막) | 영어공부(Studying English) + 동기부여(Motivation) |- 6분 22초 (유튜브:데이브) https://www.youtube.com/watch?v=xn5nSEPhLk4	
엘리트가 결국 성공하는 이유는 단 '2가지' 때문이었다 -11분 14초 (유튜브:작심만일 : 성공 마인드 동반자) https://www.youtube.com/watch?v=hAV72H75_-o	

15. 나의 꿈과 사회적 기여

1. 직업과 사회 기여: 나의 꿈과 세상을 연결하는 다리

오늘은 우리가 미래에 꿈꾸는 직업과 사회적 기여에 대해 이야기 나눌 거예요.

직업은 단순히 돈을 버는 수단이 아니라, 우리의 가치관과 능력을 발휘하여 사회에 기여하는 중요한 활동입니다. 우리가 선택하는 직업은 우리의 삶에 큰 영향을 미치고, 더 나아가 사회 전체의 발전에도 영향을 미칠 수 있습니다.

1. 다양한 직업, 다양한 기여

세상에는 정말 많은 직업이 존재합니다. 의사 선생님은 우리의 건강을 지켜주고, 소방관은 위험에서 우리를 구해주며, 선생님은 지식을 전달하고, 엔지니어는 새로운 기술을 개발합니다. 이처럼 각 직업은 서로 다른 역할을 수행하며, 더 나은 사회를 만들기 위해 함께 기여하고 있습니다.

2. 나의 꿈, 세상에 어떤 변화를 가져올까?

친구들은 어떤 꿈을 가지고 있나요? 의사, 소방관, 언어치료사, 엔지니어, 창업? 아니면 아직 정해지지 않았나요? 괜찮아요! 아직 시간은 충분합니다.

자신의 흥미와 가치관에 맞는 직업을 선택하는 것이 중요합니다. 예를 들어, 사람들을 돕는 것을 좋아한다면 의사나 간호사가 될 수 있고, 새로운 것 창조하기를 좋아한다면 엔지니어나 과학자, 예술가가 될 수 있습니다.

3. 함께 만들어가는 더 나은 세상

우리가 선택하는 직업은 단순히 우리 삶의 일부가 아니라, 세상을 변화시키는 힘을 가지고 있습니다. 우리 모두가 자신의 능력과 가치관을 발휘하여 사회에 기여할 때, 더 나은 세상을 만들어갈 수 있습니다.

친구들의 꿈은 무엇인가요? 어떤 방식으로 세상에 기여하고 싶나요? 지금부터 미래를 위한 준비를 시작하고, 멋진 꿈을 향해 나아가세요!

2. 청소년의 사회 기여

다음 영상을 보고 내가 당장 할 수 있는 사회적 기여를 5개 적어봅시다.

1. 무인점포 양심손님 초등학생
2. 1등 대신 친구가 중요...
3. 쓰러진 시민 생명 구한 중학생
4. 고3 수험생들의 우정이 만든 기적
5. 베트남 중학생들의 기후위기 극복 운동

(링크 : https://m.site.naver.com/1iUYb)

학생 선행 사례

①

②

③

④

⑤

<기록예시> 복도에 떨어진 쓰레기 줍기, 장기 결석한 친구에게 학습지 빌려주기, 버스에서 노약자에게 자리 양보하기, 빈 교실 불 켜있으면 꺼주기, 상심한 주변 사람 말없이 손잡아주기, 용돈 받은날 5,000원 네이버 해피빈 기부하기, 심폐소생술 연습하기(쓸 날이 생길지도 모르므로) 등

3. '유퀴즈'로 보는 직업과 사회적 기여

다음 영상 중 하나를 보고 내 꿈을 통해 이룰 수 있는 사회적 기여를 생각해 봅시다.

1. 세계보건기구 김록호 국장
2. 제빵사 김쌍식님
3. 라오스에 학교를 지은 약사
4. 가출청소년 돌본 미용사
5. 재심전문변호사

(링크 : https://m.site.naver.com/1iV7V)

직업과 사회적 기여

·사회적 기여란 거창한 것이 아닙니다.

·나의 꿈은 무엇이며, 그 꿈을 통해 어떻게 사회에 기여하고 싶나요?

·나의 강점과 흥미를 살려 사회에 기여할 수 있는 방법은 무엇일까요?

·나의 꿈을 통해 세상을 어떻게 변화시키고 싶나요?26)

4. 나의 흥미/강점과 관련한 마인드맵으로 그리고 사회적 기여와 연관시켜보기
   ※ 사회적 기여를 염두에 두지 말고 나의 흥미나 강점을 주제로 생각 나는 것
   을 마음대로 가지치기하여 적어봅시다. **많이! 많이 적는 것이 중요합니다.**
   생각 나는대로 무조건 적으세요(이건 적지 말자! 이런 생각 금지)
   다 적은 다음에 기록된 단어 중에서 <u>사회적 기여와 조금이라도 연관지을 수
   있는 것을 동그라미 해보고 어떻게 연관시킬 수 있을지 빈 공간에 메모해봅</u>
   니다. 거창한 것이 아니어도 좋습니다.

<예시: 흥미/강점 마인드맵>

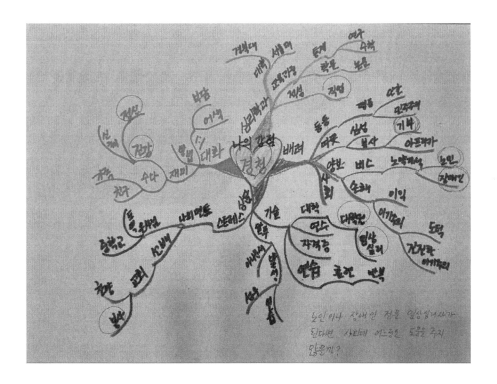

---

26) https://www.youtube.com/watch?v=G-9uGEeJZpU
   (체인지메이커란-화성시사회적경제지원센터) 영상 참고

- 나의 흥미/강점 마인드맵 그리기: 사회적 기여와 연관시켜 보기 -

16. 신직업 탐색 보고서

1. 워크넷 접속

워크넷-직업진로-직업정보-신직업 미래직업

→<신직업 미래직업>에 다음과 같은 화면이 있습니다.

2. 직업찾기-본인이 관심있는 분야 클릭
3. 만약, 경영/기획/공공: 클릭하면 - 이 분야의 새로운 직업들이 소개됨

4. 소개된 신직업들을 살펴본 뒤 관심있는 직업명을 클릭하고 보고서 작성

특허전담관

경영/사무/금융 정보통신/과학 🔒 정부육성지원

특허책임자로 R&D사업단(과제) 전체의 IP 전략을 수립하고, IP 창출, 관리, 활용 등 IP 활동 전반을 총괄한다.

특허전담관

[직업 생성배경]

4차 산업혁명 시대의 기술 환경에 대응하기 위해서는 연구개발(R&D)을 통해 고품질·고부가가치 지식재산(IP) 창출이 중요하다. 특히, 급변하는 환경에서 연구개발(R&D) 시 특허·기술·시장동향 등의 조사 분석과 꾸준한 모니터링이 이뤄지지 않을 경우, 산업계에서 활용할 수 있는 우수한 특허성과 창출이 어려워질 수 있다. 기술 자체는 우수하지만 이를 권리화하기 위해 추가 실험이나 데이터가 필요한 경우, 연구자와 IP 전문인력의 협업 및 지속적인 모니터링이 필요하다.

정부는 R&D 성과의 질적 수준을 개선하기 위해 국가 R&D 과제 등을 대상으로 지식재산 중심의 연구개발 전략(이하, IP-R&D) 지원을 확대하는 등 정책적 지원을 강화하고 있다. IP-R&D 전략지원은 R&D 과정에서 특허정보 분석을 접목하여 효과적인 연구방향 설정 및 연구성과를 우수특허 창출로 연계하는 종합 전략지원을 말한다. 또한, 연 50억 원 이상 대형 R&D사업단에 대해 R&D 목표와 방향성에 부합하는 종합적이고 전문적인 IP 전략을 수립·운영 할 특허전담관(CPO) 제도를 도입하여 단계적으로 확대할 계획이다(국가지식재산위원회, IP-R&D 실행방안).

이러한 정책 지원 강화에도 불구하고 국가 R&D에 참여하여 IP-R&D 전략을 효과적으로 수행할 수 있는 경험·실무를 겸비한 IP 전문인력이 부족한 실정이다. 특히, 신기술 분야의 특허확보 전략 수립, 글로벌 IP 분쟁 대응 등 산업계에서 요구하는 실무능력, 전문성, 글로벌 대응·선도 역량을 갖춘 고급 IP 실무인력에 대한 수요가 커지고 있다.

NFT아트에이전트

문화/예술/미디어 🔒 정부육성지원

NFT 아트 시장에서 활약할 수 있는 재능있는 크리에이터를 발굴하여 NFT 시장 진출을 지원하고, 작가와 작품의 큐레이팅 및 구매작품을 판매 또는 전시한다.

직업 생성배경〉

디지털 토큰화한 NFT 아트의 출현

NFT는 '대체 불가능한 토큰(Non-Fungible Token)'이라는 뜻으로, 희소성을 갖는 디지털 자산을 대표하는 토큰을 말한다. NFT는 블록체인을 기반으로 하고 있어 소유권, 판매 이력 등의 관련 정보가 모두 블록체인에 저장되며, 따라서 최초 발행자를 언제든 확인할 수 있어 위변조가 불가능한 특징을 지닌다. 또한 별도의 고유한 인식 값을 담고 있어 서로 교환할 수 없다는 특징을 갖고 있다. NFT는 가상자산에 희소성과 유일성이란 가치를 부여할 수 있기 때문에 최근 디지털 예술품, 온라인 스포츠, 게임 아이템 거래 분야 등을 중심으로 그 영향력이 급격히 높아지고 있다. 블록체인 기반의 디지털 자산 개념이 미술품에 도입되면서 이를 적용한 미술품 거래가 시작되고 있다. 대표적인 예술가는 디지털 아티스트 비플과 뱅크시 등이다.

최근 NFT 미술시장은 크게 두 가지로 나뉘는데, 하나는 비교적 저렴한 가격의 작품이 거래되는 일반 개인 작가들의 시장이고, 다른 하나는 NFT 이전부터 인지도가 높았던 아티스트, 인플루언서, 유명인사 등이 발행하는 고가의 NFT 시장으로 구분할 수 있다. 기존 미술시장에 없었던 디지털 파일을 통한 미술품 거래 시장이 열림으로써 다양한 계층의 사람들이 아티스트 또는 수집가로서 시장에 진입하고 있다.

미래 신직업 탐색보고서	
1. 신직업의 이름(분야) *(예시)* *특허전담관(경영사무금융)*	
2. 신직업이 하는 일	
3. 신직업이 나온 배경 (3~4줄로 요약)	

4. 수행 직무 및
   해외 현황
   (4~5줄로 요약)	

5. 국내 현황 (3~4줄로 요약)	
★6. 이 신직업에 대한 나의 생각 -미래전망 -내가 관심을 갖는 이유 등등	

* 워크넷 이외 각종 포탈사이트나 자료, 유튜브 등을
참고해서 추가로 내용 기록 가능

17. '읽고 싶은 책'을 통한 진로 탐색

<탐색순서>

1. '진로'와 관련하여 읽고 싶은 책 3권을 탐색
   - 탐색루트
   온라인 서점(알라딘, yes24, 교보문고 등)
   학교 홈페이지 학교 도서관
   각 지역 도서관 홈페이지
   포털사이트 등
2. 검색어는 다음과 같이 넣을 수 있음
   -자신의 관심분야가 의사라면 '의사' '의대' '보건' '생명' '정신건강'
   '외과 의사' 등
   -작가라면 '글쓰기' '기자' '문예창작' '작가' '출판사' 등
   -요리사라면 '요리사' '요리' '일식' '도시락' '제과제빵' '호텔쉐프' 등
   -수학이 관심분야라면 '수학' '숫자' '미적분' 이런 식으로 검색해볼 것
3. 온라인 서점에서 '분야별 보기' 메뉴를 활용해도 좋음

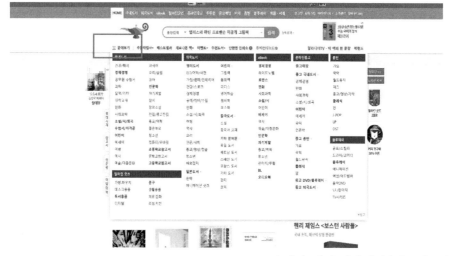

- 온라인 서점 알라딘 '분야보기' 예시

4. 주의사항
   공공도서관이나 학교 도서관에서 책을 검색하면 내용은 자세히 나오지
   않으므로 포털사이트나 알라딘 등에 들어가서 다시 검색해야 내용찾기가
   쉬움
   * 참고서나 문제집, 수험서는 안 됨

★ 나의 희망(관심) 진로는? (   )

- 미결정이면 '탐색중'이라고 써도 됨

① 첫 번째 책

1. 책 제목 (저자, 출판사)	
2. 목차 (큰 제목 위주로 쓸 것)	
3. 책 소개 내용 (5줄 정도로 요약)	
4. 나의 진로 계발에 떤 도움을 줄 수 있을 지 예상하여 기록 (5줄 이상)	
5. 언제 읽을 것인가 *기록예시: 1학기 기말고사 후 방학전까지. 여름방학 첫주. 12월 23일~25일*	

② 두 번째 책

1. 책 제목 (저자, 출판사)	
2. 목차 (큰 제목 위주로 쓸 것)	
3. 책 소개 내용 (5줄 정도로 요약)	
4. 나의 진로 계발에 떤 도움을 줄 수 있을 지 예상하여 기록 (5줄 이상)	
5. 언제 읽을 것인가 *기록예시: 1학기 기말고사 후 방학전까지. 여름방학 첫주. 12월 23일~25일*	

③ 세 번째 책

1. 책 제목 (저자, 출판사)	
2. 목차 (큰 제목 위주로 쓸 것)	
3. 책 소개 내용 (5줄 정도로 요약)	
4. 나의 진로 계발에 떤 도움을 줄 수 있을 지 예상하여 기록 (5줄 이상)	
5. 언제 읽을 것인가 *기록예시: 1학기 기말고사* *후 방학전까지. 여름방학* *첫주. 12월 23일~25일*	

<작성 예시>

1. 책 제목 (저자, 출판사)	기자의 글쓰기(박종인, 와이즈맵)	
2. 목차 (큰 제목 위주로 쓸 것)	1장. 글에 관한 세가지 이야기 2장 준비: 글보따리 챙기기 3장 글쓰기 기본원칙 4장 글 디자인에서 생산까지	5장 리듬있는 문장과 구성 6장 재미있는 글쓰기1:리듬 7장 재미있는 글쓰기2:기승전결 8장 재미있는 글쓰기3:원숭이똥 구멍에서 백두산까지 9장 관문: 마지막문장 10장 너라면 읽겠니?:퇴고
3. 책 소개 내용 (5줄 정도로 요약)	글쓰기 기본서라고 한다. 모든 장르에 통하는 글쓰기 방법을 제시하고 있다. 기본원칙만 따르면 쉽게 쓸 수 있다고 한다. 그 비법이 담겨져 있다. 유명한 책이라고 한다.	
4. 나의 진로 계발에 떤 도움을 줄 수 있을지 예상하여 기록 (5줄 이상)	작가가 되고 싶은데 장르는 정하지 않았다. 글을 쓰면서 돈을 벌고 싶다. 글쓰기를 잘 해야 하는데 기자의 글쓰기라는 제목이 호기심을 끌었다. 기자 뿐만 아니라 글을 잘 쓰고 싶은 사람들이라면 누구나 읽어봐도 좋을 것 같고 문장 잘 쓰는데 도움을 줄 것 같다.	
5. 언제 읽을 것인가 기록예시: 1학기 기말고사후 방학전까지. 여름방학 첫주. 12월 23일~25일	2학기 중간고사 끝나고 일주일간 매일 점심시간 15분씩	

<검색 예시>

단순검색　　　상세검색

여행유튜버

도서관 선택　　　☑ 일곡도서관　　☑ 운암도서관　　☑ 양산도서관
　　　　　　　　☑ 중흥도서관　　☑ 신용도서관

검색하기

검색결과　　　　　　　　　　　　　　　　　　　　　　　　　　전체 13 건

유튜브 스타 세계 여행. 1, 유튜버 잼잼 미국에 떴다!
권동화 자음,민유경 그림 | 출판:상상의집 | 발행연도: 2019
등록번호:UM0000107946 | 청구기호:아980.24-권25 ㅇ-1
소장도서관: 운암도서관 | 소장자료실: 운암어린이실
대출여부: 대출가능 | 상호대차가능여부: 가능

(상위 1% 블로거·유튜버의) 여행으로 먹고살기 : 여행크리에이터부터 여행 오퍼레이터까지 여행하는 직업의 모든 것
김은지 지음 | 출판: 꿈꿀 | 발행연도: 2019
등록번호: EM0000167416 | 청구기호: 980.24-김67 ㅇ
소장도서관: 일곡도서관 | 소장자료실: 종합자료실
대출여부: 대출가능 | 상호대차가능여부: 가능

N　**사육사 책**　　　　　　　　　　　　　　　　⌨ ▾　Q

지식iN

Q. **사육사 책** 사육사가 꿈인데 **사육사 책**이나 관련으된 책 추천부탁드립니다!　⋮

　—사육사와 관련된 책입니다! -동물 조련 **사육사** 어떻게 되었을까? -그럼에도 **사육사**
　-국내 동물원 평가보고서 -아베히로시와 아사히야마 동물원 이야기 추천합니다!! htt...

　🅑 북프라이스 월신 · 2023.03.15.　　　　　　　　　　　💬 1:1

Q. **사육사** 자격증과 질문 안녕하세요 저는 스무살 **사육사** 직업을 원하는 사람인
　데요 학교가 싫어 대학도 안 다니고 고등학교는 졸업을 하였는데 이런 사람...　⋮

　... 고졸이 **사육사**가 되려면 최소 기사급 자격이 필요하고 축산기사 취득하셔야 합니
　다. 학점은행제로 최단으로 빠르게 축산기사 응시조건 달성 후... **사육사**관련 학위들...

　👤 교육의별 01024421784 달신 · 1주 전　　　　　　　　💬 1:1

Q. 회계사 혹은 동물 **사육사**가 주인공인 문학책 있을까요? 학교 수행평가로 문학
　책을 읽어야하는데 회계사 혹은 동물 **사육사**가 주인공인 문학책 좀 알려주...　⋮

　네, "회계사와 동물 **사육사**" 라는 책이 있습니다.제 답변이 도움을 드렸으면 좋겠습니
　다 웃음 가득한 행복한 하루 보내세요

　💡 튼튼뼈 · 3주 전　　　　　　　　　　　　　　　💬 1:1

18. '원격영상진로멘토링'을 통한 진로직업 탐색활동

<table>
<tr><td colspan="4" align="center">다양한 직업인을 만나는 시간
-원격영상진로멘토링</td></tr>
<tr><td colspan="4">* 원격영상진로멘토링(mentoring.career.go.kr)에 접속해보자.
멘토링영상-수업다시보기 메뉴에서 검색어 등을 활용하여 관심있는 학과(직업) 관련 동영상을 찾아 적어보자.
(진로멘토링영상 메뉴를 보다가 새롭게 관심가는 직업 동영상을 기록해도 됨)

*진로멘토링영상-소개된 수업 동영상 제목을 클릭하면
전체 강의 자막을 볼 수 있음</td></tr>
<tr><td rowspan="2">동영상
제목</td><td colspan="3">동영상을 본 후(혹은 동영상 자막을 읽은 후)
새롭게 알게 된 사실과 느낀점 기록
-5개의 직업 중 더 관심이 가는 직업 2개에 ★를 표시하시오.</td></tr>
<tr><td colspan="2" align="center">새롭게 알게된 사실</td><td align="center">느낀점</td></tr>
<tr><td align="center">①</td><td colspan="2"></td><td></td></tr>
<tr><td align="center">②</td><td colspan="2"></td><td></td></tr>
<tr><td align="center">③</td><td colspan="2"></td><td></td></tr>
<tr><td align="center">④</td><td colspan="2"></td><td></td></tr>
<tr><td align="center">⑤</td><td colspan="2"></td><td></td></tr>
</table>

<탐색 방법>

① 원격영상진로멘토링 접속(mentoring.career.go.kr) 후 로그인

② 멘토링영상-수업다시보기 클릭

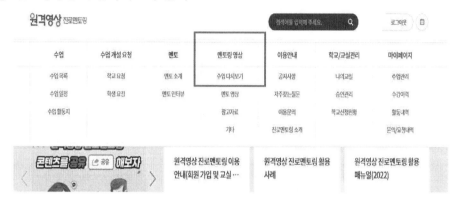

③ 관심있는 직업명 입력후 검색버튼 누르기
  (혹은 직업명 입력하지 말고 전체보기를 통해 계속 넘겨서 봐도 됨)

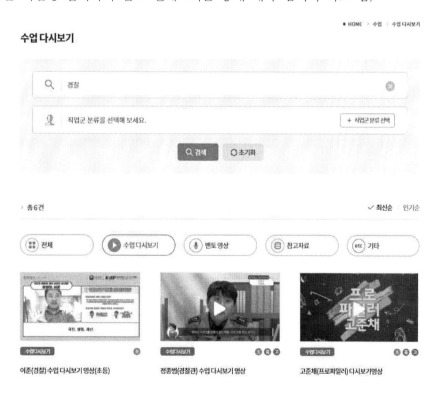

④ 보고싶은 직업인 영상 클릭하면 자막보기 있음

(이어폰이 있는 경우 영상을 직접 시청해도 좋음)

<수업다시보기 화면 예시>

19. '지식채널'로 탐색하는 나의 진로

★ 관심 진로 혹은 분야:(   )

(미결정인 경우 '탐색중'이라고 적어도 됨)

지식채널 제목 및 방영 날짜 (영상길이)	줄거리	인상깊은 자막	나의 진로와의 관련성 (혹은 왜 이 영상을 보게 되었는가 이유)

<탐색 방법>

① 지식채널e 홈페이지 접속(로그인 필요: 로그인을 해야지만 풀영상 시청 가능)
② 주제어 검색칸에 키워드 입력(사신이 관심있는 신로 혹은 분야)
        예시) 의사, 교육, 보건, 동물, 사육사, 약국, 노인, 복지, 학생인권, 인권,
        정치, 전쟁, 경제, 금융, 부자 등

③ 키워드와 관련있는 영상물 중 보고 싶은 것 5개를 골라 시청하고 활동지 작성
      (이어폰이 없어도 지식채널은 자막이 나오기 때문에 시청 가능)
      → 인상깊은 **자막을 메모하면서** 내용 정리하는게 좋음

<작성 예시>

★ 관심 진로 혹은 분야: (남북통일, 통일연구가)

지식채널 제목 (방영 날짜 /영상길이)	줄거리	인상깊은 자막	나의 진로와의 관련성 (혹은 왜 이 영상을 보게 되었는가 이유)
북한언어탐구생활 (2018.11.13. / 5분 5초)	*일없습니다, 랭면, 눈맛 등 낯선 말이나 억양, 어투 등 북한말 특징 소개. 남북 언어 이질화 역사 소개. 남북한 언어의 이질화보다는 동질화에 초점.*	*"분단의 역사가 길어지면서 남북의 언어는 다르게 발전했다. 하지만 남북한을 하나로 만드는 것 또한 언어가 그 시발점이 될 수 있다."*	*남북한 주민들의 원활한 소통을 위해 이질화된 언어를 어떻게 서로 이해할 것인가가 중요하다고 보기 때문에 통일연구에 있어 언어문제는 중요함.*

20. 관심있는 직업에 필요한 역량
- 신문기사로 탐색하고 기사 작성해보기

1. 내가 관심있는(혹은 내게 적합한/내가 나에게 추천하는) 직업을 3가지를 적어
   보고 그 이유를 적어봅시다.

내가 관심있는 (나에게 추천하는) 직업	그 이유

2. 위에 나온 직업 중 한 개를 골라 관련한 **기사(뉴스;언론사 보도자료)**를 찾아서
   (포털사이트 검색) 아래칸에 **요약해서 기록**하여 봅시다. 그리고 그 직업과 관
   련한 주요한 정보를 형광펜(혹은 색볼펜)으로 표시해봅시다.
 - 고른 직업이 '공무원'이라면 추천검색어: *공무원, 동사무소 근무, 구청 근무, 공무원이
   하는 일, 공무원 성공, MZ공무원, 미국공무원, 공무원 전망, 공무원 역량, 유명한 공무
   원 등*
 - 고른 직업이 '특수교사'라면 추천검색어: *특수교사, 유명한 특수교사, 특수교육, 특수교육
   학과 교수, 특수교사의 보람, 특수교사가 하는 일 등*

                    * 기사제목, 언론사, 기사 연월일은 반드시 기록할 것

★★3. 1에서 기록한 직업 중 하나를 골라 그 직업이 되기 위해 필요한 역량27)이
라는 제목으로 다음의 내용이 들어가는 가상 기사를 작성해봅시다.

* 작성 시 반드시 포함되어야 할 내용
   - 고등학교에서 중요하게 공부해야 하는 것
   (고등학교 선택과 관련한 내용도 포함)
   - 대학을 가게 된다면 해당 전공이나 학과는?
   - 그 직업을 갖기 위해 개인적으로 더 준비해야 할 것
   (예: 자격증/역량 등)은?
   - 그 직업이 사회에 필요한 이유와 미래 전망 등

    기사 제목 : (   )이 되기 위해 필요한 역량

기사

---

27) **역량**이란 어떤 일을 하기 위한 능력, 태도, 잠재력 등의 총합을 의미합니다. 능력이라는 말보다는
  범위가 훨씬 넓습니다.

<가상기사 예시>

제목: 통일연구원이 되기 위해 필요한 역량

남북통일에 대한 관심이 적어지는 요즘, 골드만삭스가 2018년 통일한국이 경제대국 2위가 될 수 있을 것이라는 전망을 내놓은 연구를 주목해야 한다. 남북통일 환경 조성은 결국 세계평화에 기여하는 일이므로 더 관심가져야 할 분야이다. 통일연구원이라는 직업은 통일에 긍정적인 태도를 기를 수 있는 교육환경 개선에 이바지할 수 있다.

통일연구원이 되고자 한다면 고등학교에서는 생활과 윤리, 윤리와 사상, 세계사 등을 선택하여 공부하는 것이 유리하다. 진학 관련 학과는 동국대학교 북한학과, 혹은 여타 대학의 정치외교학과이다.

그러나 독일로 통일연구를 하러 가는 사람들이 많다는 점을 감안한다면 학부에서 독어를 전공한뒤 석사를 정치외교로 밟고 박사를 독일로 유학가는 것도 좋겠다. 통일연구원이 된다면 연구원원 기본소양을 쌓을 필요가 있다. 일단 연구는 혼자 하는 것이 아니라 그동안의 연구를 바탕으로 동료와 협업하는 경우가 많으므로 독해력 및 의사소통능력이 필수적으로 요구된다. 이를 기르기 위해 노력해야 할 것이다.

- 조설아기자, 설아일보, 2024.2.12.

21. 동명이인의 삶 추적하기 &
미래 나의 모습 포털사이트 프로필 만들기

1. '나'와 이름이 같은 5명의 삶을 포털사이트 등을 통해 삶을 추적하여 간단히
   기록해봅니다.
   (성인이며 직업을 가진 사람의 삶을 알아볼 것, 대학생은 가능)

2. 추적방법
   ① 포털사이트에 본인의 이름을 입력하여 기사, 뉴스, 블로그, 카페, 이미지, 기
      타 자료 등에 올려진 정보를 찾는다. (포털사이트는 네이버, 다음, 구글 등 최
      소 3개의 포털사이트를 활용)
      -'조설아'를 네이버에 검색하면 인물정보란, 블로그 등에서 동명이인을 찾을
        수 있음
      (검색결과 예시) *인물정보란-컨설턴트 조설아, 블로그-바이올린연주가 조설아,*
                    서양화가 조설아, 피부관리실 원장님 조설아
              * 이런 식으로 네이버, 다음, 구글을 통해 알아본다 *
   ② 본인이 갖고 싶은 직업에 동명이인이 있는지 찾아본다. 예를 들면 '소설가 조
      설아' '기자 조설아' '치과의사 조설아' 이런식으로 검색어를 넣어볼 수 있다.
   ③ 포털사이트에 '논문+본인이름'으로 검색하면 논문 쓰신 분들이 검색이 많이
      된다. 예를 들면 '논문 조설아'로 검색결과 동성엔지니어링 기술연구소에 토
      목공학 논문을 쓴 연구자 조설아가 나온다.
   ④ 지역의 도서관이나 학교 도서관 사이트, 혹은 온라인 서점에 들어가서 본인의
      이름을 입력 하면 저자로 활동하는 동명이인 검색이 가능하다
   ⑤ 페이스북, 인스타그램 등도 활용가능하다.

3. 본인 이름이 특이한 경우[28] 찾기 힘들면 5명을 다 찾지 않아도 되며
   매우 이름이 특이한 경우 성을 살짝 바꿔서 찾아도 인정된다.

( )의 동명이인들 어떻게 살고 있을까?		
연번	직업 및 하는 일 등(현재나이는 추정해서 기록)	검색한 곳
1		
2		
3		
4		
5		

---

[28] 특히 유명한 사람(연예인 등)과 동명이인인 경우 연예인만 검색에 노출되어 다른 동명이인 찾기가
힘든 경우도 있습니다. 이런 경우에는 성을 바꿔서 찾아야 할 수도 있습니다.

★ 위의 동명이인의 삶 중 가장 맘에드는 삶의 모습에 별표를 해봅시다.
<작성예시>

(조설아)의 동명이인들 어떻게 살고 있을까?		
연번	직업 및 하는 일 등(현재나이는 추정해서 기록)	검색한 곳
1	프라임셋 설계사,서울출생, 슬하2남(1981년생)	네이버 인물 프로필
2	바이올리니스트, 2013년 귀국독주회, 선화예고 졸업 및 독일 뮌헨음대 졸(30대 중반 추정)	네이버 블로그
3	부산진구 금랑 스킨앤바디 피부과 원장님(경력20년) (40대 중반 추정)	네이버 블로그

4. 30년 뒤 포털사이트를 검색하면 나의 어떤 프로필이 뜨면 좋겠습니까? 상상해
   봅시다. 30년 뒤 나의 모습 가상 네이버 프로필을 만들어봅시다.

30년 뒤 나의 네이버 프로필

<참고> *엄청난 유명인이 아니더라도 한 직업에서 인정받는 전문가이면 네이버에
자신의 프로필 업로드 요청이 가능합니다.*(네이버에서 확인 작업 후 등재)
유명인들이나 롤모델, 동명이인 등 다른 사람의 프로필을 보면서 자신의 프로필을
가상으로 만들어봅시다.
-반드시 들어가야 할 내용: 이름, 생년월일, 사는 곳, 직업(회사 직책), 학력 등
-기타: 가족사항, 취미, 수상경력, 몸무게, 키, mbti, 혈액형, 작품, 좌우명 등 자
     기 자신에 대한 여러 가지 내용 추가 가능

예시: 서울대학교 소비자학과 김난도 교수 프로필

예시: 의사 남궁인 프로필

22. 30년 후, 내가 '유퀴즈 온 더 블록'에 나온다면?

1. 다음 유퀴즈 영상 중에 관심있는 직종을 하나 골라 본 후에 물음에 답하세요.

연번	영상제목 및 링크	큐알코드
1	어류 칼럼니스트 김지민 (https://www.youtube.com/watch?v=rR7S_cSkVE4)	어류칼럼니스트 김지민
2	제빵사 김쌍식 (https://www.youtube.com/watch?v=xiChx26mi64)	제빵사 김쌍식
3	공학박사출신 웹툰작가 이대양 (https://m.site.naver.com/1iTJ1)	웹툰작가 이대양
4	K-호미 대장장이 석노기 (https://www.youtube.com/watch?v=4sROgdWfF8s)	호미 대장장이 석노기
5	세계보건기구 WHO 국장 김록호 (https://www.youtube.com/watch?v=IMzKGlj2lJs)	WHO 국장 김록호
6	도배사 배윤슬 (https://www.youtube.com/watch?v=Ww0o4bFcNk4)	도배사 배윤슬
7	제약회사 퇴직 후 타일의 세계로 입문한 유택근 (https://www.youtube.com/watch?v=2yWQ3X8RW0U)	타일공 유택근

| 8 | 은행원, 승무원, 변호사, 경찰 등과 꿈의 직장을 모두 섭렵한 송지헌 (https://www.youtube.com/watch?v=8sVqr__ioKo) | n찹러 경찰 송지헌 |
| 9 | 항공교통관제사 이금주 (https://www.youtube.com/watch?v=a5oGl_cAa5M) | 항공교통관제사 |

*다른 분야 유퀴즈 영상을 찾아 봐도 됨

2. 30년 후, 내가 '유퀴즈 온 더 블록'에 나온다면?

- 30년 뒤 모습을 상상해서 인터뷰 답변을 기록합니다.

* 30년 뒤 출연한 나 - 직업(하는 일)29) ☞ (   )

MC 질문	30년 뒤 유퀴즈에 나온 나의 답변
1. 하는 일을 직접 말씀해주시면..	
2. 어떻게 이 일을 하시게 되셨는지	
3. 지금 하고 있는 일의 좋은 점은	
4. 하는 일의 어려운 점은 무엇인지	
5. 어려운 부분을 어떻게 극복하셨는지	
6. 실례지만 가족 구성은	

---

29) 장래희망이나 구체적인 꿈이 없다면 지금 현재 조금이라도 관심있는 직업을 선택해봅니다.
   너무 부담갖지 말고 조금이라도 관심있는 일이나 직업을 선택해보세요.

7. 스트레스를 어떻게 해소하시는지	
8. 내가 이 일에 있어서 다른 사람보다 이게 강점이다! 라고 생각하는 부분은?	
9. 이 일을 선택하는 후배들에게 해주고 싶은 조언은	
10. 어떤 사람으로 기억되고 싶은지	

3. 나는 유퀴즈 MC!

짝 또는 모둠원들과 팀을 이루고 유퀴즈온더블럭 촬영장이라고 생각하고 서로 질문합니다. 다음과 같은 질문을 당신이 MC가 되어 질문해보세요~! 대답하는 친구는 위에 기록된 내용 또는 상상하여 질문에 답해주세요!

(위에 나온 질문이 아닌 즉흥적인 질문을 해도 됩니다. MC역할을 하는 사람은 진짜 사회자가 된 것처럼 연기하고 경청합니다.)

4. 활동을 한 후, 느낀점 5문장 정도로 정리해보세요.

23. 꿈을 이루는 만다라트 기법*30)

1. 다음 영상을 보고 만다라트를 작성해봅시다.

 일본의 프로 야구 선수이자 메이저리거인 오타니 쇼헤이는 고등학생 시절 만다라트 기법을 활용하여 "프로 야구 선수로서 메이저리그 진출"이라는 꿈을 이루었습니다. 그는 만다라트 기법을 통해 자신의 목표를 명확하게 설정하고, 이를 달성하기 위한 구체적인 계획을 세우고 실행함으로써 꿈을 현실로 만들 수 있었습니다.

2. 만다르트 기법에 대해

1) 만다르트 기법이란?

만다라트 양식

	세부목표1			세부목표2			세부목표3	
			세부목표1	세부목표2	세부목표3			
	세부목표4		세부목표4	핵심목표	세부목표5		세부목표5	
			세부목표6	세부목표7	세부목표8			
	세부목표6			세부목표7			세부목표8	

31)

---

30) 학생들이 세부목표를 적는 것을 힘들어할 수 있습니다. 특히 81칸을 다 채우는 일은 어른도 힘들더라구요. 포털사이트에 '초등학생 만다라트'라고 치면 많은 사례들이 나오므로 학생들에게 보여줘도 좋고 경우에 따라서 81개보다 개수를 줄이는 방안도 있습니다.

31) 만다라트양식 예시 출처- https://boardmix.com/kr/skills/what-is-mandala-project/

만다라트 기법은 일본의 디자이너 이마이즈미 히로아키가 개발한 발상 기법입니다. 마법의 사각형이라고도 불리는 만다라트는 3x3 격자로 이루어져 있으며, 중앙에 목표를 적고 주변 칸에 목표를 달성하기 위한 구체적인 방법을 적는 방식으로 꿈을 이루는 데 도움을 줍니다.

2) 만다라트 기법 활용법

▷▷1단계: 목표 설정
① 이루고 싶은 꿈이나 목표를 명확하고 구체적으로 설정합니다.
② 목표가 달성되었을 때 어떤 모습인지 상상해 봅니다.

▷▷2단계: 세부 목표 설정
중앙 칸에 설정한 목표를 달성하기 위한 8가지 세부 목표를 적습니다.

▷▷3단계: 실행 계획 수립
① 각 세부 목표를 달성하기 위한 구체적인 실행 계획 8개를 적습니다.
② 실행 계획은 가급적 구체적이고, 측정가능[32]하며, 달성 가능성이 높은 것으로 세웁니다.

▷▷4단계: 지속적인 확인과 수정
① 만든 만다라트를 종종 확인하며 목표 달성을 위한 노력을 지속합니다.
② 필요에 따라 만다라트를 수정하고 보완합니다.

3) 만다라트 기법 활용 예시

▷▷목표 설정: 1학기 중간고사에서 90점 이상 받기
▷▷세부 목표 설정:
① 영어 단어 암기 80% 이상 달성
② 수학 개념 이해 완료
③ 과학 실험 및 보고서 완벽 수행
▷▷실행 계획 수립:
① 영어 단어 암기 80% 이상 달성
 -매일 30분씩 영어 단어 암기
 -단어 암기 앱 활용

---

32) 살을 빼겠다(X) / 일주일에 300그램씩 1달 동안 1.2킬로그램, 3개월 뒤에는 3.6~4키로를 빼겠다.

-영어 단어 시험 실시
② 수학 개념 이해 완료
　-수업 내용 꼼꼼히 정리
　-어려운 개념은 선생님에게 질문
　-수학 문제집 풀이
③ 과학 실험 및 보고서 완벽 수행
　-과학 실험 과정 꼼꼼히 기록
　-과학 보고서 초안 작성 후 친구들에게 피드백 받기
　-과학 선생님에게 보고서 검토 요청

몸관리	영양제 먹기	FSQ 90kg	인스텝 개선	몸통 강화	축 흔들지 않기	각도를 만든다	위에서부터 공을 던진다	손목 강화
유연성	몸 만들기	RSQ 130kg	릴리즈 포인트 안정	제구	불안정 없애기	힘 모으기	구위	하반신 주도
스테미너	가동역	식사 저녁7숟갈 아침3숟갈	하체 강화	몸을 열지 않기	멘탈을 컨트롤	볼을 앞에서 릴리즈	회전수 증가	가동력
뚜렷한 목표·목적	일희일비 하지 않기	머리는 차갑게 심장은 뜨겁게	몸 만들기	제구	구위	축을 돌리기	하체 강화	체중 증가
핀치에 강하게	멘탈	분위기에 휩쓸리지 않기	멘탈	8구단 드래프트 1순위	스피드 160km/h	몸통 강화	스피드 160km/h	어깨주변 강화
마음의 파도를 안만들기	승리에 대한 집념	동료를 배려하는 마음	인간성	운	변화구	가동력	라이너 캐치볼	피칭 늘리기
감성	사랑받는 사람	계획성	인사하기	쓰레기 줍기	부실 청소	카운트볼 늘리기	포크볼 완성	슬라이더 구위
배려	인간성	감사	물건을 소중히 쓰자	운	심판을 대하는 태도	늦게 낙차가 있는 커브	변화구	좌타자 결정구
예의	신뢰받는 사람	지속력	긍정적 사고	응원받는 사람	책읽기	직구와 같은 폼으로 던지기	스트라이크 볼을 던질 때 제구	거리를 상상하기

오타니 쇼헤이의 고교시절 만다라트

-오타니 쇼헤이 고교시절 만다라트
(출처-https://brunch.co.kr/@tohot/51(매거진:여성2인가구의 생활))

4. 꿈을 이루기 위한 나만의 만다라트 만들기!!![33]

☆ 추천 세부 목표 8개 ☆

가정, 건강(마음의 평화), 학업, 학교, 친구관계,
나의 꿈, 사회적 기여(타인을 위한 일), 취미

---

33) 맨가운데 9칸을 채우는 것에 먼저 집중합니다. 81칸을 다 채우지 못하더라도 힘들어하지 않습니다. 핵심목표와 세부목표를 먼저 정합니다. 실행계획은 구체적인 게 좋습니다.
독서(X) / 잠자기전에 스마트폰 하지 않고 책 3쪽 읽기(O)

* 수정 및 복사 가능한 만다라트 양식 => http://tinyurl.com/bdsjf48s

★ 만다라트 작성 후 책상 앞에 붙여놓고
실천한 세부 목표와 실천행위들은 X로 지워나가도 좋습니다.
시간이 흐른 후 몇 개나 실천했는지 한 번 살펴봅시다.

<더보기 영상>

그 부모에 그 아들이네..인성까지 완벽한 오타니의 야구인생 이야기 | 9240억은 도대체 누가 쓰는거야? -13분 22초 (유튜브:라이프 시크릿) https://www.youtube.com/watch?v=AcZbYwOtf6k	
오타니 쇼헤이 계획표 만다라트(메이저리그 MLB) | 교육튜브 -6분 48초(유튜브:교육튜브) 교육튜브 https://www.youtube.com/watch?v=0wgbd4eUFuo	

<오타니 쇼헤이 네이버 프로필>

오타니 쇼헤이
LA 다저스 · 지명타자 · 우투좌타

 　프로필　　수상　　리그일정　　스포츠영상

출생　　1994. 7. 5. 일본
신체　　193cm, 95.3kg
소속팀　LA 다저스 (투수)
데뷔　　2013년 니혼햄 파이터스 입단
수상　　2023년 아메리칸리그 MVP
관련정보　MLB - 오타니 쇼헤이 경기 성적
사이트　인스타그램

24. 생성형 AI와 함께하는 미래소설 쓰기

* 미래소설 쓰기란?
생성형AI인 **챗GPT, 뤼튼, 구글바드** 등을 이용하여 나의 꿈을 시각화해봅니다.
15년 뒤 당신의 하루일과는 어떨까요? 꿈을 꾸고 그것을 머릿속에 최대한 구체적
으로 떠올리면 이루어집니다. 나의 꿈을 시각화 해봅시다.

<미래 소설 쓰기 활동 순서>

1. 챗GPT 등 생성형 AI에 접속합니다.
2. 15년 뒤에 나의 하루 일과 중 바라는 모습이 소설로 써질 수 있게 명령어를
   넣겠습니다.
   **(명령 입력 프롬프트창에 미래의 나의 하루 일과를 최대한 구체적으로 입력
   해야 합니다)**
   ① 15년 뒤의 나이를 계산한 나이, 성별, 이름, 직업을 정합니다.
   ② 500자 이내로 묘사해달라고 하면 됩니다.
   ③ 제목을 지어달라고 하세요.
   ④ 기타 들어갈 내용 추가
   *좋아하는 것, 아침 점심 저녁 메뉴, 여가시간 활용법과 주말 시간을 보내는
   것, 자신의 직업이 주변이나 사회에 어떤 식으로 기여하는지에 대한 내용 등*
   ⑤ 명령 입력은 1번에 그치지 말고 **최소 3번 이상이 되어야** 좋은 글이 나옵
   니다.
   　- 첫 번째 결과물이 나오면 아쉬운 점을 보충해달라고 해야 합니다.
   　- 결과물이 나오면 이것에 대해 칭찬을 해주는 것이 좋습니다.
   　　(AI는 지치지는 않지만 칭찬해줄수록 좋아합니다(?) 인간과 대화한다고
   　　생각하면서 격려를 해주면 더 좋은 결과물을 도출해주는 신기한 녀석이
   　　지요. 대화를 하다보면 인간과 같다는 느낌이 살짝 들 때도 있습니다.)

<예시 화면>

- 첫 번째 결과물

S **You**
나는 30살 여자 건축설계사이고 이름은 허인선이야. 이 사람의 하루 일과를 묘사해줘. 이 사람은 아침에 사과를 깎아먹고 요가를 한 뒤 출근하는 습관이 있어.

ChatGPT
허인선은 한국에서 활동하는 30살의 여성 건축설계사입니다. 그녀의 하루는 명상적이면서도 체계적인 아침 루틴으로 시작됩니다. 일찍 일어나는 허인선은 조용한 주방으로 향해 신선한 사과를 깎아 먹으며 하루를 시작합니다. 이 작은 ritual은 그녀에게 평온함을 제공하고, 하루를 긍정적으로 시작할 수 있는 기반을 마련해줍니다.

사과를 먹은 후, 그녀는 요가 매트 위로 자리를 잡고, 몸과 마음을 깨우는 요가 세션을 진행합니다. 요가는 그녀에게 일상의 스트레스에서 벗어나 집중력을 높이며, 창의적인 아이디어가 솟아나게 하는 중요한 시간입니다. 이 시간 동안 허인선은 자신의 신체적 한계를 탐구하고, 호흡을 통해 마음의 평온을 찾습니다.

요가를 마친 후, 그녀는 샤워를 하고, 프로페셔널한 옷차림으로 갈아입습니다. 건축설계사로서의 그녀의 일상은 다양하고 도전적인 프로젝트로 가득 차 있습니다. 출근 준비를 마친 허인선은 자신이 진행 중인 프로젝트에 대한 노트와 자료들을 가방에 넣고, 커피 한 잔을 손에 들고 사무실로 향합니다.

사무실에 도착하면, 그녀는 바로 작업에 몰입합니다. 오전 시간은 보통 팀 미팅으로 시작되어 각종 프로젝트의 진행 상황을 점검하고, 팀원들과 아이디어를 교환합니다. 이후, 그녀는 자신의 작업 공간에서 디자인 작업에 집중하며, 도면을 그리고, 클라이언트와의 미팅을 준비합니다.

점심 시간에는 동료들과 함께 식사를 하며 잠시 일상의 스트레스에서 벗어나 교류의 시간을 가집니다. 오후에는 보통 클라이언트 미팅, 현장 방문, 프로젝트 관리 등으로 바쁩니다. 이 모든 활동을 통해, 허인선은 건축의 세 ↓ 서 자신만의 위치를 확고히 하며, 창의력 과 기술력을 발휘합니다.

– 두 번째 결과물(첫번째 결과물 내용에 보태거나 빼는 식으로 갈 것)

You
좋았어. 위 내용에 허인선 건축설계사가 지역의 아동들이 실내에서 안전하게 놀 수 있는 공공놀이터를 설계해서 호평받았다는 내용을 추가해주세요. 요가 내용은 줄여주세요.

ChatGPT
허인선은 한국에서 활동하는 30살의 여성 건축설계사입니다. 그녀의 하루는 신선한 사과를 깎아 먹으며 시작됩니다. 이 작은 ritual은 그녀에게 하루를 긍정적으로 시작할 수 있는 평온함을 제공합니다.

사과를 먹은 후, 허인선은 짧은 요가 세션으로 몸과 마음을 깨웁니다. 요가는 그녀에게 일상의 스트레스에서 벗어나 집중력을 높이는 중요한 시간입니다.

요가를 마친 후, 그녀는 샤워를 하고, 프로페셔널한 옷차림으로 갈아입은 뒤, 사무실로 향합니다. 그녀의 일상은 다양하고 도전적인 프로젝트로 가득 차 있으며, 특히 지역 아동들이 실내에서 안전하게 놀 수 있는 공공놀이터를 설계하여 큰 호평을 받았습니다. 이 프로젝트는 그녀가 아이들의 안전과 즐거움을 동시에 고려하여 디자인한 작품으로, 지역 사회에 긍정적인 영향을 미쳤습니다.

사무실에서의 하루는 팀 미팅으로 시작해 프로젝트 진행 상황을 점검하고, 아이디어를 교환하는 것으로 이어집니다. 그녀는 디자인 작업에 집중하며, 클라이언트 미팅을 준비하고, 때로는 현장 방문을 하기도 합니다.

점심 시간에는 동료들과 함께 식사를 하며, 오후에는 다양한 업무를 처리합니다. 허인선은 일과 삶의 균형을 중요시하며, 개인 시간을 통해 새로운 에너지를 충전합니다. 그녀의 하루는 그녀의 직업적 열정과 개인적인 관심사가 조화를 이루며 의미 있고 풍요로운 하루를 만듭니다.

-세 번째 결과물

You
너무 맘에 드는 내용이야. 위 글에 저녁 때에는 가족들과 샐러드와 요거트를 먹으며 하루 생활을 이야기나눈다는 내용을 추가해주세요. 그리고 기도를 하고 책을 읽다가 밤 10시 30분에 잠든다는 내용을 추가해주세요.

ChatGPT
허인선은 한국에서 활동하는 30살의 여성 건축설계사입니다. 그녀의 하루는 신선한 사과를 깎아 먹으며 시작됩니다. 이 작은 ritual은 그녀에게 하루를 긍정적으로 시작할 수 있는 평온함을 제공합니다.

사과를 먹은 후, 허인선은 짧은 요가 세션으로 몸과 마음을 깨웁니다. 요가는 그녀에게 일상의 스트레스에서 벗어나 집중력을 높이는 중요한 시간입니다.

요가를 마친 후, 그녀는 샤워를 하고, 프로페셔널한 옷차림으로 갈아입은 뒤, 사무실로 향합니다. 그녀의 일상은 다양하고 도전적인 프로젝트로 가득 차 있으며, 특히 지역 아동들이 실내에서 안전하게 놀 수 있는 공공놀이터를 설계하여 큰 호평을 받았습니다. 이 프로젝트는 그녀가 아이들의 안전과 즐거움을 동시에 고려하여 디자인한 작품으로, 지역 사회에 긍정적인 영향을 미쳤습니다.

사무실에서의 하루는 팀 미팅으로 시작해 프로젝트 진행 상황을 점검하고, 아이디어를 교환하는 것으로 이어집니다. 그녀는 디자인 작업에 집중하며, 클라이언트 미팅을 준비하고, 때로는 현장 방문을 하기도 합니다.

점심 시간에는 동료들과 함께 식사를 하며, 오후에는 다양한 업무를 처리합니다. 허인선은 일과 삶의 균형을 중요시하며, 개인 시간을 통해 새로운 에너지를 충전합니다.

저녁 때는 가족과 함께하는 시간을 소중히 여깁니다. 그녀는 가족들과 함께 샐러드와 요거트를 먹으며 그날의 생활에 대해 이야기를 나눕니다. 이 시간은 그녀에게 하루의 스트레스를 해소하고, 가족 간의 유대를 강화하는 중요한 순간입니다.

가족과의 대화 후, 허인선은 짧은 기도의 시간을 갖고, 좋아하는 책을 읽으며 하루를 마무리합니다. 이 시간은 그녀에게 내일을 위한 평온과 영감을 제공합니다. 밤 10시 30분이 되면, 그녀는 조용히 불을 끄고 잠에 듭니다. 그녀의 하루는 그녀의 직업적 열정과 개인적인 관심사, 가족과의 관계가 조화를 이루며 의미 있고 풍요로운 하루를 만듭니다.

- 네 번째 명령 입력(고맙다는 인사)

You
정말 고마워. 나 이렇게 살것 같아. 나를 응원해줘

ChatGPT
당신의 이야기와 계획에 대해 듣게 되어 정말 기쁩니다! 당신이 설정한 목표와 꿈을 향해 나아가며, 매일을 의미 있고 충만하게 보내시길 바랍니다. 당신의 열정과 노력이 멋진 결과로 이어지기를 진심으로 응원합니다. 어려움이 있더라도, 당신의 끈기와 창의력이 그 모든 것을 극복할 수 있을 거예요. 화이팅!

< 15년 뒤 나의 하루 일과 활동을 마치고 >

1) 최종결과물을 복사하여 저장합니다. 자기 메일이나 카톡으로 보내도 됩니다.
   휴대폰에 캡처해서 저장해도 됩니다.

2) '15년 뒤 나의 일과 결과물'을 짝꿍과 바꿔 읽고 소감을 나눕니다.

3) 명령프롬프트 내용(명령을 내린 것/내가 요구한 말)을 다 기록합니다.
   (최소 3번이상의 명령)

<더보기 영상>

[*가장 효율적인 상상법] 원하는 모든 건 이렇게 상상하라-7분 59초(유튜브: 터닝포인트) https://www.youtube.com/watch?v=OerAS9qsQbs	
'자고 있어도' 뇌가 알아서 성공을 가져오는 방법 l 상상으로 시각화를 하면 이뤄지는 미친 이유 -5분 59초 (유튜브: 하와이 대저택) https://www.youtube.com/watch?v=pZNE71-STXs	
이제는 진짜 변하고 싶다면 l 의지력이 약해도 따라할 수 있는 습관-9분 9초(유튜브:책그림) https://www.youtube.com/watch?v=bYTPGoqmqZs	

25. AI로 그려보는 비전보드*34)

1. 비전보드는 내가 원하는 삶, 목표를 시각적으로 직관적으로 보기 쉽게 한눈에 이미지를 모아둔 보드를 말합니다.

   오프라 윈프리, 비욘세, 존 아사라프 등 세계적으로 성공한 유명인, 사업가들이 공통적으로 자신의 성공비결로 꼽은 것 중 하나가 바로 비전보드에요.

   오늘은 나만의 비전보드를 AI를 이용해서 만들어보도록 합시다!

-비전보드 이미지(챗GPT-4 이미지 생성 결과)

---

34) 학생들 작품을 공유할 수 있는 플랫폼이 준비된 경우 학생 개인이 자신이 원하는 미래 모습을 완성한 뒤 업로드하여 화면에 띄운 뒤, 함께 보고 이야기나누는 시간이 있으면 좋습니다. 친구들의 미래 모습을 보면서 격려도 하고 웃기도 하고 발표도 하면 즐거운 시간이 되더라구요.

2. 그림 그려주는 AI

Bing 이미지 크리에이터 (https://www.bing.com/ images/create)	뤼튼(https://wrtn.ai/)	캔바 AI 이미지 생성기 (https://www.canva.co m/ko_kr/ai-image-gene rator/)

-마이크로소프트 빙이 출시한 이미지 생성 툴 -만든 이미지 수정 가능	-다양한 AI 모델을 손쉽 게 접근할 수 있음 -빠른 글쓰기 가능	-4가지 결과 생성 -바로 디자인 및 편집 가능

→많은 이미지 생성 AI가 있지만 한국어 지원 가능하며 중학생 이하도 접근이 쉬운 것을 소개합니다.

3. 비전보드 꾸미기

단계	아이디어 메모
1단계: 미래(15년 뒤 혹은 20년 뒤) 상상하기 잠시 눈을 감고 1분 동안 나의 미래를 상상해봅시다. -어떤 사람이 되고 싶은가? -어떤 삶을 살고 싶은가?	
2) 구체적인 항목별로 프롬프트 문구 정하기 -관계(나의 배우자 및 자녀, 친구 관계) -재정(얼마나 돈을 벌고 싶은가 어떻게 벌 것인가) -살고 있는 집 또는 사는 환경 -직업 및 커리어 -기여(봉사)	

-취미 및 여가활동 -하고싶은 경험 및 활동	
3) AI 이미지 생성 도구를 사용하여 위의 프롬프트를 기반으로 이미지를 생성해요. -여러번 시도하여 원하는 이미지를 얻습니다. -최소 5회 이상의 명령어를 입력하면서 완성도 높은 미래 이미지를 제작합니다.	
4) 완성된 이미지를 출력하여 4절지나 8절지에 붙이거나, 편집하여 수시로 볼 수 있는 곳(휴대폰이나 태블릿 바탕화면)에 저장해둡니다.35)	

4. 비전보드 완성 및 공유

-제작한 비전보드(저장된 이미지)를 다른 친구들과 공유해봅니다.

-완성된 비전보드를 눈에 잘 띄는 곳에 붙여둡니다.

-1년 뒤의 모습이나 3년 뒤의 원하는 모습도 생성해볼 수 있습니다.

<더보기 영상>

비전보드를 만드는 법 - 1년 목표를 이루기 위한 1위 도구! -8분 59초(유튜브: HigherSelfKorea) https://www.youtube.com/watch?v=GZU1yh3oqMo	

---

35) 교실에서 이미지 출력이 어려우므로 완성된 이미지들은 저장해두는 것이 좋습니다.

<예시안>36)

-첫번째 명령 결과물

⑤ You
30살 영어 회화 강의를 하는 여자의 모습을 그려주세요

⑥ ChatGPT

-두번째 명령 결과물

⑤ You
오 좋은 그림입니다. 위 그림에서 여자 모습을 한국인으로 바꿔주세요.

⑥ ChatGPT

---

36) 챗GPT-4(유료버전) 결과물입니다. 챗GPT-4는 이미지 생성이 가능합니다.

-세번째 명령 결과물

S **You**
네 위의 그림에서 여자 머리를 단발로 바꿔주세요

ⓢ **ChatGPT**

-네번째 명령 결과물

S **You**
너무 멋진 그림입니다. 감사합니다. 단발머리 한국인 여자가 테슬라를 운전하는 모습을 그려주세요.

ⓢ **ChatGPT**

104

-다섯번째 명령 결과물

S You
NICE! 단발머리 한국인 여자가 남편과 자녀 2명을 데리고 캠핑장에서 노는 모습을 그려주세요.

ChatGPT

-여섯번째 명령 결과물

S You
Good Job! 단발머리 한국인 여자가 카페에서 노트북으로 원고를 쓰는 모습을 그려줘.

ChatGPT

-일곱번째 명령 결과물

You
너무 맘에 들어요! 단발머리 한국인 35살 여자가 사람들에게 책에 싸인을 하는 모습을 그려주세요.

ChatGPT

-여덟번째 명령 결과물

You
우와! 대단합니다. 단발머리 한국인 35살 여자가 40평 아파트 거실에서 커피를 여유롭게 마시는 모습을 그려주세요.

ChatGPT

26. 동사형 꿈 탐색 보고서37)

* 동사형 꿈이란?

 직업을 명사형으로 말하지 않고 가치관과 역동성에 중심을 둔 동사형으로 꿈과 직업 표현

<명사형 꿈>

나는 <u>국어교사</u>가 되고 싶습니다.

<동사형 꿈>

나는 '<u>학생들이 자기 자신이 표현하고 싶은 바를 모국어로 정확하게 글을 써서 표현하는 능력을 갖추게 도와주는</u>' 국어교사가 되고 싶습니다.

<동사형 꿈 탐색 순서>

다음을 기록하면서 동사형 꿈을 완성해봅시다.(다음 쪽의 예시안 참고)

1. 자신의 롤모델38)을 찾아 왜 그 사람을 존경하고 좋아하고 닮고 싶은지 생각해 보자!

나의 롤모델은 (   )입니다. 이 사람을 존경하고 좋아하고 닮고 싶은 이유는

→ 롤모델의 삶을 대표하는 동사를 3가지만 기록해봅시다.

☞ _____

(예) 열정적이다, 불의에 타협하지 않는다, 사회적 약자를 위해 살았다

---

37) 조아쌤의 5월 신문 하브루타 동사형 꿈찾기(https://blog.naver.com/dtaegh/222748976421)에 나온 수업활동을 참고하여 활동지를 제작하였음을 밝힙니다.
38) 본받고 싶은 사람

2. 본격적인 동사형 꿈 탐색

1) 내가 좋아하는 동사 3~4가지를 기록	
2) 내가 잘하는 동사 3~4가지를 기록	
★3) 위 6개의 동사중 내가 직업인으로서 활용하고 싶은 동사 3~4가지를 골라 기록	
★4) 3의 핵심 동사를 연결하여 동사형 꿈을 만들기	
★5) 동사형 꿈을 이루기 위한 도구(수단/직업)을 기록	
★★6. 위 기록을 바탕으로 **최종 나의 꿈**을 동사형으로 만들어 보자	

출처: https://blog.naver.com/dtaegh/222748976421
(조아쌤의 5월 신문 하브루타 동사형 꿈찾기)

<예시>

1. 자신의 롤모델을 찾아 왜 그 사람을 존경하고 좋아하고 닮고싶은지 생각해봅시다.

> 나의 롤모델은 (통일연구가 백기완선생님)입니다. 이 사람을 존경하고 좋아하고 닮고 싶은 이유는
>
> 통일 문제 뿐만 아니라 사회적 약자를 위해 많은 활동을 하셨으며 자신이 옳다고 생각하는 신념을 위해 불의와 타협하지 않고 책을 쓰고 강연을 하는 등 열정적인 활동을 하셨기 때문입니다. 무엇보다 통일문제에 관심을 갖고 활동하신 것에 대해 존경을 표하고 싶습니다.

→ 롤모델의 삶을 대표하는 동사를 3가지만 기록해봅시다.

☞ *정의롭다, 꾸준하다, 신념이 투철하다*

2. 본격적인 동사형 꿈 탐색

1) 내가 좋아하는 동사 3가지를 기록	*책을 읽는다, 정의롭다, 글을 쓴다, 야구경기 관람을 좋아한다*
2) 내가 잘하는 동사 3가지를 기록	*글을 쓴다, 설득을 한다,* *인내심을 발휘한다, 남을 잘 돕는다*
★3) 위 6개의 동사중 내가 직업인으로서 활용하고 싶은 동사 3~4개를 골라 기록	*글을 쓴다, 책을 읽는다, 남을 잘 돕는다, 설득을 한다*
★4) 3의 핵심동사를 연결하여 동사형 꿈 만들기	*내가 관심있는 분야(장애인 교육)의 책을 읽고 글을 써서 독자를 설득하여 사회변화의 밑거이 되고 싶다.*
★5) 동사형 꿈을 이루기 위한 도구(수단/직업)을 기록	*특수교사, 사회복지연구가, 사회복지학과 교수, 특수교육학과교수, 정치가, 시민단체활동가*
★★6) 위 기록을 바탕으로 최종 나의 꿈을 동사형으로 만들어 보자	*나는 장애인교육에 대해 연구하고 이것을 바탕으로 논문을 써서 실제 현장에 적용하여 장애인들이 더 질 좋은 삶을 살 수 있게 사회를 변화시키는데 앞장서는 특수교육학과 교수가 되고 싶습니다. 이를 위해 책을 많이 읽고 특수 교육관련 선진국으로 유학을 다녀와서 외국에서 박사코스를 밟겠습니다.*

27. 우리 사회 다양한 직업들의 급여[39]

* **2023년 우리나라 최저임금: 시간당 9,620원**
* **2024년 우리나라 최저임금: 시간당 9,860원**

1. 대한민국 피부과의사 평균연봉: 2022년 기준 1억원
2. 공무원일반행정직 9급 1호봉
   - 2022년 1월 기준 약 1,696,000원에서 1,800,000원 사이
3. 9급 1호봉 소방관 월급: 177만 800원
4. 군인(하사) 월급: 2022년 1월 기준, 대한민국 군인 하사의 평균 월급은 약 1,700,000원~2,000,000원
5. 삼성전자 신입사원 연봉: 신입사원이든 부장이든 상관없이 전 직원에 대한 평균 연봉: 1억 800만원 (1억 전후라는 이야기가 많음)
6. 오뚜기(중견기업) 신입사원 연봉: 4337만원(2022년 기준)
7. 종합병원 영양사 월급: 190만원 ~ 200만원 (2018년 모 병원 채용공고 기준)
8. 대학병원 간호사 월급: 대한민국에서 대학병원 간호사의 평균 월급은 약 2,500만 원에서 3,500만 원 정도(챗GPT정보) -세브란스 병원 연봉 5,200만원 삼성서울병원 4,200만원 전남대병원 6,938만원(초임간호사부터 경력간호사 평균임)/서울대병원 초임간호사 연봉 4932만원
9. 2020년 기준 국립대 교수 초임 월급: 208만 8600원 (정교수 평균 연봉 1억 3095만원: 2017년 기준)
10. 5대 로펌(김앤장 태평양 광장 율촌 세종) 초임 변호사 월급: 850만원~900만원
    (로펌 변호사 중 하위 변호사 연봉 평균: 6000만원)
    국선전담변호사 월 800만원 (파트타임 국선변호사 시간당 30~40만원)
11. 중소기업 신입사원 평균 연봉: 2,881만원(대졸 2022년기준)
12. 광주은행 신입사원 평균 연봉: 4,800만원(2022년 기준)
13. 국민은행 신입사원 평균 연봉: 4,900만원(2022년 기준)
14. 공공기관 신입사원 평균연봉: 한국원자력연구소 5,300만원(2021년 기준)
15. 아파트 경비원 월급: 170~240만원
    (실제적으로 휴식시간에도 일하는 경우가 많아 시간대비 최저임금에 못 미치는 경우있음)
16. 다이소 캐셔(6시간 근무 주 5일): 월급 160만원
17. 초등학교 교사 초임 월급: 2023년 기준 1호봉 1,728,900원

---

[39] 활동 시점의 각 직업 급여는 달라질 수 있으므로 **학습 활동 연도 기준 급여를 검색할 필요가 있습니다.**

18. 패션디자이너 10년 경력직 연봉: 4,000만원(패션디자이너는 신입인데 7,000 만원 받는 경우도 있고 회사와 본인의 능력에 따라 천차만별임)
19. 신문기자 월급(2023년기준): 하위25% 월급 300만원 상위25% 월급 400만원
20. 골프장 캐디 일당: 15~30만원 이상 사이
21. 신입번역가: 영어-한글 200자 원고지 1매 당 3500원(단어1개당 10원~30원)
22. 물리치료사 초봉: 2,800만원~3,600만원(3,000만원 전후)
23. 스튜어디스: 대한항공 12년차 3,600만원~3,800만원 (15년 이상되면 연봉 4,000만원 보장, 부사무장으로 승진시 연봉 6,000만원)
24. 연봉이 가장 낮은 직업

    평균 연봉이 가장 낮은 직업 10위
    (출처: '2018 한국의 직업조사'-한국고용정보원)

    1위. 자연및 문화해설사 : 1078만원
    2위. 시인 : 1209만원
    3위. 소설가 : 1283만원
    4위. 연극 및 뮤지컬 배우 : 1340만원
    5위. 육아도우미(베이비시터) : 1373만원
    6위 방과후교사 :1647만원
    7위 영화배우 및 탤런트: 1709만원
    8위 모델 :1813만원
    9위 가사도우미: 1850만원
    10위 통계설문조사원 1863만원
                        - 출처: https://v.daum.net/v/5e9cef051fde152dc3c495a2

* 참고 : 드라마 '1,000원짜리 변호사' 남자 주인공 1회 출연료 1억 6,000만원
                        단역배우 드라마 회당 출연료 10만원

<자신이 관심있는 직업 평균 급여를 알아보는 방법>
- 본인이 관심있는 직업 급여를 알아보자

1) 워크넷 사이트 활용
    ① 워크넷-직업진로-한국직업정보-직업명 검색 (혹은 분류로 찾기)

한국직업정보

우리나라 대표 직업정보 찾기

한국고용정보원에서 매년 실시하는
재직자조사를 바탕으로 우리나라 대표 직업들의
수행직무, 직무특성, 일자리 전망 등을
검색할 수 있습니다.

키워드 검색	찾고자하는 직종명을 입력해 보세요.	검색	조건별 검색	평균연봉 ∨	직업전망 ∨	검색

분류별 찾기	내게 맞는 직업 찾기
직업분류 1차 선택	**직업분류 2차 선택**
경영·사무·금융·보험직	
연구직 및 공학 기술직	
교육·법률·사회복지·경찰·소방직 및 군인	
보건·의료직	

---

② 임금/만족도/전망

직업정보 찾기

미용·여행·숙박·음식·경비·청소직 > 항공기·선박·열차 객실승무원 > **항공기객실승무원**

항공기객실승무원

요약하기	하는 일	교육/자격/훈련	임금/만족도/전망	능력/지식/환경	성격/흥미/가치관	업무활동	전직가능직업

• 임금

항공기객실승무원 하위(25%) 3,937만원, 중위값 4,450만원, 상위(25%) 5,300만원

※ 위 임금정보는 직업당 평균 30명의 재직자를 대상으로 실시한 설문조사 결과로, 재직자의 자기보고에 근거한 통계치입니다. 재직자의 경력, 근무업체의 규모 등에 따라 실제 임금과 차이가 있을 수 있으니, 직업간 비교를 위한 참고자료로 활용하여 주시기 바랍니다. 〈조사년도: 2021년〉

• 직업만족도

항공기객실승무원에 대한 직업 만족도는 **72.3%** (백점 기준)입니다.

※ 직업만족도는 해당 직업의 일자리 증가 가능성, 발전가능성 및 고용안정에 대해 재직자가 느끼는 생각을 종합하여 100점 만점으로 환산한 값입니다.
〈조사년도: 2021년〉

2) 채용사이트 채용공고로 확인

　　　　* 사람인(혹은 인크루트 등)

　　　예시: '사람인' 사이트에서 물리치료사 검색

물리치료사 1명 구인합니다.

기존 치료사 2명 있고 1명 충원해서 3명이서 근무합니다. (물리치료실 전담 보조 1명 있습니다.)

업무는 전기치료+서비스 도수치료 입니다.

서비스 도수치료는 시간은 7~8분이고 치료사 한명당 하루에 평균 25~28명 정도 합니다.

이력서는 최근 사진1매 부착 후 메일로 보내주시면 됩니다.

[근무시간] (주5일) 월~금요일 오전9시~오후6시 (점심시간 12시 30분 ~ 2시)
토요일, 일요일, 달력상 빨간날(공휴일 및 대체 공휴일 등) 은 휴무입니다.
물리치료사 3명이서 3일에 한번씩 교대로 30분 일찍 퇴근합니다.
수습기간 - 3개월

[급여] 월급은 300만원부터 시작합니다. (실수령액은 식대 12만원 포함해 한달 312만원 입니다.)

[휴가] 여름 휴가는 7월~8월 중 일주일 쉽니다.(토,일요일 포함하면 9일 입니다.)
연차 휴가는 1년 차 미만 11일, 1년 차 이상 15일 이며 2년마다 1일 씩 늘어납니다.
여름휴가 중 평일은 연차 휴가에 포함됩니다.

[필수조건] 물리치료사 면허 필수예 병의원 도수치료 경력 3년차 이상이신 분만 지원바랍니다.

- 장점: 현실에서 어떤 조건 하에서 얼마를 받는지 정확히 알 수 있음
- 검색조건에 따라 급여 달라짐(경력, 지역, 주 며칠 근무 등)
- 로그인 하지 않으면 세부사항을 볼 수 없는 경우도 있음

3) 포털사이트/유튜브 검색 (제일 쉽고 정확한 방법: 요즘에는 정보가 많이 노출되어 있음)

N 대한항공 스튜어디스 연봉

🖼 VIEW 🖼 이미지 🔍 지식iN 👤 인플루언서 ⏵ 동영상 🛍 쇼핑 🖼 › ···

VIEW

🖼 승무원합격★스튜어디스&지상직대한항공/아시아나항공사학원과외 · 2023.03.27.

대한항공연봉과 아시아나승무원연봉 현재 받는수준

이에**대한** 설명을 드리겠습니다. **대한항공,**아시아나 1인당 평균 급여액 20
19년 **대한항공** 8083만원, 아시아나**항공** 6500만원 2020년 **대한항공** 6800
만원, 아시아나**항공** 4800만원 2021년... **대한항공** 6900만원, 아시아나**항공**

🖼 **승무원연봉** 자세하게알려주셔서 이해   🖼 윕스카이카페 항상 빠르고 좋은정보
가잘됐어요   감사드려요

스튜어디스 연봉 정리_스튜어디스학원 자료제공
캐세이퍼시픽 채용 **연봉**궁금해요

N 호텔 요리사연봉

🖼 blog.naver.com › gjrnrgus

호텔조리사 직무환경 및 연봉에 대한 현실적인 이야기
2020.06.19. 네이버에 직업별 **연봉**순위들 검색해서 보면 쓰고 있는 글에
대해서 이해되실꺼에요. 너무 안좋은 이야기만 했나요? 모든 직장생활이
힘이 드는건 마찬가지 일겁니다. 하지만 **호텔**조리사의 장점도 있습니다!..

N blog.naver.com › skatjdnf2

호텔조리사 연봉 및 업무 그리고 전망까지
2022.02.17. 세간의 관심사가 이러하니만큼 많은 청소년 분들이 요리사
를 꿈꾸고 계시는데요. 자신의 진로를 **호텔**조리사로 정하고... **호텔**조리
사 **연봉** 및 업무와 흥미에 대해서 살펴보았으니 어떻게 하면 **호텔**조리...

🖼 www.c.vkpandey.com.np

5성급 호텔 요리사연봉 - 타지마할호텔 변경 준비끝
2023.10.28. 5성급 **호텔 요리사연봉** 핵심내용 요약보기 5성급 **호텔 요리**
사연봉 가격 선택많은곳 자궁경부상피내암으로 진행하는 과정을 거치게
되며 이 단계에서 진단하여 치료하지 못할 경우 침윤성 자궁경부암으로...

검색결과 더보기 →

뉴스   •관련도순   •최신순   모바일 메인 언론사 ⏺

🖼 스타뉴스 · 2023.05.29. · 네이버뉴스

이연복, 신입 **요리사** 패기에 충격 "**연봉** 8000? 생각이 없네"(당...
지난 28일 오후 방송된 KBS 2TV 예능 프로그램 '사장님 귀는 당나귀
귀'에서는 **요리사** 정지선이 직원들과 **연봉** 협상에 나선 모습이 그려졌다.
이날... 8000만 원이면 **호텔** 주방장급이다. 주변에서 아무리 거들어도 저...

<더 생각해보기>

1. 다음의 직업들의 현재 급여[40]를 살펴본 뒤 이 급여가 적절한지 아닌지 생각해 보고 적정한 급여를 적어보자.[41]

  * 고려할 사항
    - 기본 생계 유지, 직업을 가질 때까지의 투자, 직업이 사회에 기여하는 부분
    - 직업의 노동강도 및 전문성(대체자가 많은가 적은가), 생산성 등

직업명	현재 급여 (2023년 기준)	내가 적절하다고 생각하는 급여	이유
최저임금 (학습지 작성 년도 기준)	시간당 ( )원	시간당( )원	
대학병원 간호사	연봉 4,000~5,000만원 전후	연봉 ( )원	
물리치료사 초봉	연봉 3,000만원 전후	연봉 ( )원	
소방관 초봉 (9급 1호봉)	1달 177만 800원 (수당[42] 붙지 않은 금액)	1달 ( )원 (수당 붙지 않은 금액)	
초등학교 교사 초봉(1호봉)	1달 1,728,900원 (수당 붙지 않은 금액)	1달 ( )원 (수당 붙지 않은 금액)	
중소기업 신입사원 초봉	연봉 2,881만원	연봉( )원	
경비원 월급	1달 170~240만원	1달 ( )원	
육아도우미 (베이비시터)	1,373만원(연봉평균 /2018년 기준)	시간당 금액으로 정해주세요 시간당 ( )원	
일반 행정직 공무원	1달 약 170~180만원 (2022년 기준 /수당 붙지 않은 금액)	1달 ( )원	
영양사 (종합병원)	1달 190~200만원	1달 ( )원	
신입번역가 (영어-한글)	단어 1개당 10~30원	단어 1개당 ( )원	

---

40) 2023년도 검색 기준
41) 다 적은 뒤 친구들과 이야기 나눠도 좋습니다.
42) 공무원(일반행정직, 경찰, 군인, 소방관, 교사 등)은 여러 가지 수당이 붙습니다. 가족수당, 초과근무수당, 특수업무수당, 위험근무수당 등 직종과 하는 일에 따라 수당이붙어서 월급이 나옵니다. 일반 회사원도 수당이 붙어서 월급이 나옵니다. 수당은 상황에 따라 다르므로 여기서는 수당이 붙지 않는 평균적인 급여를 제시하였습니다.

2. 드라마 주연배우들이 회당 1억원(혹은 2억) 출연료를 받는 것은 정당한가?

☞ 내 생각에 "드라마 주연 배우들이 회당 1억원 내외로 출연료를 받는 것은 (정당하다, 정당하지 않다)"입니다.

    그 이유는

3. 무명의 연극배우나 단역배우, 시인, 예술가, 아이돌 지망생 등은 거의 생계를 유지할 수 없을 정도로 그 일을 하면서 돈을 벌지 못한다고 합니다. **나라에서 이런 사람들을 무조건 한달에 200만원씩 기본 소득을 주기로 하는 법을 제정한다고 가정해봅시다.** 당신은 이 제도에 대해 찬성하십니까? 반대하십니까?

☞ 예술인(대중예술 종사자 포함) 기본 소득 제도에 대해 (찬성한다, 반대한다)

    그 이유는

4. 당신은 27살이고 독립하기로 결정했습니다. 서울특별시에서 살 예정이며 집을 살 수 없으므로 월세를 내며 지내기로 했습니다. 1달에 필요한 돈이 얼마인지 예상해보시오. (예상금액 생각할 때: 식비, 전기세, 통신료, 월세, 용돈, 기타 잡비 등을 구체적으로 예상해보기-검색 가능)

☞ 내 생각에 27살 청년이 서울특별시에서 월세로 살아갈 때 필요한 1달 금액은 총 (   )원이다. 1달에 필요한 돈의 항목과 그 액수는 다음과 같다.

116

예시)

> 휴대폰 통신료: 5만원, 인터넷 사용료: ~~~~~~, 교통비: ~~~~~~~~~~,
> 수도세 전기세:~~~~~~~~~~~~~
> 월세:~~~~~~~, 화장품:~~~~~~~~~~, 식비~~~~~~~~~~~

* 소아청소년정신과 오은영박사님은 자녀 양육의 목표는 자립이라고 했습니다.
여러분은 현재 미성년자이지만 성인이 되면 곧 자립을 해야겠지요.
자립에 필요한 금액은 매달 최소 얼마일까요?
내가 직업을 갖고 자립이 가능하려면 어떻게 해야하고 얼마를 벌어야 할까요?
내가 관심있는 직업의 급여에 대해 어떻게 생각하나요? 직업과 급여의 관계에
대해 잘 생각해봅시다.

<읽기자료> 진로와 돈의 상관관계
출처-https://www.clien.net/service/board/park/10059823

F 모두의공원

[진로] 직업과 돈의 상관관계? 7

👁 1,086   TT   ◐

🕐 2016-12-18 23:35:23   📍 61.♡.224.179

요즘 진로에 대해 고민하면서 생각하지 않을 수 없는 것이 '돈'입니다.

사회생활은 대학교, 인턴 5개월이 전부라서 아직은 주변의 말만 듣고 상황을 파악하게 되는지라 현실은 어떤지 잘 모르겠습니다.
그렇기에 여러분들의 의견을 들어보고 싶습니다.

일단 high risk high return은 직업에도 적용된다는 생각이 들었습니다.

대기업 혹은 고수익 직종의 경우 상대적으로 많은 급여를 받지만 그만큼 자신의 몸이나 시간을 희생해야 하는 것 같고,

업무강도가 좀 낮은 여타 다른 곳은 급여가 상대적으로 적어지는 것 같고...

분명 어느 부분에서든지 희생이 필요한 것이 아닌가 하는 생각이 듭니다.

돈이라는게 상대적이라서 예를 들면 어떤 사람에게는 월 200만원이 분에 넘치게 많을 수도 있겠지만 또 어떤 사람에게는 너무 부족
한 돈일 수도 있다는 생각이 듭니다. 그렇기에 어디까지 돈을 벌어야 만족할 수 있을지도 잘 모르겠습니다.

아직 딱 뭐가 너무 좋다, 이런 쪽으로 가야겠다 하는 생각없이 막연한 생각들+돈에대한 막연한 개념들 때문에 혼란스럽고 머리 정리
가 잘 안되는 요즘입니다 :)

진로에 관한 글은 모두의 공원에 올려도 된다고 알고 있어 이곳에 올려봅니다.

답글들

대체적으로 돈을 많이버는 직업들이 사회에서 시선, 포지션 등이 좋을 가능성이 높습니다...

그리고 평범한 직장인들은 평생 하이리스크의 세계에서 살죠...
회사에서 타의건 자의건 나가게 되는 순간부터 엄청난 하이리스크 입니다..
로우리스크 로우리턴 은 사실......... 없다고 봐야해요.....

한국의 직장 생활은 리스크는 무조건 하이라고 보면 됩니다...

본인이 하고싶은 일이 아니라 돈을 벌기위한 수단으로의 직업의 선택이라면 돈 마니주는곳이 좋죠
업무강도야 워낙 변수가 많기때문에 너무 상대적이라..
from CV

남들 밑에서 일하는게 로우 리스크 로우 리턴이죠.
자기 돈으로 창업하거나 주식하거나 투자하거나 개업하는 것이 하이 리스크 하이 리턴입니다.

뭐랄까 질문 자체가 두루뭉술해서 대답해드릴 게 별로 없네요.
일단 남들이 다 가는 길은 리스크 자체는 적지만 경쟁이 엄청나고.. 소득도 적다는 건 확실합니다.
제가 한국에서 지내면서 알게 된 건데, 한국에 있는 많은 사람들은 상상력이라는 게 없습니다.
진로도 그렇고, 취업도 그렇고, 직업 선택도 그렇고.. 최고의 정보화 사회에서 살면서 그런 중요한 정보에 대해서는 굉장히 어두워요.
일단 머릿속에 넣고 있는 직업 자체가 너무 한정적입니다.(공무원, 영업, 개발자 등등등)
그런 시야를 넓히는 게 중요하다고 봐요.

그리고 사업과 관련해서.. 많은 사람들이 사업에서 실패하는 것은 사업적 소질이 없는 것도 문제이지만, 제대로 알아보지 않고 급박함이나 젊은 혈기로 뛰어들기 때문입니다. 잘 준비한 사업은 쉽게 망하지도 않을 뿐더러, '잘' 망합니다. 연착륙이 가능하단 뜻이지요.

개인적으로 이 나라에서 이제 성공하는 길은 둘 중 하나 뿐이에요.
공부를 아주 잘해서 전문직이 되거나, 아니면 아예 어릴 때부터 사업 아이템을 공부하거나 사람들에게 꼭 필요한 물건을 팔 수 있는 사람이 되어야 하는 거죠.

→ 여러분 생각은 어떤가요?
만약 돈을 정말 많이 주지만 정말 하기 싫은 일(직장인 신입사원 평균연봉43)의 5배를 준다고 함. 육체적 건강을 해치거나 불법적인 일은 아니나 정신적 스트레스가 있을 수 있음)과 **평균적인 급여를 주지만 정말 하고 싶은 일** 중 어떤 일을 선택하고 싶습니까?

---

43) 2023년 대한민국 직장인 평균연봉 사원 평균연봉(1-2년차) : 3,014만원(출처:잡코리아)

28. 유명인의 삶을 통한 진로탐색

1. 다음 영상을 보고 물음에 답하세요.

지금은 시청률 보증수표가 된 배우 남궁민...

하지만 그에게도 15년 가까운 무명시절이 있었는데,,,

그리고 20살 넘어서까지 배우는 생각도 해본적 없었던 그의 진솔한 이야기가 시작된다. [출처] 유퀴즈온더블럭, 남궁민편

(https://www.youtube.com/watch?v=5b-p6TrP0Ys)

유퀴즈 남궁민편

2. 영상의 내용과 관련해서 물음에 답하세요.

1) 배우 남궁민씨의 원래 전공은 무엇이었나요? ☞ (   )

2) 어떤 계기로 배우의 길을 가게 되었나요?

3) 배우를 하겠다고 했을 때 어머니의 반응은 어땠나요?

4) 남궁민씨의 15년 무명시절을 버티게 한 힘은 무엇인가요? 남궁민씨의 강점과 관련하여 적어보세요

5) 남궁민씨가 연기를 하기 위해 감당한 것들을 모두 써보세요.

3. 영상을 본 후에 다음 물음에 답하세요.

1) 지금 현재 내가 하고싶은, 또는 좋아하는 일이 있을까요? 있다면 무엇인가요? *(있다면 2번, 3번 물음에, 없다면 4번 물음에 답하세요)*	
2) 좋아하는 일을 하기 위해 내가 극복해야 할, 또는 이겨내야 할 일들에는 무엇이 있을까요? *예) 다른 사람의 시선, 거듭된 실패로 인한 좌절감 등*	
3) 좋아하는 일을 하기 위해 '나는 이렇게까지 할 수 있다' 하는 게 있을까요? *예) 하루에 4시간씩은 연습할 것이다.*	
4) 대부분의 사람들은 성인이 된 이후에 자신의 적성을 찾는 경우가 많습니다. 좋아하고 잘하는 것을 찾기 위해 지금 현재 내가 할 수 있는 것에는 어떤 것이 있을까요? *예) 지금 현재 공부를 충실히 한다. 다양한 체험활동을 하고 적극적으로 학교생활을 한다.*	

<더 탐색하기>

진로수업시간에 역경을 극복한 유명인을 소개하여 발표한다고 가정해봅시다.
남궁민씨처럼 **유명인 중에서 역경을 딛고 노력하여 꿈을 이룬 사람**을 5명 정도
더 찾아봅시다.

이름(직업/태어난 연도)	어떤 역경을 극복하고,어떻게 노력해서, 지금 어떤 꿈(목표)을 이뤘는지 3문장으로 기록

<기록 예시안>

유재석(개그맨, MC/1972)	대학생시절 화려하게 개그맨 데뷔를 했으나 방송 울렁증이 있어 무명이 길었다. 겸손한 태도로 기도하며 실력을 키우면서 남을 깎아내리지 않는 개그와 재치를 선보였다. 현재 움직이는 중소기업의 수입을 올리는 대체불가 국민MC가 되었다.

121

29. 이야기 속 당신의 롤모델은 누구인가요?

1. 이야기 속 긍정적 롤모델 찾기

⇨ 우리는 긍정적 롤모델에 대해 말하고 상기하는 것만으로도 자동반사적으로 동기부여가 이루어집니다.[44] 그런데 꼭 실제하는 인물이나 유명인들만 긍정적 롤 모델이 되는 것은 아닙니다. 우리가 어릴적부터 봐왔던 만화 속 캐릭터나 영화 속 가상인물들, 소설 속 주인공이나 주변인물들, 드라마나 영화 속 캐릭터들도 모두 나의 멋진 롤 모델이 될 수 있습니다. 지금부터 이야기 속 나의 롤 모델을 찾아 떠나보도록 합시다.

2. 어릴적부터 지금까지 인상적이었던 이야기 속 캐릭터들을 모두 떠올려보세요. 생각나는 인물들을 모두 쓰면 됩니다. 그리고 그 인물들이 인상적이었던 이유를 써보세요. (드라마, 영화, 만화(웹툰), 소설, 뮤지컬, 연극 등)

예) -드라마 '연인'의 길채: 역경이 있을 때마다 당당히 헤쳐나간다. 늘 당당하다.
    -뽀롱뽀롱 뽀로로의 '뽀로로': 딱히 잘 하는 게 없는 것 같은데 늘 긍정적이고 재밌다. 핵인싸이다.
    -신비아파트의 '금비': 밝고 순수하며 먼저 애정표현을 하는 용기있는 여성이다.

3. 위에서 적은 캐릭터 중에 가장 여러분들의 삶에 영향을 미치는 인물을 하나 골라보세요. 그 캐릭터가 어떤 식으로 여러분들의 삶에 위안을 주었는지, 왜 좋은지 등을 적어주세요.

---

44) '마음의 지혜'(김경일, 포레스트북스)

4. 여러분이 최근에 겪었던 갈등상황을 하나 적어주세요. 아니면 힘들었던 일을 적어봅니다. 힘들었던 상황에서 나의 최애 캐릭터는 어떻게 반응했을지 상상해서 적어주세요.

예) 최근에 친구랑 오해가 생겨 갈등이 있었는데, _____는_____ 하게 극복했을 것 같다.
엄마랑 아빠가 심하게 싸워서 불안했는데, _____는_____ 하게 생각했을 것 같다.
학원에서 공부할 양이 너무 많아서, _____는_____ 하게 행동했을 것 같다.

5. 이야기 속 가상인물이, 현실 세계에서 살고 있다고 가정하고 그 캐릭터의 일상은 어떠할지 상상해서 적어주세요.(챗GPT, 뤼튼, 구글바드와 같은 생성형 AI를 사용해도 좋습니다)

예) 금비의 새로운 시작

대전의 한 아파트에서 금비는 아침을 맞이했다. 그녀는 눈을 뜨자마자 밝게 웃으며 일어났다. 오늘도 그녀는 새로운 하루를 시작할 수 있다는 사실에 기뻤다. 금비는 노란색 머리와 푸른 눈을 가진 귀여운 소녀였다. 그녀는 대략 600~1000살 정도로 추정되며, 도깨비였다. 하지만 그녀는 자신의 정체를 다른 사람들에게 비밀로 하고

금비는 어린 시절부터 아이들을 좋아했다. 그녀는 아이들을 도와주고, 그들을 행복하게 만들고 싶었다. 그래서 그녀는 어린이 교육 분야에 종사하기로 결심했다. 금비는 한 유치원에 취직하여 아이들을 가르치기 시작했다. 그녀는 아이들과 금방 친해졌고, 아이들은 그녀의 밝고 사랑스러운 모습에 매료되었다.

금비는 아이들을 가르치는 일 외에도 다양한 활동을 했다. 그녀는 사회복지 단체에서 봉사활동을 하기도 하고, 지역 주민들의 모임에 참여하기도 했다. 그녀는 항상 사람들을 돕고, 세상을 더 나은 곳으로 만들기 위해 노력했다. 금비는 자신의 능력을 사용하여 사람들을 돕기도 했다. 그녀는 도깨비의 힘을 사용하여 위험에 처한 사람들을 구하거나, 어려운 사람들을 돕곤 했다. 그녀는 자신의 능력을 사용하여 세상을 더 안전하고, 더 따뜻한 곳으로 만들고 싶었다. 금비는 하루하루 바쁘게 지냈지만, 항상 밝은 미소를 잃지 않았다. 그녀는 사람들에게 웃음과 감동을 선사하는 일을 가장 좋아했다.

어느 날, 금비는 길을 걷다가 우연히 한 남자를 만났다. 남자는 잘생기고 친절한 사람이었고, 금비는 그 남자에게 첫눈에 반했다. 금비는 남자와 썸을 타기 시작했고, 결국 연인 사이가 되었다. 남자는 금비의 정체를 알지 못했지만, 금비는 자신의 정체를 밝히지 않기로 했다. 금비와 남자는 행복한 연애를 시작했다. 그들은 함께 여행을 다니고, 새로운 경험을 하며 사랑을 키워나갔다. 금비는 자신의 꿈을 이루고, 사랑하는 사람과 행복하게 사는 삶을 살았다. 그녀는 자신의 능력을 사용하여 사람들을 돕고, 세상을 더 나은 곳으로 만들기 위해 노력했다. 그녀는 밝고 사랑스러운 모습으로 많은 사람들에게 웃음과 감동을 선사했다.

-출처: '구글 바드'로 생성한 이야기

① 캐릭터의 성격과 이름을 생성형 AI에게 설명해줘야 합니다.
② 최소 3번 이상의 명령어를 입력하여 내용을 다듬으세요.
(결과물 나올 때마다 읽어보고 보완하세요. 내용을 더하거나 빼달라고 하세요)
③ 가상 이야기가 최종적으로 나오면 복사하거나 캡처하여 저장하세요.
④ 이야기가 나오면 짝꿍과 이야기를 바꿔 읽어봅니다.

<예시안>

-첫 번째 명령

You
내가 좋아하는 드라마 중에 '파스타'라고 있어. 거기 주인공이 서유경이고 여자야. 서유경은 이탈리아 레스토랑 주방 보조야. 요리에 대한 열정은 가득하지만 실수도 많아서 메인 셰프에게 혼나기도해. 여러가지 역경을 겪지만 낙천적이라서 금세 극복해. 서유경이 현실세계의 사람이라고 생각하고 하루 일상을 묘사해줘.

ChatGPT
서유경은 이탈리아 레스토랑에서 주방 보조로 일하는 열정적인 여성입니다. 그녀의 하루는 새벽에 시작되며, 레스토랑이 문을 열 준비를 하기 위해 일찍 일어나는 것을 선호합니다. 아침의 첫 번째 순간부터, 그녀는 요리에 대한 열정을 가슴 깊이 느끼며 하루를 시작합니다.

아침 식사는 간단하게, 보통 집에서 만든 에스프레소 한 잔과 간단한 빵으로 해결합니다. 그녀는 이 시간을 사용해 하루를 계획하고, 어떤 새로운 요리를 시도할지, 어떤 기술을 개선할지에 대해 생각합니다.

레스토랑에 도착한 서유경은 즉시 주방으로 향해 재료를 준비하기 시작합니다. 그녀의 업무는 재료 손질에서부터 간단한 요리 준비까지 다양합니다. 비록 실수를 하기도 하지만, 그녀는 각 실수에서 배우고, 메인 셰프의 지도 아래 점점 더 성장해갑니다.

점심과 저녁 시간 동안 레스토랑은 바쁘게 돌아갑니다. 서유경은 주문이 밀려들 때 스트레스를 받기도 하지만, 그녀의 낙천적인 태도와 팀워크 덕분에 어려움을 금세 극복합니다. 식사 시간이 끝나면, 그녀는 주방을 정리하고 다음 날을 위해 준비합니다.

일과 후, 서유경은 자신의 기술을 향상시키기 위해 추가적인 요리 수업에 참여하거나, 동료들과 함께 지역의 다른 레스토랑을 탐방하기도 합니다. 그녀는 다양한 요리 스타일과 문화를 경험함으로써 자신의 요리 범위를 넓히려고 합니다.

집으로 돌아온 그녀는 저녁 시간을 가족과 보내며, 하루 동안의 경험을 공유합니다. 가끔은 가족을 위해 특별한 요리를 준비하기도 하며, 이 시간을 통해 힘을 얻고 다음 날을 위한 영감을 받습니다.

밤이 되면, 서유경은 내일을 위해 재충전하는 시간을 가집니다. 가벼운 독서나 음악 감상을 통해 하루를 마무리하며, 자신의 꿈과 목표를 떠올리며 잠에 듭니다. 그녀의 하루는 요리에 대한 열정과 사랑, 그리고 삶에 대한 긍정적인 태도로 가득 차 있습니다.

-두 번째 명령

S You

위 글에 추가할 내용이 있어. 유경이가 제일 잘하는 요리는 알리오 올리오라는 내용을 추가해줘.

ChatGPT

"열정과 낙천주의: 서유경의 요리 여정"

서유경은 이탈리아 레스토랑에서 주방 보조로 일하는 열정적인 여성입니다. 그녀의 하루는 새벽에 시작되며, 레스토랑이 문을 열 준비를 하기 위해 일찍 일어나는 것을 선호합니다. 아침의 첫 번째 순간부터, 그녀는 요리에 대한 열정을 가슴 깊이 느끼며 하루를 시작합니다.

아침 식사는 간단하게, 보통 집에서 만든 에스프레소 한 잔과 간단한 빵으로 해결합니다. 그녀는 이 시간을 사용해 하루를 계획하고, 어떤 새로운 요리를 시도할지, 어떤 기술을 개선할지에 대해 생각합니다.

레스토랑에 도착한 서유경은 즉시 주방으로 향해 재료를 준비하기 시작합니다. 그녀의 업무는 재료 손질에서부터 간단한 요리 준비까지 다양합니다. 비록 실수를 하기도 하지만, 그녀는 각 실수에서 배우고, 메인 셰프의 지도 아래 점점 더 성장해갑니다. 특히, 그녀는 알리오 올리오를 만드는 데 특별한 재능을 가지고 있습니다. 이 간단하면서도 맛있는 파스타 요리는 그녀가 가장 자신 있게 만드는 요리로, 많은 사람들에게 사랑받고 있습니다.

점심과 저녁 시간 동안 레스토랑은 바쁘게 돌아갑니다. 서유경은 주문이 밀려들 때 스트레스를 받기도 하지만, 그녀의 낙천적인 태도와 팀워크 덕분에 어려움을 금세 극복합니다. 식사 시간이 끝나면, 그녀는 주방을 정리하고 다음 날을 위해 준비합니다.

일과 후, 서유경은 자신의 기술을 향상시키기 위해 추가적인 요리 수업에 참여하거나, 동료들과 함께 지역의 다른 레스토랑을 탐방하기도 합니다. 그녀는 다양한 요리 스타일과 문화를 경험함으로써 자신의 요리 범위를 넓히려고 합니다.

집으로 돌아온 그녀는 저녁 시간을 가족과 보내며, 하루 동안의 경험을 공유합니다. 가끔은 가족을 위해 특별한 요리를 준비하기도 하며, 이 시간을 통해 힘을 얻고 다음 날을 위한 영감을 받습니다.

밤이 되면, 서유경은 내일을 위해 재충전하는 시간을 가집니다. 가벼운 독서나 음악 감상을 통해 하루를 마무리하며, 자신의 꿈과 목표를 떠올리며 잠에 듭니다. 그녀의 하루는 요리에 대한 열정과 사랑, 그리고 삶에 대한 긍정적인 태도로 가득 차 있습니다.

125

-세 번째 명령

You
좋네. 고마워. 위 글의 제목을 지어줘.

ChatGPT
"열정과 낙천주의: 서유경의 요리 여정"

→ 내가 좋아하는 캐릭터처럼 나도 살 수 있을까요? 공통점이 있나요?
   어려운 일이 닥치면 내가 좋아하는 캐릭터는 어떻게 행동할까요? 상상해봅시다.

<더보기 영상>

동기부여와 위로가 되는 드라마 속 명대사 [스토브리그 남궁민] | 2편-4분 52초(유튜브:강철멘탈 동기부여) https://www.youtube.com/watch?v=bTUKUB8CI_4	
힘들고 지치는 삶들 속 ″위로와 힘이 되는 ″ 드라마 명대사,명장면 모음 zip. made by once more-4분 14초 (유튜브:once more) https://www.youtube.com/watch?v=emfASdRDfT8	
[매일 명언]/빨간머리앤 명언/(정말 멋진 날이야,이런 날에는 살아 있다는 것만으로도 행복하지 않니?)-4분 3초(유튜브:매일명언) https://www.youtube.com/watch?v=RSiFB-Lw7eY	

126

30. NIE 활용 진로활동: 의사 겸 변호사 박성민을 만나다
- 다음 글을 읽고 물음에 답해본 뒤 활동해보자

-대학민국청소년기자단 인터뷰 기사. 2019.7.4.
https://youthpress.net/xe/kypnews_article_economy/520229

의사와 변호사, 둘 중 하나의 자격을 취득하는 것도 매우 어려운 세상이다. 그러나 그 두 개의 자격을 모두 취득하고, 현재 변호사로 활동하며 유튜브도 운영하고 있는 박성민 님을 인터뷰해보았다.

박성민45), 그의 발자취

카이스트에 합격했으나 인하대학교 의과대학을 선택했다. 대학에 입학하기 전, 봉사활동을 갔는데 그곳에서 한 할머니와 잠시 시간을 보내게 되었다. 봉사 시간이 마무리되고 그가 문을 나오는 순간 할머니와 연결된 장치에서 벨이 요동치기 시작했다. 바로 응급 대원들이 들어가 조치를 취했지만, 그 할머니는 결국 숨을 거두셨다고 한다. 이러한 일을 계기로 그는 의사가 되기로 결심했다. 자신에게 의료에 관한 지식이 있었다면, 그 할머니께 조금이라도 도움이 되지 않았을까? 하는 마음에서 우러나온 결정이었다고 한다. 그렇게 의과대학을 입학한 그는 한창 대학시절을 보내야 할 시간에 불의의 사고를 당하게 된다. 그리고, 하반신이 마비되어 평생 휠체어를 타고 다녀야 하는 장애를 얻게 되었다.

그러나 그는 무너지지 않았다. 힘든 시간을 잘 이겨내며 그는 훌륭하게 의과대학을 졸업했다. 그의 졸업장은 일반 졸업장과는 다르다. 그의 땀과 수많은 노력으로 만들어진 정말 값진 결과물이다. 그의 도전은 여기서 멈추지 않았다. 그는 우연한 계기로 법학 전공을 하는 그의 친구들이 **'당구장 사장이 매장 내에서 100원을 주우면 그건 점유이탈횡령죄인가, 절도죄인가?'** 라는 주제로 토의하는 것을 듣게 된다. 그러다 어느 순간 법에 흥미가 생겨 로스쿨에 진학하기로 마음먹는다. 그리고 그는 서울대학교 법학대학 법학전문대학원에 합격하게 된다. 현재는 변호사로 일하고 있다.

---

45) 박성민 변호사 일상을 찍은 영상:
   (https://www.youtube.com/watch?v=UOvcOyAD8bU([특종세상][FULL영상] 의사이자 변호사 박성민, 휠체어에 꿈을 담고 달리다 | MBN 230209 방송)

인터뷰

Q. 간단히 본인 소개를 부탁드립니다.
A. 안녕하세요. **직업환경의학과 전문의**이자 변호사로 일하고 있는 박성민입니다. 저는 얼마 전까지 인하대병원에서 근무하다가 현재는 변호사로 재직 중입니다.

Q. 현재 정확히 어떤 일을 하고 계신 건가요?
A. 앞서 말했던 것처럼, 지난 2월까지 인하대병원에서 의사로 일하다가 현재는 변호사로서의 업무에 집중하고 있습니다. 그리고 작년 말부터 운영하고 있는 '로이어프렌즈'라는 유튜브 채널은 동료변호사 두 명과 함께하고 있는데 아마 본업보다 유튜버로서 더 열심히 일하고 있는 것 같습니다.

Q. 사고 후 많이 힘드셨을 텐데 어떻게 극복하셨나요?
A. 친구, 교수님들, 특히 가족의 지원이 있었기 때문인 것 같아요. 친구들은 제가 다치고 입원해 있을 때 매일 같이 병문안을 와주었을 뿐만 아니라 자체적으로 모금행사를 벌여 병원비를 지원해 주었어요. (정말 고마운 친구들이네요) 네, 맞아요. 교수님들께서는 제가 복학하였을 때의 동선을 미리 살펴보시고 불편한 점이 있을 것 같은 곳에 경사로를 설치해주셨고, 화장실을 개조하는 등 많은 부분에서 도와주셨습니다. 가족들도 옆에서 무엇이든 제가 필요로 하는 것이 있으면 적극적으로 지원해 주셨고요. 이러한 주변 사람들의 배려를 겪으면서 여기서 내가 포기하면 '이 사람들의 정성 역시 물거품이 되겠구나'라는 생각이 들어 저도 악착같이 빠르게 복학을 해야겠다고 생각했습니다.

Q. 앞으로 어떤 사람이 되고 싶으신가요?
A. 평소에 거창한 계획을 세워놓고 그대로 살아가야겠다고 생각하는 스타일은 아닙니다. 그때그때 상황에 맞추어 하고 싶은 일을 할 수 있다는 것은 그 자체로 행복한 일인 것 같아요. 굳이 목표를 말하자면 어떠한 직업, 어떠한 위치에 있든 제가 사회에 대해 생각하는 점이 반영될 수 있는 인플루언서(influencer)가 되고 싶습니다.

1. 박성민변호사 변호사가 된 계기는 당구장에서 들었던 어떤 토의 주제 때문이었다. 이 토의주제는 무엇인지 찾아쓰시오.
   ☞ (   )

2. 박성민변호사의 의사면허는 정확히 무엇인가?
   ☞ (   )

3. 박성민변호사가 사고후 어떻게 극복을 할 수 있었는가?
    - 무엇 때문에 극복할 수 있었는가?

☞

4. (O X 문제) 박성민 변호사는 거창한 계획을 세우고 노력하는 편이다.
    ☞ (   )
5. 박성민 변호사는 인플루언서가 되고 싶다고 했다. 어떤 인플루언서가 되고 싶
   다고 했는가?
    ☞ (   )

<챗GPT를 활용한 활동>

1) 챗GPT에게 소설 1000자를 써달라고 합니다. 평탄한 삶을 살다가 어려운 일을
   겪었지만 극복한 스토리로 써달라고 부탁합니다.

        -주인공 이름 성별 직업을 지정해줄 것

        -대화문을 넣어달라고 할 것

        -제목도 추천받아 지을 것

        -첫 번째 결과물에 만족하지 말고 **3번 이상 명령을 추가하여** 좀 더 매끄
         럽고 감동적인 스토리로 만들어낼 것

        (역경을 극복한 이야기는 구체적으로 나와야 함; 예시안 참조)

2) 챗GPT가 쓴 소설(최종결과물)을 읽어본 뒤 짝꿍과 공유해봅니다.

        - 복사하여 저장하거나 캡처하면 나중에 읽을 수 있음

- 챗GPT 소설 작성 과정 예시안 -

명령1) 직업이 간호사였다가 교통사고를 당해서 손을 다친 사람이 역경을 극복하고 성공하게 된 스토리로 소설 1000자를 써줘. 주인공 이름은 남경이야.

답변1) 남경이는 어릴 때부터 언제나 동물과 사람을 도우려는 마음을 갖고 자랐다. 어릴 적부터 아버지가 동네 병원에서 일하고 있어, 그곳에서 보낸 많은 시간 동안 의료 분야에 대한 흥미와 열정을 키워나갔다. 그리고 남경이는 꿈을 이루기 위해 간호사가 되기로 결심했다.

대학에 진학한 후, 남경이는 열심히 공부하고 임상 경험을 쌓아가며 간호사로서의 역량을 키워나갔다. 그녀는 환자들과 그 가족들에게 항상 따뜻한 미소와 친절한 말 한마디로 위로와 안정을 주었다. 남경이는 간호사로서 일을 시작한 이후에도 자신의 업무를 사랑하며 끊임없이 배우고 성장하려 노력했다.

그러나 인생은 때로는 예측할 수 없는 어려움을 가져온다. 남경이는 어느 날 교통사고에 휘말려 손을 다쳤다. 손목과 손가락이 다친 것은 간호사로서의 직업을 수행하는 데 큰 어려움을 줬다. 남경이는 수술과 재활치료를 거쳐서 손을 회복하기 위해 열심히 노력했지만, 그럼에도 불구하고 전전긍긍한 마음을 안을 수 없었다.

그런데, 역경은 종종 인생을 더 강하게 만들기도 한다. 남경이는 그 경험을 통해 간호사로서의 역량뿐만 아니라 내면의 힘과 결단력도 발견하게 되었다. 그녀는 손을 다치기 전보다 더 강해지고, 더 많은 것을 이뤄내고자 했다.

남경이는 재활치료를 받으며 끊임없이 훈련하고, 한 손으로도 환자를 돌보는 법을 익혔다. 그녀는 실력을 인정받아 병원 내에서 특별한 환자들을 돌보는 일을 맡게 되었고, 그 경험을 통해 더 많은 동기부여와 자신감을 얻었다.

시간이 지나면서 남경이의 손목은 예전과 다를 바 없이 회복되었다. 그러나 그녀의 내면은 더 강력하고 성숙해져 있었다. 남경이는 이제 자신의 업무에 더 열중하고, 환자들과 그 가족들에게 더 큰 힘과 위로를 줄 수 있었다.

결국, 남경이는 역경을 극복하고 다시 성공을 찾았다. 그녀의 이야기는 우리에게 희망과 인내의 중요성을 상기시켜 주는 것처럼 보인다. 그녀는 자신의 꿈을 이루기 위해 힘들게 노력하고, 어떤 어려움도 극복할 수 있는 강인한 의지를 지니고 있다. 남경이의 이야기는 우리에게 그 어떤 역경도 극복할 수 있는 힘을 믿게 해주며, 인생의 가치를 새롭게 깨닫게 해준다.

명령2) 좋은데. 근데 위의 소설에서 역경을 극복한 이야기를 더 자세하게 해서 다시 써줘.

답변2) 물론, 역경을 극복한 남경이의 이야기를 더 자세하게 풀어보겠습니다.

교통사고 이후, 남경이의 생활은 대대적인 변화를 겪었다. 처음에는 상실감과 절망이 그를 휩쓸었고, 간호사로서의 직업을 잃게 된 것에 대한 슬픔과 자책감이 그를 괴롭혔다. 그러나 그는 금방 자신을 돌아보고, 새로운 목표를 찾기 시작했다.

남경이는 먼저, 재활치료에 최선을 다하며 손을 회복하려 노력했다. 그리고 한 손으로도 간호 업무를 수행할 수 있는 방법을 찾기 위해 끊임없이 연구하고 실험했다. 그녀는 동료 간호사와 협력하여 환자들을 돌보는데 필요한 새로운 방법과 도구를 개발했다.

남경이의 노력과 헌신적인 태도는 병원 내에서 곧 인정받게 되었다. 그녀는 특별한 환자 그룹을 맡아 돌보는데, 환자들과 그 가족들에게 큰 힘이 되었다. 그녀는 두 손을 가진 간호사들 중에서도 가장 우수한 성과를 내며 자신의 업무를 수행했다.

하지만, 역경을 극복하는 과정은 단순히 직업적인 성과에 그치지 않았다. 남경이는 내면에서도 큰 성장을 이루었다. 그녀는 자신의 강인한 의지와 열정, 그리고 끈질긴 노력이 어떤 어려움도 극복할 수 있는 힘을 갖고 있다는 것을 깨달았다.

시간이 흐르면서, 남경이의 손목은 예전과 다를 바 없이 회복되었다. 그녀는 다시 간호사로서의 직업을 수행할 수 있게 되었지만, 그녀의 내면은 더욱 강해지고 성숙해졌다. 남경이는 이제 더 많은 환자들을 돌보며, 그들에게 끊임없는 지지와 힘을 주며, 자신의 경험을 통해 다른 이들에게 영감을 주고 있다.

남경이의 이야기는 역경을 극복하고 성공하는 과정이 얼마나 어렵고 힘들지만, 그 과정을 통해 얼마나 많은 성장과 인생의 가치를 찾을 수 있는지를 보여준다. 그녀는 자신의 꿈을 다시 찾아 나가는 과정에서 용기와 힘을 발견했으며, 우리에게도 희망과 인내의 소중함을 상기시켜 준다.

명령3) 좋았어. 위 소설에 대화를 추가해서 완성해줘.

답변3) 물론, 대화를 추가하여 이야기를 완성해보겠습니다.

남경이는 손목을 회복한 후, 친구인 지영과의 대화를 통해 그 동안의 변화와 역경 극복에 대해 이야기했다.

지영: "남경아, 정말 놀랍다. 손을 다치고 나서도 너는 어떻게 이렇게 강인하게 극

복할 수 있었을까?"

남경이: "지영, 그냥 포기하고 싶지 않았어. 처음에는 많이 어려웠지만, 그 과정에서 뭔가를 배우고 성장할 수 있다는 걸 깨달았거든."

지영: "하지만 네 직업은 간호사야. 손을 다치면 어떻게 환자를 돌볼 수 있었을까?"

남경이: "그래서 나는 다른 방법을 찾아냈어. 한 손으로도 할 수 있는 방법을 연구하고 동료들과 협력했어. 환자들을 돌보는 데 필요한 새로운 기술과 도구를 개발했지."

지영: "그게 정말 대단해. 그러니까 네가 다시 환자들을 돌보면서 느끼는 감정은 어때?"

남경이: "진짜 행복해. 환자들과 그 가족들에게 더 큰 힘과 위로를 줄 수 있다는 생각에 기뻐해. 그리고 내가 이 모든 것을 극복할 수 있다는 것이 더 큰 자신감을 주고 있어."

지영: "남경아, 네 이야기는 정말로 희망을 주는군. 역경을 극복하고 성공하려는 끈질긴 노력을 보니 나도 뭔가를 이루고 싶다는 생각이 들어."

남경이: "그래, 지영. 어려운 시기에도 포기하지 않고 노력하면 어떤 어려움도 극복할 수 있어. 너도 무엇을 원하고 있는지 생각하고 그에게 향해 나아가면 돼."

지영과의 대화를 통해 남경이는 자신의 역경 극복 이야기를 나누며 더 큰 희망과 인내의 소중함을 전달하였다. 남경이의 이야기는 우리에게 역경을 이겨내고 성공하는 과정에서 얼마나 많은 성장과 인생의 가치를 찾을 수 있는지를 보여주며, 우리 모두에게 힘을 주고 영감을 제공한다.

명령4) 좋았어. 위 소설 쓴 거 다 합쳐서 한 편으로 완성해줘.

답변4) 물론, 위에서 작성한 소설의 모든 부분을 합쳐서 한 편으로 완성해보겠습니다.

남경이는 어릴 때부터 언제나 동물과 사람을 도우려는 마음을 갖고 자랐다. 어릴 적부터 아버지가 동네 병원에서 일하고 있어, 그곳에서 보낸 많은 시간 동안 의료 분야에 대한 흥미와 열정을 키워나갔다. 그리고 남경이는 자신의 꿈을 이루기 위해 간호사가 되기로 결심했다.

대학에 진학한 후, 남경이는 열심히 공부하고 임상 경험을 쌓아가며 간호사로서의 역량을 키워나갔다. 그녀는 환자들과 그 가족들에게 항상 따뜻한 미소와 친절한

말 한마디로 위로와 안정을 주었다. 남경이는 간호사로서 일을 시작한 이후에도 자신의 업무를 사랑하며 끊임없이 배우고 성장하려 노력했다.

그러나 인생은 때로는 예측할 수 없는 어려움을 가져온다. 남경이는 어느 날 교통사고에 휘말려 손을 다쳤다. 손목과 손가락이 다친 것은 간호사로서의 직업을 수행하는 데 큰 어려움을 줬다. 남경이는 수술과 재활치료를 거쳐서 손을 회복하기 위해 열심히 노력했지만, 그럼에도 불구하고 전전긍긍한 마음을 안을 수 없었다.

그런데, 역경은 종종 인생을 더 강하게 만들기도 한다. 남경이는 그 경험을 통해 간호사로서의 역량뿐만 아니라 내면의 힘과 결단력도 발견하게 되었다. 그녀는 손을 다치기 전보다 더 강해지고, 더 많은 것을 이뤄내고자 했다.

남경이는 재활치료를 받으며 끊임없이 훈련하고, 한 손으로도 환자를 돌보는 법을 익혔다. 그녀는 실력을 인정받아 병원 내에서 특별한 환자들을 돌보는 일을 맡게 되었고, 그 경험을 통해 더 많은 동기부여와 자신감을 얻었다.

시간이 지나면서 남경이의 손목은 예전과 다를 바 없이 회복되었다. 그녀는 이제 자신의 업무에 더 열중하고, 환자들과 그 가족들에게 더 큰 힘과 위로를 줄 수 있었다.

지영: "남경아, 정말 놀랍다. 손을 다치고 나서도 너는 어떻게 이렇게 강인하게 극복할 수 있었을까?"

남경이: "지영, 그냥 포기하고 싶지 않았어. 처음에는 많이 어려웠지만, 그 과정에서 뭔가를 배우고 성장할 수 있다는 걸 깨달았거든."

지영: "하지만 네 직업은 간호사야. 손을 다치면 어떻게 환자를 돌볼 수 있었을까?"

남경이: "그래서 나는 다른 방법을 찾아냈어. 한 손으로도 할 수 있는 방법을 연구하고 동료들과 협력했어. 환자들을 돌보는 데 필요한 새로운 기술과 도구를 개발했지."

지영: "그게 정말 대단해. 그러니까 네가 다시 환자들을 돌보면서 느끼는 감정은 어때?"

남경이: "진짜 행복해. 환자들과 그 가족들에게 더 큰 힘과 위로를 줄 수 있다는 생각에 기뻐해. 그리고 내가 이 모든 것을 극복할 수 있다는 것이 더 큰 자신감을 주고 있어."

지영: "남경아, 네 이야기는 정말로 희망을 주는군. 역경을 극복하고 성공하려는 끈질긴 노력을 보니 나도 뭔가를 이루고 싶다는 생각이 들어."

남경이: "그래, 지영. 어려운 시기에도 포기하지 않고 노력하면 어떤 어려움도 극복할 수 있어. 너도 무엇을 원하고 있는지 생각하고 그에게 향해 나아가면 돼."
남경이의 이야기는 역경을 극복하고 성공하는 과정이 얼마나 어렵고 힘들지만, 그 과정을 통해 얼마나 많은 성장과 성공이 이뤄지는 지를 보여준다.

명령5) 위 소설 제목을 추천해줘.
답변5) 이 소설의 제목을 "끈질긴 간호사의 역경 극복"으로 추천해 드립니다. 이 제목은 주인공 남경이의 간호사로서의 역량과 역경 극복에 중점을 둔 이야기를 잘 나타내며, 독자들에게 힘과 희망을 전하는 내용을 시사합니다.

명령6) 또 다른 제목을 추천해줘
답변6) 물론, 다른 제목을 추천해 드립니다. 이 소설의 더욱 감동적인 내용을 강조하고자 "희망의 한손"이라는 제목을 고려해보세요. 이 제목은 주인공 남경이의 역경 극복과 자신을 찾아가는 과정을 강조하며, 의료 분야에서의 헌신과 희망을 담고 있습니다.

명령7) 희망의 한손 이라는 제목 좋네
답변7) "희망의 한손"이라는 제목이 마음에 드셨다니 다행입니다! 이 소설이 많은 독자들에게 힘과 희망을 전할 수 있기를 바랍니다. 작품의 완성과 성공을 기원합니다. 다른 질문이나 도움이 필요한 것이 있으면 언제든지 물어보세요.

<박성민 변호사 프로필>

31. NIE 활용 진로활동: 진로갈등 사례

- 다음 글을 읽고 물음에 답해본 뒤 활동해보자

[진로상담사례] 나는 교대에 안갈래요! 학생의 고집, 부모와의 갈등 이창선소장 진로칼럼[46]

학생의 고집, 부모와의 진로갈등

경기도지역 고등학교 1학년, 남학생
성적: 반에서 중상위권(30명에서 8등)
학생원하는 전공이나 직업: 없음
학부모가 원하는 전공이나 직업: 초등학교 교사

저는 우리아이가 원하는대로 진로를 선택하면 좋을것 같아요... 라고 부모님은 말씀하시지만 **글을 읽고 계시는 부모님은 혹시나 내가 원하는 직업을 강요하지는 않으시나요?** 학생의 고집과 부모와의 진로갈등과 관련한 상담케이스입니다.

부모님에게 아이가 어떤 직업이나 전공을 했으면 하나요?
라고 물어보면 과거에는 검사, 판사, 변호사, 의사, 교사, 공무원. 그리고 반드시 검사나 의사가 되어야 합니다. 내가 못했으니 우리아이라도… 이렇게 얘기했으나 요즘은 '아이가 원하는 것이요' '아이가 행복해 하면서 하는 직업을 택했으면 좋겠어요' 라고 말씀하신다.

이번 상담사례는 부모님은 아이가 원하는 직업을 했으면 좋겠다고 라고 하지만 실제 상담장면에서는 부모님의 직업이 초등학교 교사이고 아이도 초등학교 교사가 되었으면 좋겠다는 생각이 초등학교때부터 학생에게 전달이 된듯하다. 그리고 심리검사결과에서도 부모님의 대한 만족도(부모와의 관계에서 느끼는 만족도, 자신이 가족에게 소중한 존재라는 믿음)가 낮았고 공부에 대한 불안과 공부회피가 '높음'으로 평가된 것을 보면, 학생이 사춘기가 지난 시점이라고 하면 부모님이 학생에게 공부에 대한 압박이 있다고 여겨진다.

---

46) 출처: 블로그 춤추는코칭심리전문가
　　　https://blog.naver.com/skyspakorea/221876211712

진로상담을 하기 전에 과연 각 검사에 대한 타당도를 측정하면서 학생의 심리상태에 대해서 파악을 하고 진로상담을 진행해야 학생과 학부모와 공감대형성(라포형성) 뿐만 아니라 진로검사의 대한 신뢰도도 파악 할 수 있다.

이 학생은 부모님이 자기진로에 대해 알게 모르게 권유가 심했다.

성격검사를 보면 다소 내성적이고 사람들과 상호적 관계를 형성하기 힘들어 하는 성격이고 상담을 진행하면서 INTJ가 맞다고 판단되었고 진로검사결과도 교사와 관련된코드인 S가 많이 부족했다.

능력검사결과에서도 어휘력과 관련된 어휘적용력과 언어유추력은 다소 낮게 평가되었으나 공간지각력과 공간활용력이 매우 높게 평가되었다.

공간지각력과 공간활용력은 디자인계통 직업군에서도 적용이 되지만 공학이나 의학계열의 능력이 좋다고 평가할 수 있으며 특히 수리력은 높게 평가되었지만 자연과학과 관련한 수치이해력이 최상으로 평가되었으며 기계이해력도 높게 평가되어 능력검사를 분석해보면 자연과학계열이 추천할 수 있다.

그리고 학습검사에서도 현재 성적이 중상위권이지만 성실성이 높지 않아 공부를 열심히 하고 있지 않았고 공부불안과 공부우울이 높고, 학습효능감이 낮은것으로 학습검사가 평가되어 아마도 동기부여를 받는다면 지금보다는 성적이 올라갈 수 있다고 판단했다.

상담의 본론으로 들어가서,

학생과 부모님에게 성격검사의 결과인 INTJ에 대해 친구들을 사귀는 것을 약간은 힘들어 할 수있으며 신선하고 풍부한 상상력으로부터 나오는 생각에 집중하며 심부름을 시키더라도 이유없이 부모라고 해서 '빨리 다녀와'라는 말을 매우 싫어 할 수 있으며 자존감이 매우 높아 친구나 선생님 그리고 부모라 할지라도 맞다고 생각하는 것에는 자기가 옳다고 믿으며,

다른 사람의 설득이 통하지 않을 수 있다고 설명하면서 학습에 대한 부정적으로 평가된 것은 부모님이 무조건 교사가 되어야 하고 초등학교 교사가 되기위해서는 교대에 가야 하는데 이런성적으로 되겠냐는 질책이 이어졌고 자기의 능력에 비해 공부를 하지 않았고(성실성낮음), 교대에 갈 성적이 안되면 무조건 질책으로 이어져 자신감(학습효능감 낮음, 부모와의 관계 낮음)도 낮게 나온 것 같다라고 부모님에게 설명하면서 그래서 학생이 부모님에게 원하는 직업을 얘기도 안했고 모른다고 한 것은 아닐까 생각이 든다고 상담하였다.

그리고 능력을 파악하는 적성검사 결과는 또래 친구들에 비해 상위 15%정도라고 볼 수 있으며 학습검사 결과를 같이 판단해본 결과는 지금보다는 성적이 다소 올라갈 수 있는 가능성이 높다고 판단되고 현재 고등학교 1학년 1학기이에 아직 시

간은 많이 남아 있다고 판된되었고 직업흥미검사에서도 공부를 하려면 좀 더 길게 하고 싶고 성격검사의 INTJ의 경우가 학구열이 굉장히 높고 과학, 공학등의 이론적 학문을 좋아하는 경우가 많다고 설명하면서 공부를 길게 할 수 있는 직업도 좋을 것 같다고 상담하였다. 다만 공부를 할 때 자기만의 시간을 갖게 하고 조용하고 공부하기 좋은 환경을 만들어주는 것이 중요하니 학생이 계획표를 짜고 실천하고 있으면 참견보다는 지지가 더 중요한 학생이라고 강조하였다.

상담을 진행하면서 과학과 관련된 책을 초등학교때부터 좋아했고 직관적인 성격이 있어서 여러각도에서 사물을 관찰하면서 창조적인 것, 지적 호기심을 자극하는 일에 관심이 매우 높을 수 있으며 통찰력, 관찰력, 기발한 아이디어와 관련된 직업을 생각하면서 진로검사결과 C(관습형)와 성격검사의 꼼꼼한 성격(J, 판단)과 진로검사 두번째 코드인 I(연구형)이 높았으니 Neuro Science와 관련된 신경회로망 연구원과 에너지와 관련된 스마트그리드엔지니어 2개를 추천하였다.

이번상담의 포인트는 부모와 학생과의 관계를 이해하면서 학생의 성격검사의 장점과 힘들어하는 점을 가지고 라포형성을 하여 상담자의 믿음감을 가지게 하면서 학습검사와 심리검사의 단점을 분석하면서 학생의 가능성이 높다라는 점과 진로검사의 과학적인 흥미와 능력을 파악하는 적성검사에서 과학적인 능력이 높다고 평가되어 상담을 진행하면서 2가지의 직업을 추천한 사례이다. 이후 학생과 부모님은 진로가 결정이 되어 이후 대학진학을 위한 진학플랜을 만들기가 훨씬 수월했다고 하였고 학생은 자기의 장단점이 파악이 되어 자기를 이해하게 되었다.

홀랜드검사결과: I(연구형) , C(관습형)
성격유형검사: INTJ(과학자형)
적성검사(능력): 수리력 상, 수치이해력 최상 , 공간지각력 상 , 기계이해력 상
학습검사: 학습효능감 낮음 , 성실성 낮음 , 공부회피 높음, 공부불안 높음, 공부우울 높음. 집중력 낮음, 시험전략 낮음
심리검사: 불안, 우울 높음, 대인관계 낮음, 부절적감 높음, 통제소재 높음, 부모와의 관계 낮음할 수 있었고 진로가 결정이 되어 조금더 학습동기부여가 생겼다고 한다.

****

1. 부모님과 진로문제 혹은 학업문제 등으로 갈등이 있었던 적이 있나요? 있었다면 한 번 떠올려봅시다. 해결이 되었나요? 아직도 해결을 못하고 있나요? 갈등

137

의 원인에 대해 누가 책임이 더 큰가요? 부모님? 나? 쌍방? 생각해봅시다.

2. 위글에 나온 학생은 **홀랜드 검사와 성격유형검사 등을 통해 자기 자신을 객관적으로 파악**하게 되었고 교사라는 직업과 잘 맞지 않는다는 걸 알게 되었습니다. 여러분은 여러분에 대해 얼마나 잘 알고 있나요?

3. 자기 자신에 대해 잘 알기 위해 간이 홀랜드 검사를 해보자

홀랜드 간이검사[47]

해보고 싶고, 관심 있는 것 1항목에 ∨하여보고, 2항목에는 정도에 맞게 점수를 적어보세요. 그리고 어떤 유형에 속하는지 알아보고 뒷면에 자신의 유형의 성격특징과 직업적성, 그에 맞는 대표적인 직업을 알아보세요.

흥미 유형	현실형 (Realistic)		탐구형 (Investigative)		예술형 (Artistic)		사회형 (Social)		진취형 (Enterprising)		관습형 (Conventional)	
1	성실한		지적인		예민한		친절한		분명한		정확한	
	완고한		비판적인		창의적인		가르치는		야망하는		체계적인	
	엄격한		창의적인		감정적인		이해하는		확신하는		보수적인	
	검소한		독립적인		표현적인		수용적인		지배적인		실제적인	
	실제적인		논리적인		독립적인		배려하는		열성적인		순응하는	
	안정적인		수학적인		혁신적인		공감적인		설득적인		효율적인	
	무뚝뚝한		방법적인		자유분방한		우호적인		생산적인		조직화된	
	현실적인		합리적인		비우호적인		설득적인		영향력 있는		잘 통제된	
	순응하는		과학적인		비현실적인		도움을 주는		자기주장적인		질서 정연한	
체크 개수	( )		( )		( )		( )		( )		( )	
아래 항목을 보고 자신이 좋아하고 흥미를 느끼는 것의 정도에 맞게 아래 점수를 적어보세요. 매우 싫다 1점, 싫다 2점, 보통이다 3점, 좋다 4점, 매우 좋다 5점												
2	운동 등 몸을 움직이는 일		퍼즐 맞추기, 실험하기		독립적으로 일하는 것		사람들을 가르치거나 교육하는 일		지도자가 되는 것		사무실 안에서 일하는 것	
	공구나 기계를 다루는 기술직		과학과 관련된 연구하는 일		창조적으로 일하기, 글 창작하기		다른 사람의 문제 해결을 돕는 것		권력, 지위, 성취에 대한 야망과 열정		하루 생활을 짜임새 있게 계획하기	

---

47) 학교진로상담(김봉환 외, 학지사)

138

	손이나 도구를 사용하여 일하는 것		문제, 상황, 경향 등을 분석하는 일		악기를 연주하거나 노래하는 일		사 람 들 을 편안하고 즐겁게 해주는 일		자신의 목표를 세우고 설득하거나 영향을 주는 것		파일을 작성하거나 서류 등을 정리하는 것	
합계	(	)	(	)	(	)	(	)	(	)	(	)
1+2합계												
흥미유형 중에서 최고 점수가 나온 것이 나의 흥미유형입니다. 당신은 어떤 유형인가요?												

간이 흥미검사결과 자신의 유형 대표적인 직업들 중에서 관심 있는 직업에 ○표 하세요.

유형	성격특징	직업적성	대표직업48)의 예
R 실재형	남성적이고 솔직하며 성실, 검소하고 지구력이 있고 신체적으로 건강하고 소박하며 말이 적고 고집이 있고 단순하다. 분명하고 질서정연하고 체계적인 활동을 좋아하며 교육적 활동은 좋아하지 않는다.	기계적, 운동적인 능력은 있으나 대인관계 능력이 부족하다. 수공, 농업, 전기, 기술적 능력이나 연장, 기계, 동물들의 조작을 주로 하는 능력이 있으나 교육적 능력은 부족하다.	기술자, 자동차 기계 및 항공기 조종사, 정비사, 농부, 어부, 엔지니어, 전기 및 기계 기사, 운동선수, 소방대원, 동물전문가, 요리사, 목수, 건축가, 도시계획가
I 탐구형	탐구심이 많고 논리적, 분석적, 합리적이며 정확하고 지적 호기심이 많으며 비판적, 내성적이고 신중하다. 관찰적, 상징적이며 체계적이고 창조적인 탐구에 관심 있으나 사회적이고 반복적 활동에 관심 부족하고 혼자 있는 것을 좋아한다.	학구적, 지적 자부심을 가지고 있으며 수학적, 과학적 능력과 연구 능력은 높으나 지도력이나 설득력은 부족하다. 혼자 하는 활동에 적합하다.	과학자, 생물학자, 화학자, 물리학자, 인류학자, 지질학자, 의료기술자, 의사, 수학교사, 천문학자, 비행기 조종사, 편집자, 발명가
A 예술형	상상력이 풍부하고 감수성이 강하며 자유분방하고 개방적이다. 개성이 강하고 협동적이지 않다. 예술적 창조와 다양성을 좋아하나 체계적이고 구조화된 활동에는 흥미가 없다.	미술적, 음악적 능력은 있으나 사무적 기술은 부족하다. 상징적, 자유적, 비체계적 순서적 능력은 부족하나 창의적이고 독창적인 활동에 적합하다.	예술가, 작곡가, 음악가, 무대감독, 작가, 배우, 소설가, 미술가, 무용가, 디자이너, 조각가, 연극인 음악평론가, 만화가
S 사회형	사람들을 좋아하며 어울리기 좋아하고 친절하고 이해심이 많으며 남을 잘 도와주고 봉사적이며 감정적이고 이상주의적이다. 기계, 도구, 물질과 함께 하는 명쾌한 활동에 관심이 없다.	사회적, 교육적 지도력과 대인관계 능력은 있으나 기계적, 과학적, 체계적 능력은 부족하다.	사회복지가, 교육자, 간호사, 유치원 교사, 종교지도자, 상담가, 임상치료가, 언어치료사, 승무원, 청소년 지도자, 외교관, 응원단원
E 진취형	지배적이고 통솔력, 지도력이 있으며 말을 잘하고 설득적이며 경쟁적, 야심적, 외향적, 낙관적이고 열정적 이다. 계획, 통제, 관리하는 일과 그에 따른 인정, 권위를 즐긴다.	적극적이고 사회적이고 지도력과 언어 능력이 탁월해 조직의 목적과 경제적 이익을 얻는 일에 적합하나 과학적이고, 상징적, 체계적 능력은 부족하다.	기업경영인, 정치가, 판사, 영업사원, 상품구매인, 관리자, 연출가, 생활 설계사, 매니저, 변호사, 탐험가, 사회자, 여행안내원, 광고인, 공장장, 아나운서
C 관습형	정확하고 빈틈없고 조심성이 있으며 세밀하고 계획성이 있고 변화를 좋아하지 않으며 완고하고 책임감이 강하다. 정해진 원칙과 계획에 따르는 것을 좋아하나 탐구적, 독창적 능력은 부족하다.	자료를 기록, 정리, 조직하는 일을 좋아하고 사무적, 계산능력이 뛰어나나 창의적, 자율적, 모험적, 예술적, 비체계적 활동에는 흥미가 없다.	공인회계사, 경제분석가, 은행원, 세무사, 경리사원, 감사원, 안전관리사, 사서, 법무사, 통역사, 공무원, 약사, 비서, 보디가드, 우체국 직원

139

4. 부모님과 진로에 대해 갈등이 생긴다면 본인의 진로적성 검사를 바탕으로 부모님을 설득할 수 있을까요? 검사결과를 부모님께 설명해보는 연습을 해봅시다. 어떤 말씀을 드려야 부모님과 대화를 할 수 있을까요.

<더보기 영상>

진로를 고민하는 학생에게‖ 무식해져야 합니다 ‖ 진로,고민 ‖ 책그림 -5분 26초 (유튜브:책그림) (https://www.youtube.com/watch?v=nZhC1cLcNeg&t=2s)	
이 수업의 주제는 '나'입니다 ‖ 연세대 인생 수업 ‖ 책그림 -4분 58초 (유튜브:책그림) (https://www.youtube.com/watch?v=NFUF8D1Uc0I)	

※ 주의할 점

홀랜드 박사가 이 검사를 만들었던 1960년대에는 미국 직업의 수가 많지 않았습니다. 홀랜드 진로유형은 일종의 직업-성격 매칭이론으로 불리는데 특정한 직업은 특정한 성격을 가진 사람이 잘 맞는다는 이론입니다. **예를 들면 군인은 조직적이고 규율이 엄격하기 때문에 자유로운 성향이 강한 사람보다는 애국심이 투철하면서 규칙준수를 잘하는 관습적인 사람이 어울리겠지요.** 이런 정도로 해석을 하셔야 합니다.

하지만 이런 경우도 있습니다. 교사가 대부분 공무원의 성격을 갖고 있어서 관습적인 사람이 어울린다고 생각하지만, 자유롭고 창의적인 성향이 높은 사람이 교사가 된다면 창의적인 수업을 할 수도 있구요. 자기가 원하는 직업에서 자기의 성향과 가치관을 실현하는 방법을 찾거나, 실현이 불가능하면 다른 직업을 찾아야겠지요.

커리어넷-직업흥미검사(H)를 하면 간이검사보다 더 정확한 결과를 얻을 수 있습니다.

---

48) 여기 나온 직업 이외에도 많은 직업이 있습니다. 오해하지 말아야 할 것은 관습형은 무조건 여기 나온 직업만을 선택하라는 게 아닙니다. 관습형이 나와도 만화가가 될 수 있습니다. 만약 예술형도 높고 관습형도 높다면 규칙적으로 그림을 그리는 사람이 될 수도 있지요. 예술형과 진취형이 함께 나오면 웹툰콘텐츠회사 CEO가 되는 건 어떨까요? **홀랜드 유형별 직업종류는 '아 이 직업은 이런 성향이 강하다'-정도로 해석하시기 바랍니다.**

32. NIE 활용 진로활동: 대학간판이 중요한가

- 다음 글을 읽고 물음에 답해본 뒤 활동해보자

'연세대 의대 자퇴하고 조선대 사범대에 입학합니다… 인증합니다'
-위키트리, 2023. 2. 1. 기사

지난해 서울대와 연세대, 고려대를 다니다 자퇴한 이공계 재학생이 전년 대비 40% 늘어나는 등 의대 쏠림 현상이 심각한 가운데 한 청년이 대세(?)를 역주행해 화제를 모은다. 서울 소재 명문대 의대를 과감히 때려치운 이 사람의 행선지는 지방대 사범대였다.

최근 엠엘비파크(엠팍), 에펨코리아, 클리앙 등 다수 온라인 커뮤니티에 올해 대학 입시에서 조선대 수학교육과에 합격한 수험생 A씨의 사연이 소개됐다.
지난해 수능이 A씨에겐 3번째 도전이었다. 그렇다고 통상적인 의미의 삼수생은 아니다. 다른 대학을 다닐 만큼 다니다 적성에 맞지 않아 중퇴하고 새로 신입생이 됐다.
20대 후반의 늦은 나이에 수학 선생님이 되겠다는 꿈을 좇아가는 열정이 높이 살 법하다. 그런데 주위 사람들은 그의 결단에 격려보다는 뜨악한 반응을 쏟아낸다. 심지어 집에서는 내놓은 자식 취급을 받았다.
그가 내다 버린 선택이 그 '귀하다'는 의대였기 때문이다. 그것도 대한민국 의대 순위 넘버 2 반열인 연세대 의대다. 그뿐이 아니다. 연세대 의대를 두 번씩이나 걷어찼다.

광주에서 고교를 졸업한 A씨는 2015년 연세대 의대에 신입생으로 입학했다. 그러다 예과 3학년 때 유급을 경험했다. 2018학년도 수능을 다시 치르게 된 A씨는 또다시 같은 대학 같은 학과에 합격했다. 다시 예과 1학년 생활부터 반복하게 됐다. 그렇게 연세대 의대를 8년이나 다녔다. 그러던 그는 2023학년도 수능에 또 응시했다. 이번에는 고향에 있는 조선대 사범대 수학교육과에 원서를 냈다. 조선대 합격이 확정된 뒤 최근 연세대에 자퇴서를 제출했다.

A씨는 "정든 연세대를 떠난다"며 "다사다난한 학부 생활을 마감하고, 이제는 저만의 꿈을 찾아 모험을 시작할까 한다"고 자퇴 소감을 밝혔다. 그러면서 "저로 인해 울고 웃으셨던 분들께 감사 인사를 전하고 싶다"며 "생일 선물로 값진 합격증

을 받으니 기분이 좋다"고 기뻐했다

A씨는 그간 주변에 의사 생활에 대한 회의를 밝힌 것으로 알려졌다. 의사 꿈을 버리고 27세에 수학 선생님이 되겠다는 꿈을 찾아간 이유다.

그가 조선대 입학을 앞두고 과외 아르바이트 자리를 구하기 위해 입시 관련 키페에 올린 약력은 수험생 및 수험생 가족들의 눈을 어지럽게 만든다.

청천벽력 같은 진로 변경에 집에서는 난리가 났다. A씨는 사범대 진학 건으로 집에서 쫓겨나 여인숙에서 기거했다가 겨우 집에 돌아간 것으로 전해진다.

뒤집히기는 조선대도 마찬가지였다. 입학도 하기 전에 유명 인사가 됐다. 교내 온라인 게시판에 '거물이 왔다'는 소문이 확 돌았기 때문이다.

A씨가 급우들과 카카오톡 단톡방에서 주고 받은 대화를 보면 그의 위상(?)을 실감할 수 있다.

A씨가 단톡방에 가입하자 한 학생이 "연대 의대에서 수학교육과 오셨다는 분 맞죠?"라고 확인했다. A씨가 "그렇다"고 하자 이 학생은 "대박 이런 곳까지 찾아오시다니", "이런 곳에 귀한 분이"라며 뒷말을 잇지 못했다.

사연을 접한 누리꾼들은 "다이아수저일 듯", "할아버지가 사립학교 이사장이라 교사 자격증 가져오면 학교 주기로 한 거 아님?", "선견지명일 지도", "스펙도 있으니 유명 학원 강사 되면 의사보다 훨씬 벌 듯" 등 놀랍다는 반응을 보였다.

한편 입시업체 종로학원 조사에 따르면 지난해 소위 'SKY대'에서 자퇴한 학생은 1874명으로 전년 대비 40% 늘었다. 이들 대학의 입학 정원이 대략 1만2000여 명이니 6명 중 1명꼴로 어렵게 얻은 학생증을 팽개친 셈이다. 이들 자퇴생의 75%는 자연 계열로, 대부분 수능을 다시 쳐서 의약 계열에 지원한 것으로 추정된다.

1. 위 기사에 나온 A씨는 연세대 의대를 2번 다녔습니다. 총 몇 년을 다녔는가?
   ☞ (   )년

2. A씨는 2023학년도 수능을 응시한 뒤 연세대 의대를 그만두고 조선대학교 사범대학 수학교육과에 입학하게 됩니다. 연대 의대를 자퇴하고 수학교육과에 간 이유를 뭐라고 했나요?
   ☞ (   )

3. 상상해봅시다. 만약 A씨처럼 당신의 아주 친한 친구(혹은 형제자매)가 의대를 다니다가 그만두고 수학교사가 되겠다고 사범대학에 다시 들어가고 싶다고 고민을 털어놓으면 대답할 건지 솔직하게 자신의 스타일대로 대화체로 써봅시다.

142

친구: 야, 나 의대 적성에 안 맞는 것 같아. 아무리 생각해도 수학교사를 하고 싶어. 의대 그만두고 사범대 수학교육과 갈까? 서울생활도 지쳤는데 광주 집 근처 대학갈까. 정말 고민이다. 적성에 안맞는 것 같은데.

나:

4. 다음 글을 읽고 생각해봅니다.

신입생 자퇴율은 서울 소재 대학에서 가파르게 높아지고 있다. 서울 39개 대학의 신입생 자퇴율은 2010학년도 2.9%에서 2020학년도 7.1%로 4.2%포인트 증가했다. 같은 기간 경기·인천 소재 대학은 4%에서 6.7%로, 비수도권 대학은 3.3%에서 5.3%로 각각 늘었다. 비수도권 대학 중 경북대·부산대·전남대 등 지역거점국립대 9곳의 신입생 자퇴율은 2.5%에서 7%로 높아졌다. 지난해 4년제 대학의 신입생 자퇴 규모는 2만명을 넘어섰다. 2020학년도 한 해 동안 188개 대학의 신입생 34만7657명 중 2만666명이 자퇴했다. 서울 39개 대학에서는 8만4494명 중 6006명이, 경기·인천 29개 대학에서는 4만8109명 중 3220명이, 비수도권 120개 대학에서는 21만5054명 중 1만1440명이 자퇴했다. 자퇴한 신입생들 상당수는 대입 재도전을 통해 소속 학교를 옮긴 '반수생'으로 추정된다. 남윤곤 메가스터디교육 입시전략연구소장은 "학령인구 감소로 대입 문턱이 낮아지면서 '반수' 수요가 많아지고 있다"고 말했다.

-매일경제, 2021.9.8. 기사 중

→ 대학 신입생이 자퇴하는 이유가 무엇일까 생각해봅시다.

5. 명문대학에 가는 것이 여러분 전체 인생의 행복에서 몇 퍼센트 비중을 차지할까요? 인생 전체 행복을 100%라고 한다면 명문대학에 가는 것은 몇 퍼센트의 행복일까요? 각자의 생각을 적어봅시다.

☞ **명문대학**에 가는 것은 **내 인생 전체 행복 중에서 (   )%의 비중**을 차지한다.

그 이유는

6. 내 행복의 구성요소들을 생각해보자.

> *예시- 직업적성공, 명문대학 입학 및 졸업, 높은 연봉, 가족의 행복,   나의*
> *건강, 가족의 건강, 진실된 우정, 정열적인 연애, 교양과 지성,*
> *명예, 맛있는 것 먹기, 여행, 내가 속한 공동체의 안정과 질서, 자유 등*
> *(이 외에도 생각나는 것들)*

→ 내 인생 행복의 구성요소를 가장 많은 비중을 차지하는 것대로 생각나는대로 써보자.

<table>
<tr><td></td></tr>
</table>

<더보기 영상>: 위 기사 A씨 영상

대구MBC뉴스 (연대 의대 자퇴생의 행복한 꿈 ｜ 만나보니) (https://www.youtube.com/watch?v=4Z7ouGwuV40)	
스브스뉴스 (연대 의대 자퇴하고 조선대 간 학생에게 금수저냐고 묻다 / 스브스뉴스) (https://www.youtube.com/watch?v=VNtOeV7WrR0)	

33. NIE 진로활동: 수능 이대로 괜찮은가

- 다음 글을 읽고 물음에 답해본 뒤 활동해보자

"절대평가로", "자격만 확인"…수능 30년, '이제는 바꾸자' 목소리

첫 대학수학능력시험(수능), 그리고 30년이 흐른 2023년 8월 '포스트 수능'을 요구하는 목소리가 커지고 있다. 단지 수능이 한 세대를 돌았다는 이유만은 아니다. 우선 **킬러 문항, 수능 낭인, 문과 침공** 등의 은어로 응축된 1980만5242명(첫 수능 이후 2023학년도까지 누적 응시자 수)의 고통이 있다. 윤석열 대통령과 정부는 지난 6월 이들 가운데 킬러 문항을 짚었지만, 즉각 변별력에 대한 불안감이 제기됐다. 학생과 학부모들이 순위를 가르는 변별력 중심 수능이 근본적으로 변하지 않는 한 킬러 문항 배제만으로 경쟁 교육의 고통을 해소하기 어렵다고 보는 이유다. 2025년 고교학점제가 도입되는 가운데 정부가 이달 말 내놓을 2028학년도 대입제도 개선안에 눈길이 가는 이유다.

전문가들은 대학 서열화라는 경쟁 교육의 구조적 요인을 풀어야 하지만, 획일화된 서열체계를 강화하는 수능을 바꾸지 않고는 큰 변화를 꾀하기 어렵다고 짚는다. 수능의 과도한 변별력을 축소하고 평가의 타당성을 확보하는 데 집중해야 한다는 데 의견이 모인다.

① "다양한 전형 요소로 수능의 힘을 빼야"

서울대 입학관리본부 연구교수를 지낸 김경범 서울대 교수(서어서문학)는 수능뿐만 아니라 학교생활기록부(학생부)·내신 등의 다양한 전형 요소를 조합하는 대입제도의 도입을 대안으로 제시했다. 핵심은 수능의 힘을 빼는 데 있다. 김 교수는 "현재 정시에서는 수능 하나를 갖고 전국의 학생들을 줄 세우다 보니 수능 하나

의 변별력이 지나치게 높다. **그보다는 여러 전형 요소를 모아서 학생을 선발해, 각각의 요소가 변별력을 적절하게 유지하도록 해야 한다**"고 말했다. 수시(학생부·내신·논술)와 정시(수능)의 구분을 없애고 대신 정시에서 이 모든 요소를 조합해 대학이 학생을 선발하는 방식인 셈이다.

다만 입학사정관제나 초기 학생부종합전형이 낳은 폐해를 경험한 터라 수능부터 학생부, 내신, 면접이 완벽한 '슈퍼맨' 같은 학생을 요구하는 방식으로 귀결되는 것은 경계해야 한다. 김 교수는 "그래서 중요한 것이 다양한 요소를 반영하되, 각 전형 요소의 부담을 낮추는 것"이라고 했다. 그는 "예를 들어 대입 합격에 필요한 변별력을 100점이라고 치면, 현재 학생부종합·학생부교과·수능 등으로 나눠진 대입 전형은 각각 내신 또는 수능점수 같은 특정 요소 하나로 사실상 당락이 좌우되고, 결국 한가지 요소의 변별력이 과도해지는 문제가 있었다. 앞으로는 여러 전형 요소를 고루 반영해 100점이 되도록 해야 한다. 각 요소의 변별력이 낮아져도 대학은 조합을 통해 충분히 학생을 평가할 수 있다"고 말했다.

고교학점제 도입 이후 절대평가 방식의 내신 평가에 대한 부담은 줄어들 것으로 보인다. 이 경우 수능의 부담을 어떻게 줄일 것인가가 관건이다.

② "찍는 수능은 그만, 서술형으로 평가하자"
이혜정 교육과혁신연구소장은 "객관식 수능은 신뢰성은 높지만 타당성은 낮은 시험"이라고 평가했다. 정량화된 점수가 있기에 결과에 대한 논란은 적지만(신뢰성), 오지선다형 시험을 통해 측정하는 능력이 대학에서 필요한 사고력 등 자질(타당성)을 측정하는 데는 부족하다는 의미다. 그는 '서술형 수능'을 포스트 수능의 모습으로 꼽았다.

이 소장은 "현재 수능은 '적절한 것을 고르라'는 내용인데, 그 적절함은 누군가 정해놓은 것으로 학생 스스로 옳다고 생각하는 관점과 생각을 개발할 기회를 차단한다"며 "서술형 시험으로 내 생각, 내 관점, 내 관심사를 발굴하고 논리적으로 표현하는 교육 패러다임에 맞출 수 있다"고 말했다.

서술형 시험의 문제는 채점의 공정성 확보다. 서술형 답안을 평가할 능력이 갖춰지지 않으면, 공정성 논란을 피하기 위해 사실상 정답이 정해진 '무늬만 서술 시험'에 그칠 가능성이 크다. 이 소장은 "(서술형 시험인) 국제 바칼로레아에서는 시니어(베테랑) 채점관들의 가채점 점수와 실제 평가자의 점수를 비교해 보는 등의 시스템을 구축했다"며 "평가자 역량을 키우고, 서술형에서도 어느 정도 신뢰도를 확보하는 시스템을 만드는 것은 충분히 가능하다"고 말했다.

-한겨레, 2023.08.24.

1. 현재 수능 시험 성적으로 학생의 잠재력과 실력을 제대로 측정할 수 있다고 생각하나요? 자신의 생각을 자유롭게 기록해봅시다.

☞ 현재 수능은 학생의 잠재력과 실력을 제대로 측정할 수 (있다, 없다).

> 그 이유는

2. 위 기사에서는 다양한 대입제도 보완 방안을 제시하고 있습니다. 아래 ①~④는 이것을 정리한 것입니다. 맘에 드는 의견이 있다면 고르고 이유를 쓰시오.

  ☞ 내가 맘에 드는 의견은? (   )-번호 쓰기

> 그 이유는

① "다양한 전형 요소로 수능의 힘을 빼야"(정시 수시 구분 없이 수능+내신+학종 등 다양한
   영역의 점수를 합치자. 수능점수의 위력을 줄이자. 다각도로 학생의 역량을
   평가하자.)
② 수능을 서술형으로 만들자. (바칼로레아처럼 만들자)
③ 수능은 일정 점수만 넘으면 대학 입시를 치를 수 있게 자격고사화 하고(운전
   면허제도처럼) 수능 일정점수를 넘은 학생들을 대상으로 각 대학이 알아서 자
   기들만의 방식으로 학생을 뽑자.(대학별 선발)
④ 위 3개 의견 다 맘에 안 든다.

3. 내가 대학교수라면 학생을 선발할 때 무엇을 우선으로 볼 것 같습니까?
   대학교수라고 가정해보고 어떤 식으로 학생을 선발하고 싶은지 자유롭게 적어봅시다.

(예시안)
내신점수 상관없이 지원자들 모두 구술면접을 볼 것이다, 수능점수와 내신점수 몇 등급이상 학생들만 면접을 본다, 면접없이 논술시험을 보겠다, 우리학과에 필요한 내신 과목 점수를 보고 면접을 보겠다, 기타 등등

4. 2024년 교육부 발표에 따르면 대학의 무전공제도를 확대할 계획을 갖고 있습니다. 1학년의 경우 전공을 정하지 않고 입학한 뒤 2학년 진급시 전공을 정하는 것이 무전공제도(현재 자율전공학부)입니다. 무전공제도에 대해 어떻게 생각하십니까? 입학이 허락된다면 무진공으로 입학하고 싶습니까?

☞ 나는 무전공으로 입학하고 (싶다, 싶지 않다)

그 이유는

<참고 읽기자료>

* 다른 나라의 입시제도 *

-미국입시

(출처: https://url.kr/4ykdor / 네이버 지식인 답변 중)

미국에는 우리나라와 같은 **정시/수시 개념이 없으며 holistic review를 중시합니다. Holistic review란 성적 뿐 아니라 학생만의 스토리, 특별활동, 추천서, 자기소개서 등을 종합적으로 고려하는 개념입니다.**

미국의 명문대 입시가 보다 쉽다는 인식이 있지만, 이는 중위권 학교에만 해당하는 이야기이며 상위권부터는 한국 이상으로 경쟁이 치열해집니다. 예를 들자면, 한국 SKY에 들어가기 위해서는 수능 올 1등급을 받으면 되지만 미국 최상위권 대학은 미국 수능인 SAT/ACT 만점을 받더라도 다른 요소가 준비되지 않았다면 입학이 불가능합니다.

졸업이 어렵다는 얘기도 사실과는 다릅니다. 요구 학점을 채우고, 교양과 전공 요구 과목을 듣고, 일정 학점 이상을 유지하여 졸업하는 것은 미국이든 한국이든 같습니다.

→ 특징: SAT를 잘본다고 대학에 (갈 수 있음, 갈 수 없음)

-프랑스입시

(출처:https://url.kr/hxe1ku / 교육정책네트워크 정보센터)

프랑스의 대학입시는 대한민국과 같은 '선발'제도로 이루어지지 않는다. 바칼로레아(Baccalauréat)라는 고등학교 졸업 학위 자격시험을 통과한 사람은 모두 대학에 지원할 수 있고, 대학에서 공부할 수 있다. 대학 진학률이 약 62% 수준인 프랑스에서는 대부분 원하는 대학에서 원하는 전공을 공부할 수 있게 되는데(Ministère de l'Enseignement supérieur, de la Recherche et de l'Innovatio, n.d.), 간혹 드물게 인기 있는 전공에 정원을 넘는 지원자가 발생하는 경우 추첨으로 선발하기도 하였다. 이와 같은 선발 제도는 2018년 이후 대입제도 개혁으로 폐지되고, 이를 대체하여 입학과 관련된 서류 전형 방식으로 선발하도록 하고 있다.

'그랑제콜'은 엘리트 양성 기관이라는 점에서 시험을 통해 선발을 한다. 학교마다 선발 방식이나 기준이 다르므로 일관되게 이야기할 수는 없지만 **대체적으로 학교에서 치르는 입학시험(지필고사·면접고사), 고등학교 성적, 바칼로레아 점수 등으**로 선발한다. 그랑제콜의 입학시험은 경쟁률이 매우 치열하다. 높은 경쟁률로 인하여 그랑제콜 지원자는 고등학교를 졸업하고 바로 가는 것이 아니라 2~3년간의 준비기간을 거친다. 준비기간 동안에는 '그랑제꼴 준비반(Classes Préparatoires aux Grandes Écoles)'에서 학업을 이어간다. '그랑제꼴 준비반'의 경우에도 입학 선발을 하는데, 학교마다 개별적으로 선발을 하므로 일관된 전형 방식을 이야기하기가 어렵다. 대체적으로 바칼로레아 성적, 고등학교 내신 성적, 자기소개서, 교사 추천서 등의 입학 관련 서류 전형으로 선발이 이루어진다.

모든 유형의 고등교육기관에 기본적으로 바칼로레아 성적을 제출해야 한다. 바칼로레아 시험은 그 자체로 고등학교 학위 수여 자격시험이기도 하고, 모든 고등교육기관으로 진학할 때 반드시 필요한 대입시험이기도 하다.

프랑스 교육부는 2021학년도부터 새로운 바칼로레아 시험을 도입하기 위해 시험 체제와 그에 따른 고등학교 교육과정을 대대적으로 개편하였다. 교육부는 일반계열 바칼로레아의 문학계열, 사회경제계열, 과학계열을 폐지하였다. 고등학교 교육과정에서도 앞의 세 가지 계열 중심 교육체제를 폐지하고, 대신에 과목별 조합을 통한 선택 전공과목을 신설하여 궁극적으로 문·이과 계열의 경계를 무너뜨리며 융합형 인재 양성을 목표로 하였다.

2021년도부터 적용되는 바칼로레아 시험에서 전체 성적 중 시험이 차지하는 비율은 60%이다. 학생은 현행제도처럼 각 과목 당 하나의 시험을 치르는 것이 아니라 총 5가지로 구성된 시험을 치르게 되며, 각 시험의 내용은 다음과 같다.

▶ 국어시험: 고등학교 2학년에 치러짐.

▶ 두 가지 필기시험: 선택과목에 대한 필기시험을 진행함.

▶ 철학논술시험: 비판적 사고를 평가함.

▶ 20분 구술시험: 고등학교 전 과정에 대한 평가이며, 평가 내용에는 올바른 국어의 사용 등이 있음. 선택과목 1~2개를 중심으로 고등학교 2학년부터 준비한 프로젝트를 발표함. 또한 프로젝트 내용을 바탕으로 학생의 지식을 활용하여 분석하는 능력을 평가하기 위하여 질의응답이 추가됨.

→ 특징: (　　　　　　　)를 졸업한 사람은 대학지원자격이 있으나, 대학별고사, 고등학교 시험점수, (　　　　　　)점수를 종합적으로 살펴본 뒤 대학에 입학할 수 있다.

-일본입시

(출처: https://url.kr/mkb782 / 위키백과 검색결과)

일본의 대학 입시 제도의 핵심은 대학입시센터시험과 대학별 본고사이다. 대학입시센터시험은 6개 교과에서 32개 과목을 개설하고 있고, 대학에서 자신들의 전공과 관련된 교과를 사전에 지정하여 그 대학에 입학하려면 전공자들이 대학에서 지정한 교과를 응시하도록 하고 있다. 이 시험은 총점에 의하여 선발하는 것을 지양하면서, **이 시험의 이용 여부와 이용 방법은 대학의 자율에 맡긴다.** 현재 일본의 국공립대학 전체와 사립대학 일부가 대학입시센터시험을 이용하고 있다.

대학별 고사는 대학별로 치르는 학력시험, 소논문, 면접 등이 있으며, 각 대학은 대학입시센터시험과 대학별 고사를 종합하여 학생을 선발하고 있다. 이밖에도 추천 입학, 특기생 전형, 부속고등학교로부터 입학, 직장인을 위한 특별 전형 등을 다양하게 실시한다.

일본의 입시는 대한민국의 대학 입시 제도와 비슷한 점이 많다. 오래전부터 학력의 취득이 사회적 신분 상승의 가장 중요한 수단으로 역할했던 학력주의 국가 일본에서 대학 입시가 '시험지옥'이라는 말을 낳을 만큼 대학 입시 경쟁이 치열하여 사회 문제가 되고 있다는 사실은 잘 알려져 있다. **그러나 처음부터 일본의 대학 입시가 사회 문제였던 것은 아니다.** 전쟁 이전에는 대입 경쟁보다 고입 경쟁이 치열하였다. 제2차 세계 대전 패전 후 미국의 점령 하에서 '민주화'는 기치 아래 교육을 개혁한 일본은 중·고등교육을 받을 기회가 개방되면서 중·고등학교 진학률이 증가하기 시작하였다. 그로 인하여 대학 진학을 희망하는 수험생의 수가 급격히 증가하여 끝내 대학의 수용 능력을 상회해버렸고, 이는 치열한 입시 경쟁으로 이어졌다.

→ 특징: 우리나라와 (유사한, 반대의) 입시제도를 갖고 있다.

<더보기 영상>

수능, 당신은 몇 년까지 투자할 수 있습니까? | invited https://www.youtube.com/watch?v=uy_UB6VlXfU)	

- 나는 수능에 몇 년 투자할 수 있습니까??

150

MIT 등 美대학 '무전공 입학' 보편화…30% 이상은 '3년 내 전과'
■대학 무전공 입학 확산
MIT·스탠포드·코넬대…무전공 입학 후 2학년 때 전공 선택
학사제도 유연화로 학생 10명 중 3명은 3년 내 전과하기도
브라운대, 전공·수강 계획 스스로 정하는 '오픈 커리큘럼'

[이데일리 김윤정 기자] **세계대학순위에서 상위권을 차지하는 대학들은 이미 무전공 입학 제도를 광범위하게 운영 중이다.** 미국의 MIT(메사추세츠공대)와 스탠퍼드대가 대표적이다.

국내에서 '무전공 입학'으로 불리는 제도는 미국에선 '전공 미지정(Undeclared major)'라는 이름으로 시행 중이다. 전공을 미리 정하지 않고 대학에 들어와 여러 과목을 수강한 뒤 적성을 고려해 전공을 선택하는 제도다. 18일 미국 교육부에 따르면 미국에선 입학 후 3년 이내 전과하는 4년제 대학생 비율이 33%에 달한다. 입학생 10명 중 3명은 최초 선택한 전공을 그대로 이어가지 않으며 전공 선택권을 최대한 보장받는다는 얘기다. 다만 특정 인기 학과에 학생들이 쏠리는 부작용은 있다.

MIT 신입생은 '무전공(undeclared)' 상태로 입학한 뒤 1년간 어떤 전공이 적합한지 탐색하고 2학년 진급 직전에 전공을 정하고 있다. 스탠퍼드대도 마찬가지다. 신입생 전원을 무전공으로 모집, 전공 선택 전까지 단과대 2곳 이상의 수업을 의무적으로 수강토록 하고 있다. 학생들은 자신의 적성을 파악한 후 3학년 전까지는 전공을 선택하는 것이 일반적이다. 전공 선택 후에는 전과가 자유롭고 2~3개 분야를 복수 전공하는 경우도 많다.

코넬대 역시 전공 선택·전과가 자유롭다. 호텔경영학·건축학 등 일부 전문 학과 신입생들만 예외적으로 전공을 결정하고 입학한다. 그 외 대부분은 2학년 때 소속 단과대 내에서 세부 전공을 결정한다.

브라운대는 학생 스스로 전공을 설계하는 '오픈 커리큘럼(open curriculum)'을 시행하고 있다. 대학은 학부생 전원을 전공 구분 없이 선발하고 학생은 자신이 직접 전공을 설계할 수 있다. 다만 수강 계획을 만들 때는 주임교수와 상의해야 한다.

특히 브라운대는 졸업을 위한 필수 교양과목 이수 기준이 없는 것으로 알려졌다. 학생들은 교양과목 학점 충족 여부에 구애받지 않고 원하는 수업을 자유롭게 수강할 수 있다. 또 졸업에 차질만 없다면 제약 없이 전공을 바꾸는 것도 가능하다. 박남기 광주교대 교육학과 교수는 "국내 대학들이 무전공 선발을 확대한다면 단순히 학문 중심으로만 전공을 만들지 말고 **학문과 진로가 연계되는 전공제도를 만들어야 졸업 후 취업에도 도움을 줄 수 있을 것**"이라고 했다.

□ 해외사례(23.3월 기준, 대학 홈페이지 참고)

구분	코넬대 (광역 모집단위)	미시간대 (광역 모집단위)	스탠포드 (전체 통합선발)
모집학생 수	• 3,500명 내외 • 단과대 8, 학과·부 80	• 7,000명 내외 • 단과대 14, 학과부 164	• <u>학부 1,730명</u> • 단과대 7개, 학과 75개
모집단위	• <u>단과대별 모집</u>	• <u>단과대별 모집</u>	• <u>전원 자유전공 모집</u>
전공선택	• (시기) 3학년 진급시 • <u>(제한) 전공별 균등 배정 노력, 일부 전공 선수 과목, GPA 등 요구</u>	• (시기) 2학년 진급 시 • <u>(제한) 전공 고유 진입 요건 충족 시 결정</u>	• 1학년 또는 2학년 • (TO) 전공별 제한 : 특정과정 선이수 등 요구
학생지원	• 단과대별 상담 인력 배치	• career service center	• 학부 코디네이터 배치
융합교육	• 복수전공은 단과대 내 • 부전공은 단과대 간	• 복수전공 가능	• 복수전공 이수 가능
교원배정			• (신입생 多) 해당 분야 기존 교수 섭외, 새로운 교수 채용, 타 전공분야 교수 이동 등

(자료 제공=교육부)

-이데일리, 2024. 2. 16. 기사 중(https://url.kr/qv6ckz)

34. 매체 연계 진로활동 보고서

<작성원칙>

1) 대학의 학과나 직업 분야와 관련된 도서, 기사, 논문, 영화, 드라마, 다큐멘터리 등의 매체 자료를 읽거나 감상한 뒤 보고서를 작성하여 제출
2) 단, 내용 소개뿐만 아니라 자신의 의견을 반드시 포함하여 작성할 것
3) **자신의 진로 목표를 분명하게 드러나게 작성할 것**
4) 진로 미결정 학생의 경우는 진로 결정을 위해 노력하는 과정, 관심 있는 분야(영역)에 대해 깊이 있게 탐구한 내용을 구체화하여 작성

1. 자신의 희망 진로 (없으면 "탐색 중"이라고 기록)	
2. 매체 종류 (논문.신문기사.드라마.영화.다큐멘터리.일반동영상.도서 등)	
3. 매체 제목	
4. 매체 내용 요약	
★★5. 나의 진로와 관련하여 이 매체가 영향을 끼친 부분 등	

<예시>

1. 자신의 희망 진로 (없으면 "탐색중" 이라고 기록)	통일교육원 연구원
2. 매체 종류	논문
3. 매체 제목	통일 교과 개설의 필요성(이병호)
4. 매체 내용요약	우리나라 학교 통일교육은 매우 소극적이고 미흡하다고 할 수 있다. 이러한 원인 중 하나로 통일 교육의 중심축과 핵심세력이라 할 수 있는 '통일 교과'가 없다. 이 연구는 현재와 같이 초·중·고교에서 범교과학습주제로서의 통일교육은 계속 이루어져야 하나, 고등학교 선택과목으로 통일 교과를 개설함으로써 통일교육의 중심축과 핵심세력을 확보하고, 정치 논리가 아닌 교육논리에 기초한 지속적이고 안정적인 통일교육과정을 연구·개발·보급할 수 있으며, 대학과 사회의 통일교육 및 연구의 활성화와 후속 세대의 양성이 가능하다고 보았다. 특히 2022 개정 교육과정은 고교 학점제를 시행하기 때문에 고교에 많은 선택과목의 개설이 요구된다. 이에 통일 교과(목)이 고교 선택 교과목으로 속히 신설될 수 있도록 국가와 교육 연구단체는 통일 교과 교육과정을 속히 개발하고, 이를 편성·운영할 수 있는 충분한 준비와 조속한 실행이 필요하다고 밝히고 있다.
★★5. 나의 진로와 관련하여 이 매체가 영향을 끼친 부분 등	학교 통일교육은 많이 부족하다. 미래의 통일교육원 연구원이 되기를 꿈꾸는데 통일교육이 제대로 이뤄지려면 통일교과가 단독으로 필요하다는 의견에 전적으로 공감한다. 위 논문에서는 〈논술〉교과가 단독으로 개설된 것처럼 통일 관련 교과도 단독 개설될 수 있다고 주장하고 있다. 미래는 4차산업혁명도 중요하지만 분단된 조국에서는 통일의 미래도 염두에 둬야한다. 그러기 위해서는 지금부터 학교에서 통일교육을 집중적으로 해야하므로 통일교과가 단독으로 개설될 수 있게끔 노력하고 싶다. 또 개설이 된다면 통일 수업이 잘 될 수 있게 자료 보급에 힘쓰는 연구원이 되고싶다. 이를 위해 실제 학교 현장에서 통일교육을 맡고 있는 교사들의 이야기를 듣고 통일교육에 대한 연구를 많이 하여 실질적이 통일교육이 이뤄질 수 있게 노력하고 싶다.

35. 교과융합주제 독서 탐구활동

교과융합주제 독서탐구활동	
관심 진로분야 (직업이나 학과 기록해도 됨)	
탐구 주제	
책 제목 (저자,연관 과목) -2~3과목	
1. 개별 분석 - 참고한 각각의 책에서 다루고 있는 주제 및 내용	

2.융합탐구 – 책들을 통해 얻은 종합적 결론 (서론–본론–결론)	* 주제에 따른 종합적인 결론과 결론과 이의 근거 (주제와 결론이 유기적인 맥락을 가지며 근거는 반드시 책의 내용을 토대로 할 것)

	영역 (학년)	활동 및 탐구 계획
후속탐구를 위한 계획 (내년에 어떤 학교활동이나 과목과 연관지어 심화탐구를 할 것인지 계획)		

<기록예시>

교과융합주제 독서탐구활동	
관심 진로분야 (직업이나 학과 기록해도 됨)	통일연구원
탐구 주제	남북한 평화적 통일을 위한 바람직한 외교정책의 방향
책 제목 (저자,연관 과목) -2~3과목	1. 남북통일(이헌영, 국어-문학) 2. 서독 기민.기사당의 동방정책(클레이 클레멘스, 통합사회) 3. 한반도 통일과 주변 4국(안드레이 니콜라예비치 란코프, 통합사회)

~~~ 중략 ~~~~

	영역 (학년)	활동 및 탐구 계획
후속 탐구를 위한 계획 (내년에 어떤 학교활동이나 과목과 연관지어 심화탐구를 할 것인지 계획)	창체 진로 (2학년)	6.15 남북공동선언 기념 주간 학급행사를 통해 바람직한 통일 외교 방향에 대해 알리기
	세계사 (2학년)	서독의 동방정책이 주변국 정세 및 독일 통일에 끼친 영향 분석
	문학 (2학년)	황석영 장편소설 '바리데기'에 흐르는 통일에 대한 인식 분석
	한국지리 (3학년)	북한의 지형특징 및 자원정리-남한의 저출산고령화문제를 통일로 해결이 가능한가에 대한 탐구

※ 주의

단시간에 할 수 있는 활동이 아니고 평소 다양한 영역의 책을 읽어둬야지 할 수 있는 활동입니다. 탐구하고 싶은 주제가 있다면 인문, 사회, 예술, 과학 등 분야를 가리지 말고 책을 읽고 융합하여 탐구해봅시다. 진로시간을 활용해 독서해도 좋습니다.

36. 영화감상을 통한 진로와 인생 고찰*49)·

<나의 추천> 누군가 힘이 들고, 위로받고 싶고, 꿈을 향해 나아가고 싶을 때, 좌절하기 싫고, 희망을 갖고 싶고, 다시 일어서고 싶다고 할 때 추천할만한 영화는 무엇입니까? 한개 만 골라서 짝꿍에게 추천하고 서로 격려의 말을 해봅시다.

☞ 내가 선정한 이 시대 꿈과 희망의 영화는 (　　　　　　　　　　　)이다.
　　추천한 이유는.....

- 이 영화들은 어때요? -

제목 및 출처	QR로 접속^^
1. 영화: 가타카 (유튜브 기무리뷰:《유전자 검사》로 〃계급〃을 나누는 【미래사회】)-23분 51초 https://www.youtube.com/watch?v=Up0fF-ERglE	
2. 영화: 행복을 찾아서 (유튜브 씨네포유:아들과 화장실에서 노숙하다가 백만장자까지 된 감동실화 | 힘들때 진짜 파이팅되는 인생띵작)-22분 29초 https://www.youtube.com/watch?v=PkLEAdUFXZo	
3. 영화: 맥팔랜드 USA (유튜브 리뷰 MASTER : 차비가 없어 매일 20Km를 뛰어서 등교하는 학생이 육상팀에 들어갔다!? 전 세계를 놀라게한 미쳐버린 실화! [영화리뷰/결말포함])-19분 02초 https://www.youtube.com/watch?v=A1S6Fo9ittA	
4. 영화: 리바운드 (유튜브 소개해주는 남자 : 한국에서 흔치 않은, 숨겨진 보물 같은 농구영화!!《리바운드》)-20분 07초 https://www.youtube.com/watch?v=ogWovF2V0xU	

---

49) 학생들에게 유익한 영화 소개 영상을 2편 정도 보여주면 좋습니다. 학생 각자가 진로개척에 영감을 주는 영화를 소개해보는 시간을 가져도 됩니다.

5. 영화: 옥토버 스카이 (유튜브 무드킹: 꿈을 향해 달릴 수 있는 힘과 용기를 주는 감동 실화 영화 [영화리뷰 결말포함])-23분 59초 https://www.youtube.com/watch?v=mgT4jsoD1r8&t=79s	
6. 영화: 굿 윌 헌팅 (유튜브 영리남: MIT공대에서 청소부로 일하지만 수학만큼은...)-19분 46초 https://www.youtube.com/watch?v=A-0vmlDT9Bg	
7. 영화: 타고난 재능 벤카슨 스토리 (유튜브 무드킹: 긍정적인 말이 가져온 놀라운 변화.. 감동 실화 영화 [영화리뷰 결말포함])-23분 48초 https://www.youtube.com/watch?v=judHw5EKIWI	
8. 영화: 페노메논 (유튜브 무드킹: 미국 내에서만 1억 달러 이상의 흥행 수입을 올린 감동 영화 [영화리뷰 결말포함])-26분 15초 https://www.youtube.com/watch?v=MGMUb-4-SbE	
9. 영화: 우리는 동물원을 샀다 (유튜브 리뷰 MASTER:새로운 도전을 망설이는 당신이 꼭 봐야할 감동실화 [영화리뷰/결말포함])-14분 27초 https://www.youtube.com/watch?v=GpnZvrdoG3o	
10. 영화: 웨이 백 (유튜브 노스트라다무비 : (감동실화) 미친 생존력으로 시베리아에서 인도까지 6,500km를 걸어서 탈출한 실화 (결말포함))-19분 02초 https://www.youtube.com/watch?v=A1S6Fo9ittA	

제목 및 출처	QR로 접속^^
11. 영화: 벤자민 버튼의 시간은 거꾸로 간다 (유튜브 헤더의터닝페이지: 이번 생은 망한 것 같다고 느끼는 당신이 꼭 봐야하는 영화)-23분 44초 https://www.youtube.com/watch?v=Hekirtvaxns	
12. 영화: 독수리 에디 (유튜브 리드 무비: 꿈은 있는데 의지가 없을 때 보면 좋은 영화)-11분 44초 https://www.youtube.com/watch?v=tVw-YU0guAI	
13. 영화: 사랑의 기적 (유튜브 무드킹: 기적 같은 이야기를 따뜻하게 담아낸 감동 실화 영화 [영화리뷰 결말포함])-24분 48초 https://www.youtube.com/watch?v=42EyrjYZQ_A	
14. 영화: 보통 사람들 (유튜브 무드킹: 제작비의 15배를 벌어들인 전설적인 가족 영화 [영화리뷰 결말포함])-24분 25초 https://www.youtube.com/watch?v=vx33qXNevI0	
15. 영화: 죽은 시인의 사회 (유튜브 리우군의 다락방: 앤더슨은 왜 책상위로 올라갔을까? (죽은 시인의 사회) 스토리+해석편)-21분 52초 https://www.youtube.com/watch?v=SLFTX_1LJxs	

37. 노래를 통한 진로와 인생 고찰*50)

1) 꿈을 포기해야만 할 것 같을 때 들으면 좋은 노래,
High Hopes - Panic! At the Disco [가사/해석]
https://www.youtube.com/watch?v=P8b47hZdvVY

<가사 해석>51)

Had to have high, high hopes for a living
언제나 높고 높은 희망을 품고 살아왔어
Shooting for the stars when I couldn't make a killing
가진 것이 없을 때에도 목표는 별을 향했지
Didn't have a dime but I always had a vision
돈 한 푼 없어도 꿈은 항상 있었어
Always had high, high hopes
언제나 높고 높은 희망을 가졌어
Had to have high, high hopes for a living
언제나 높고 높은 희망을 품고 살아왔어
Didn't know how but I always had a feeling
방법은 몰라도 느낌으로 알 수 있었어
I was gonna be that one in a million
내가 백만 중 하나가 될 거라는 걸
Always had high, high hopes
항상 높고 높은 희망을 가졌어
Mama said, fulfill the prophecy
엄마가 말했어, 예언을 실현시켜
Be something greater

---

50) 함께 노래를 들은 뒤 각자 소개할 노래를 찾게 하고 들어보는 시간을 가져도 좋습니다.
51) https://exp-log.tistory.com/17#google_vignette

위대한 사람이 되는 거야
Go make a legacy
전설을 남기고
Manifest destiny
너의 운명을 보여줘
Back in the days, we wanted everything, wanted everything
그 시절 우리는 모든 것을 원했지, 모든 것을
Mama said Burn your biographies
엄마가 말했어, 과거는 잊어버려
Rewrite your history
역사를 다시 쓰는 거야
Light up your wildest dreams
너의 꿈에 불을 붙여
Museum victories, everyday
박물관에 걸린 승리자들처럼
We wanted everything, wanted everything
우리는 모든걸 원했지, 모든 것을
Mama said, don't give up, it's a little complicated
엄마가 말했어, 포기하지 마 조금 복잡할 뿐이야
All tied up, no more love and I'd hate to see you waiting
사랑하는 일을 하지 못하고 묶인 채 나아가지 못하는 너를 볼 수 없어
Had to have high, high hopes for a living
언제나 높고 높은 희망을 품고 살아왔어
Shooting for the stars when I couldn't make a killing
가진 것이 없을 때에도 목표는 별을 향했지
Didn't have a dime but I always had a vision
돈 한 푼 없어도 꿈은 항상 있었어
Always had high, high hopes
언제나 높고 높은 희망을 가졌어
Had to have high, high hopes for a living
언제나 높고 높은 희망을 품고 살아왔어
Didn't know how but I always had a feeling
방법은 몰라도 느낌으로 알 수 있었어
I was gonna be that one in a million

내가 백만 중 하나가 될 거라는 걸

Always had high, high hopes (high, high hopes)

항상 높고 높은 희망을 가졌어

Mama said It's uphill for oddities

엄마가 말했어, 괴짜들은 오르막 길을 걸어

Stranger crusaders ain't ever wannabes

목표가 뚜렷한 선구자는 남들을 따라하지 않지

The weird and the novelties don't ever change

이상하고 특이한 사람들은 절대 변하지 않아

We wanted everything, wanted everything

우리는 모든 것을 원했지, 모든 것을

Stay up on that rise

계속 높이 올라가

Stay up on that rise and never come down, oh

계속 높이 올라가서 내려오지 마

Stay up on that rise

계속 높이 올라가

Stay up on that rise and never come down, oh

계속 높이 올라가서 내려오지 마

Mama said don't give up, it's a little complicated

엄마가 말했어, 포기하지 마 조금 복잡할 뿐이야

All tied up, no more love and I'd hate to see you waiting

사랑하는 일을 하지 못하고 묶인 채 나아가지 못하는 너를 볼 수 없어

They say it's all been done but they haven't seen the best of me

모두가 끝났다고 하지만 난 아직 내 전부를 보여주지 않았어

So I got one more run and it's gonna be a sight to see

나는 다시 도전할 거고 아주 멋진 광경이 될 거야

Had to have high, high hopes for a living

언제나 높고 높은 희망을 품고 살아왔어

Shooting for the stars when I couldn't make a killing

가진 것이 없을 때에도 목표는 별을 향했지

Didn't have a dime but I always had a vision

돈 한 푼 없어도 꿈은 항상 있었어

Always had high, high hopes

언제나 높고 높은 희망을 가졌어
Had to have high, high hopes for a living
언제나 높고 높은 희망을 품고 살아왔어
Didn't know how but I always had a feeling
방법은 몰라도 느낌으로 알 수 있었어
I was gonna be that one in a million
내가 백만 중 하나가 될 거라는 걸
Always had high, high hopes
항상 높고 높은 희망을 가졌어
Had to have high, high hopes for a living
언제나 높고 높은 희망을 품고 살아왔어
Didn't know how but I always had a feeling
방법은 몰라도 느낌으로 알 수 있었어
I was gonna be that one in a million
내가 백만 중 하나가 될 거라는 걸
Always had high, high hopes
항상 높고 높은 희망을 가졌어
Had to have high, high hopes for a living
언제나 높고 높은 희망을 품고 살아왔어
Didn't know how but I always had a feeling
방법은 몰라도 느낌으로 알 수 있었어
I was gonna be that one in a million
내가 백만 중 하나가 될 거라는 걸
Always had high, high hopes (high, high hopes)
항상 높고 높은 희망을 가졌어

2) 꿈을 포기하고 싶지 않을 때 듣는 노래,
I Do Too - The Reklaws [가사번역/해석]
https://www.youtube.com/watch?v=PQnIp7051c4

<가사해석>

Mistakes we're gonna make 'em
우리가 만들어 낼 실수들과
Chances gonna take 'em
우리에게 주어질 기회들을
Walls try and break 'em down
가로막는 벽들이 우릴 무너뜨리려 하죠
Time we're gonna steal it
우리가 훔쳐낸 시간들로
Love like a drug gonna deal it
마약 같은 사랑을 하겠죠
That high I wanna feel it now
나는 지금 그 기분을 느끼고 싶어요
I've been talking to the stars
별들에게 이야기를 하곤 했죠
Been reaching through the dark
어둠을 뚫고 지나서
Been holding out my heart
내 마음은 바뀌지 않을거라고
Do you ever lay awake at night
당신은 한밤중에 누워서
staring up at a lonely sky ?
쓸쓸한 밤하늘을 바라본 적 있나요 ?
Wondering if it's gonna drop on you, like a rock on you
내 위로 돌멩이처럼 별들이 떨어지지 않을까 생각하면서요
Yeah, I do too
저도 그렇거든요
Do you ever wanna run away ?
도망치고 싶은 적 있나요 ?
Get scared you'll lose your faith
나의 대한 믿음을 잃을까 두렵고
Like it's all gonna stop on you, walk out on you
모든게 나를 떠나는 것 같은 기분이 들 때 말이에요
Yeah, I do too
저도 그렇거든요
We all got more questions than answers

우리 모두는 대답보다 더 많은 질문을 받아요
dreams too big too lose
꿈을 포기하기엔 꿈이 너무 컸고
Sometimes you worry too much
가끔은 너무 많이 걱정을 하죠
Yeah, I do too
저도 그렇거든요
Everybody's got beautiful we all got scars
우리 모두 상처도 있지만, 아름답게 빛나요
Why hide behind a filter, you're a perfect work of art
왜 숨는거죠 ? 당신은 이미 완벽한 예술 작품인데
What on earth are we here for
도대체 우리는 무엇 때문에 여기에 있는 것일까요
What happens next
앞으로 무슨 일이 생길까요
For all the things I think I know
내가 많은 것을 안다고 생각했는데
There's so much I don't get
모르는 게 너무 많았어요
Do you ever lay awake at night
당신은 한밤중에 누워서
staring up at a lonely sky ?
쓸쓸한 밤하늘을 바라본 적 있나요 ?
Wondering if it's gonna drop on you, like a rock on you
내 위로 돌멩이처럼 별들이 떨어지지 않을까 생각하면서요
Yeah, I do too
저도 그렇거든요
Do you ever wanna run away ?
도망치고 싶은 적 있나요 ?
Get scared you'll lose your faith
나의 대한 믿음을 잃을까 두렵고
Like it's all gonna stop on you, walk out on you
모든 게 나를 떠나는 것 같은 기분이 들 때 말이에요
Yeah, I do too
저도 그렇거든요
We all got more questions than answers

우리 모두는 대답보다 더 많은 질문을 받아요
dreams too big too lose
꿈을 포기하기에는 꿈이 너무 컸고
Sometimes you worry too much
가끔은 너무 많이 걱정을 하죠
Yeah, I do too
저도 그렇거든요
I've been up all night just steady shouting at the ceiling
밤새도록 천장에 대고 계속 소리만 질러댔어요
Staring down my demons need something to believe in
악마들을 이겨내려면 믿을 게 필요하죠
I've been up all night just steady shouting at the ceiling
밤새도록 천장에 대고 계속 소리만 질러댔어요
Staring down my demons need something to believe in
악마들을 이겨내려면 믿을 게 필요하죠
Something to believe in
믿을 만한 무언가가
Do you ever lay awake at night
당신은 한밤중에 누워서
staring up at a lonely sky ?
쓸쓸한 밤하늘을 바라본 적 있나요 ?
Wondering if it's gonna drop on you, like a rock on you
내 위로 돌멩이처럼 별들이 떨어지지 않을까 생각하면서요
Yeah, I do too
저도 그렇거든요
Do you ever wanna run away ?
도망치고 싶은 적 있나요 ?
Get scared you'll lose your faith
나의 대한 믿음을 잃을까 두렵고
Like it's all gonna stop on you, walk out on you
모든 게 나를 떠나는 것 같은 기분이 들 때 말이에요
Yeah, I do too
저도 그렇거든요
We all got more questions than answers
우리 모두는 대답보다 더 많은 질문을 받아요
dreams too big too lose

꿈을 포기하기에는 꿈이 너무 컸고
Sometimes you worry too much
가끔은 너무 많이 걱정을 하죠
Yeah, I do too
저도 그렇거든요
Yeah, I do too
저도 그래요

3) 서영은 - 혼자가 아닌 나 [가사/Lyrics]
https://www.youtube.com/watch?v=DN12I3U5j98

4) [MV] 하현우 - '돌덩이' <이태원 클라쓰(Itaewon class)> OST Part.3♪
https://www.youtube.com/watch?v=4qOT_Aw9IgM

<나의 추천> 내가 힘이 들고, 위로받고 싶고, 꿈을 향해 나아가고 싶을 때, 좌절하기 싫고, 희망을 갖고 싶고, 다시 일어서고 싶을 때! 듣는 노래는 무엇입니까?
한 곡만 골라서 짝꿍에게 추천하고 서로 격려의 말을 해봅시다.
☞ 내가 선정한 이 시대 꿈과 희망의 노래는 (   )의 (   )이다.
        - 이 노래 가사중 가장 맘에 드는 가사는..

나에게 힘을 주는 가사 쓰기

38. 미래 사회에 필수 능력! 감정조절력!!**

1. 앞으로의 시대에 필요한 능력! 마음챙김!!!
 끊임없이 변화하는 미래 사회, 여러분을 둘러싼 상황들은 끊임없이 필요합니다. 많은 전문가들은 미래사회에 꼭 필요한 능력으로 공감력, 감정조절력, 마음챙김 등을 말합니다. 명상을 통해 시험, 친구관계, 가정문제 등에서 **불필요한 감정을 증폭시키지 않기 위해 감정조절능력을 키워봅시다.**

2. 건포도 명상
(경우에 따라서는 마이쭈와 같은 다른 간식류도 가능합니다.
그리고 바디스캔 명상처럼 자신의 신체에 집중하는 명상도 가능합니다)

건포도명상법

건포도 하나를 집어서 당신의 손바닥 혹은 손가락과 엄지 사이에 잡아보세요. 그리고 그것에 주의를 집중하세요. 건포도를 전에는 한번도 본 적이 없는 것처럼, 주의 깊게 살펴보세요. 손가락 사이로 건포도를 뒤집어보세요. 이번에는 손가락 사이로 질감에 집중해보세요. 빛에 비추어 보면서 밝은 부분과 어둡게 움푹 들어간 주름을 살펴보세요. 건포도의 모든 부분을 마치 지금까지 한 번도 본 적이 없는 것처럼 탐색해보세요. '지금 무슨 희한한 일을 하고 있는거지?', '이걸 대체 왜 하는거지?' 그것을 단지 생각으로 알아차리고 주의를 건포도에 되돌리세요. 이제 건포도의 냄새를 맡아보세요. 건포도를 들어서 코 밑에 가져가보세요. 숨을 들이쉴 때마다 주의 깊게 건포도 냄새를 맡아보세요. 이제 다시 한번 건포도를 바라보세요. …(중략)… 마지막으로 건포도를 삼킬 때 느껴지는 감각을 따라가세요. 건포도가 당신의 위로 내려가는 것을 느끼고 당신의 몸이 정확히 한 알의 건포도만큼 더 무거워진 것을 느껴보세요.

[출처] 정신과 의사가 안내하는 건포도 명상 실전편(https://youtu.be/xB2ZvAoq1lQ)

☞ *명상을 하고 느낀점을 적어보세요.* (어색했다, 힘들었다-등도 기록해도 됩니다)

3. 마음챙김과 마음놓침[52]

	마음 놓침	마음 챙김(mindfulness)
의미	무의식적으로 행동하는 경향. 마음놓침이 긍정적으로 발현되면 효율성이 향상될 수 있지만 부정적일 경우 기회를 놓치고 실수 및 문제가 발생할 수 있음.	현재 이 순간에 온전히 집중하고, 판단 없이 경험을 받아들이는 태도 -현재에 집중, 판단 없이 받아들이기, 자기 인식과 수용에 집중
예	그걸 할 수 있는 기회를 잃었구나... 난 왜 그렇게 바보같았을까...	기회를 잃었지만 그로 인해 새로운 기회를 얻게 됐다.
나의 사례		

<나의 사례 기록예시>

나의 사례	"문제를 잘못 읽고 실수를 하다니 왜 사냐"	"실수에 대해 후회하고 등급이 떨어질까 걱정하고 있구나. 누구나 실수를 할 수 있지. 너무 긴장되고 불안해서 그런거니까 몸과 마음을 돌보면서 다음에는 실수를 줄이도록 하자."
나의 사례	"시험이 다가오는데 공부를 하나도 안하고 게임만 하고 있다니. 한심하다."	"공부를 해야 한다는 걸 알면서도 실천을 안하는 자신이 밉고 불안하구나. 비록 내일이 시험이지만 지금이라도 할 수 있는 것을 하자. 우선 교과서를 읽어보자. 공부를 안 했으니 점수를 기대할 수 없지만 지금 할 수 있는 최선을 다하자"
나의 사례	"스마트폰을 안 한다고 해놓고 또 하고 있네. 공부할 시간 다 빼앗겼어. 나는 인내심이 없는 루저다."	"유혹을 이기지 못하는 나를 탓하고 있구나. 유혹을 끊기 힘들면 스마트폰을 엄마에게 맡기는 방법도 있어. 엄마에게 당장 맡기자. 나 자신을 너무 믿지 말자. 유혹이 옆에 있으면 끊어내기가 힘들다는 걸 깨달았네."

---

52) '마음챙김'(앨렌 랭어, 더퀘스트)

170

<더보기 영상>

마음 챙김, 당신을 챙김 │ 유정은 명상앱 '마보' 대표 @mabopractice │ #명상 #스트레스해소 #기분전환 │ 세바시 1739회 (유튜브: 세바시강연)-17분 40초 https://www.youtube.com/watch?v=pW5_MvJYNhA	
마음챙김 명상을 시작하는 방법 │ 초보자 명상 가이드 10분 (자세, 호흡법) (유튜브:에일린 mind yoga) https://www.youtube.com/watch?v=Rl6_OzuG73s	
수험생을 위한 명상 (집중력 향상 · 스트레스 해소 · 공부하기 전 명상) │ 10분 요가니드라 │ 요가소년 105 (유튜브: 요가소년) https://www.youtube.com/watch?v=2x6F7Gbcagc	

<참고 자료> 유익한 진로 관련 동영상 안내[53]

① 대도서관 <잡쇼> (직업소개; 조금 오래된 영상이나 노멀하고 유익함)

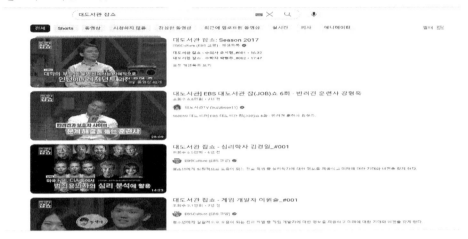

② <Univ 찌룩> (대학탐방)

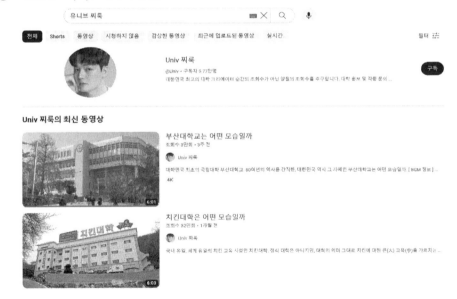

172

③ <황태티비> (대학탐방 및 분석)

④ <전과자 학과탐방>(학과소개;오락적이며 상위권대학 위주/ 학생들이 좋아함)

⑤ <워크맨> (직업탐방; 장성규 출연/오락적이나 의외로 디테일한 직업세계 묘사)

⑥ <세바시> (진로 인생 강연, 건전하고 유익함. 15분~30분)

⑦ <책그림> (책소개;주로 진로 인생 자기계발/구성좋음. 10분내외)

⑧ <라이프코드>

(많이 현실적임. 미리 내용을 살펴볼 필요도 있음. 긴 영상은 학생들이 지루해할 가능성 있음. 교사 혼자 정보를 얻는 차원에서 보는 것도 괜찮음)

⑨ <아무튼 출근>(MBC) 시리즈
-유튜브 '엠뚜루마뚜루' 재생목록에서 '아무튼 출근' 검색
(현실적인 직장인 직업인의 모습을 예능 요소를 섞어 보여주고 있으며 학생들의 반응이 좋음. 대기업 직원, 교도관, 교사, 공무원 등 비교적 다양한 직업들이 소개되었으며 직업 정보도 자세하고 유익함. 분량 10~15분 내외)

⑩ 유튜브에 들어가서 '특정직업+장단점' 이라고 검색
  (현직에 있거나 현직 경험있는 분들의 다양한 영상들이 업로드
  균형있는 시각 형성을 위해 장점과 단점 모두를 알려주는 게 좋음)